Reiseweg der Bidwell-Bartleson-Gruppe
nach Kalifornien (1841)

Carl David Weber –
ein Pfälzer gründet Stockton

Ein deutsches Auswandererschicksal
in Amerika

von

George P. Hammond

1850
WEBER POINT

Herausgegeben für die Freunde der Bancroft Library
Universität von Kalifornien
Berkeley, Kalifornien
1982

Ins Deutsche übertragen von Helga Ulmcke

Druck: Saarpfalz-Druck Ermer KG, Homburg-Saarpfalz · Bindearbeiten: Hollmann GmbH, Darmstadt

Printed in Germany · ISBN 3-924653-07-0

Vorwort zur deutschen Ausgabe

Nach George P. Hammonds und Dale L. Morgans gemeinsamem Werk „Captain Charles M. Weber, Pioneer of the San Joaquin and Founder of Stockton, California" (1966), Ilka S. Hartmanns Studie „The Youth of Captain Charles M. Weber, Founder of Stockton" (1979) und zahlreichen kleineren Arbeiten liegt seit 1982 die umfangreichste Biographie des 1814 im westpfälzischen Steinwenden geborenen und 1836 von Homburg ausgewanderten Carl David Weber vor. Als einer der ersten Deutschen, die nach entbehrungsreicher Reise 1841 auf dem Landweg die Westküste der USA erreichten, als Stadtgründer, Offizier, Kaufmann, Landwirt und Philanthrop ging dieser erfolgreiche pfälzische Auswanderer, der sich später Charles Maria Weber nannte, in die Geschichte des amerikanischen Westens ein und gilt als einer der bedeutendsten Pioniere Kaliforniens.

Die Motive, die Carl David Weber vor über 150 Jahren zur Auswanderung veranlaßt haben, sind heute nur schwer zu ergründen, zumal sich der Auswanderer selbst dazu offenbar nie detailliert geäußert hat. Wirtschaftliche Not war es nicht, die ihn und seinen mit ihm reisenden Vetter Theodor Engelmann zu diesem Schritt bewogen haben. Auch politische Gründe aufgrund eines der bayerischen Staatsregierung mißliebigen Engagements für die liberal-demokratische Bewegung jener Zeit waren wohl nicht – zumindest nicht allein – ausschlaggebend, wenngleich beide sowohl im Homburger als auch im Steinwendener Pfarrhaus in freiheitlicher Atmosphäre aufwuchsen. Liberale Männer des westpfälzischen Raumes, allen voran der Homburger Landcommissär Dr. Philipp Jakob Siebenpfeiffer, der Journalist Dr. Johann Georg August Wirth oder der Steinwendener Bürgermeister Johannes Häberle, waren – neben anderen – gern gesehene Gäste. Dekan Carl Gottfried Weber, Carl Davids Vater, ein guter Freund Siebenpfeiffers, wurde aufgrund seiner liberalen Einstellung, vor allem wegen seiner Teilnahme an einem Festmahl für Wirth in der Gastwirtschaft von Friedrich Ludwig Cappel in Homburg, von der bayerischen Regierung gemaßregelt.

Die Bewahrung liberalen Gedankenguts war ein gutes Stück Familientradition, auf das die Webers, Geuls und Engelmanns stolz waren. Schon Carl Davids Großvater Johann Carl Weber, von 1763 bis 1800 reformierter Pfarrer in Steinwenden, hatte es gewagt, die Agrarpolitik der kurpfälzischen Regierung öffentlich zu kritisieren, und mußte daher manche Benachteiligung erfahren.

Selbst die erhalten gebliebenen Briefe des 1788 im Auftrag des spanischen Königs zur Hebung des darniederliegenden Quecksilberbergbaus nach Südamerika gereisten jüngsten Bruders von Pfarrer Johann Carl Weber, Johann Daniel Weber, lassen diese vom Geiste der Aufklärung geprägte Einstellung erkennen, die fürstlicher Willkür eine klare Absage erteilt.

Nachdem dieser von der Annexion des linken Rheinufers durch Frankreich erfahren hatte, schrieb er 1801 aus Potosi in Peru an seinen Neffen Carl Gottfried Weber:

„Man hat gewiß viel größeres Zutrauen, wenn mann weiß, daß mann von seines gleichen regiret wird, und daß anjezo kein anderes Vorrecht als die der Verdienste und Talente existiert: alle andern Distincionen kennt die Natur unter den Menschen nicht. Seit dem Augenblick als mich die öffentlichen Blätter von der Reunion des ganzen linken Rheinufers mit der französischen Republik unterrichtet haben, nahm ich daran den größten Anteil; wenigstens was mich betrifft, bin ich nun einmal Republikanisch gesinnt . . .".

Die Briefe des um 1820 in Peru verstorbenen Onkels, die von Dekan Carl Gottfried Weber - wie auch später von seinen Nachkommen - sorgsam wie ein Schatz gehütet wurden, wie auch die Erzählungen über dessen abenteuerliche Reise nach dem noch unerforschten Südamerika haben bei dem jungen Carl David vielleicht schon früh das Interesse für ferne Länder geweckt.

Carl David Weber erlebte im Hambach-Jahr 1832 die erste große Auswanderungsbewegung aus der Pfalz nach den Hungerjahren 1816/17, von der der Speyerer Journalist Georg Friedrich Kolb unter dem Pseudonym J.N. Miller in seiner „Geschichte der neuesten Ereignisse in Rheinbayern" 1833 schreibt: „Schon früher hatten manche Auswanderungen aus diesen Gegenden nach Amerika statt, sie waren aber meistens einzelne Erscheinungen und betrafen größtentheils nur arme Leute, welche sich diesseits nicht zu ernähren wußten. Jetzt änderte sich dies aber. Sehr bemittelte und wohlhabende, ja selbst reiche Leute, verließen in Masse ihr Vaterland. Sie hatten hier nicht mit Nahrungssorgen zu kämpfen gehabt, sie flohen nicht, von ihrem innern Richter verfolgt; der herbe Schmerz, der sich bei ihnen aussprach über den Verlust des theuern Vaterlandes konnte sie nicht zurückhalten, sie gingen geradezu der gefürchteten Kholera entgegen, aber — sie zogen nach dem Lande der Freiheit, das ihnen ersetzen sollte, was Rheinbaiern nicht mehr vermochte."

Auf der Kaiserstraße bei Homburg begegnete Carl David Weber in den dreißiger Jahren fast täglich Auswanderergruppen auf dem Weg nach dem Einschiffungshafen Le Havre, von denen uns Pfarrer Friedrich Blaul 1838 in seinem Buch „Träume und Schäume vom Rhein" ein so eindrucksvolles Bild vermittelt.

Belesen wie er war, hatte der junge Weber auch früh Zugang zu amerikanischen Reisebeschreibungen. Sein Vater zählte 1825 zu den 36 Mitgliedern der Lesegesellschaft im Landcommissariatsbezirk Homburg, in deren Bibliothek sich sicher bald nach seinem Erscheinen (1829) auch Gottfried Dudens Werk „Bericht über eine Reise nach den westlichen Staaten Nordamerikas" befand, das damals gerade in bürgerlichen Kreisen gelesen und diskutiert wurde.

Bei den Engelmanns in Steinwenden, in Carl David Webers Geburtshaus, wo er sich auch später von Homburg aus häufig in den Ferien aufhielt, war Amerika seit 1831 eines der Hauptgesprächsthemen, bereitete doch Pfarrer Engelmanns Onkel, der königlich-bayerische Forstmeister in Imsbach Friedrich Theodor Engelmann, die Auswanderung seiner ganzen Familie nach Nordamerika vor. Forstmeister Engelmann, seine Familie und Freunde, unter ihnen der wegen seiner Teilnahme am Hambacher Fest und am Frankfurter Wachensturm steckbrieflich verfolgte Rechtsanwalt und spätere Vizegouverneur von Illinois Gustav Peter Koerner (der 1836 des Forstmeisters Tochter Sophie ehelichte), setzten im Mai 1833 von Le Havre aus nach Amerika über und fanden schließlich in Belleville, Illinois am Ufer des Mississippi eine neue Heimat. Bald nach der Ankunft schrieben der Förster und seine Kinder mehrere Briefe in die Pfalz, berichteten Einzelheiten der Reise und informierten die Zurückgebliebenen über die Verhältnisse im neuen Land.

Vor allem auf den damals 17-jährigen Pfarrerssohn Theodor und dessen Vetter, den um zwei Jahre älteren Carl David Weber, dürften die Amerika-Briefe der Engelmanns einen großen Eindruck gemacht und bei ihnen wohl schon 1833 Reisefieber geweckt haben.

Eine Schlüsselfigur bei der Auswanderung Carl David Webers war schließlich der Zweibrücker Appellationsgerichtsrat Theodor Erasmus Hilgard (1790 – 1873). Seine Mutter war eine Schwester von Pfarrer Engelmanns Vater, beide – Theodor Hilgard und Carl Martin Engelmann – verbrachten gemeinsame Kinder- und Jugendjahre im Bacharacher Pfarrhaus und später gemeinsame Studienjahre in Göttingen, und so verwundert es nicht, daß Theodor Hilgard bei der Taufe des Sohnes seines Vetters und Freundes 1816 in Steinwenden Pate stand. Als Theodor Engelmann später das Zweibrücker Gymnasium besuchte, wohnte er eine Zeitlang bei seinem Patenonkel Theodor Erasmus Hilgard. Dieser entschied sich 1835 nach reiflicher Überlegung schließlich auch für die Auswanderung nach Nordamerika, die er u.a. mit folgenden Worten begründete:

„Ich gelangte zu der klaren Überzeugung, daß eine zahlreiche Familie, wie die meinige, in einem kleinen, engen und noch dazu durch unnatürliche Verhältnisse geplagten Ländchen, wie die bayerische Rheinpfalz, keinen geeigneten Wirkungskreis, kein fröhliches Gedeihen finden würde; daß hingegen die große amerikanische Union mit ihrem unermeßlichen Gebiete, ihren freien Institutionen und ihrer unberechenbaren Zukunft, jeder menschlichen Kraft den freiesten und großartigsten Spielraum biete. Dazu kam die Betrachtung, daß die politische Gesinnung, die mich beseelte und die ich durch Lehre und Beispiel auf meine Kinder zu übertragen wünschte, der heimischen Staatsregierung mißliebig sei, daß ich also entweder die Erziehung meiner Kinder fälschen und mir selbst untreu werden, oder sie für immer der Ungunst der Regierung preisgeben müßte . . .“.

Ein Jahr nach der Emigration Theodor Hilgards und seiner Familie brachen Carl David Weber und Theodor Engelmann gemeinsam nach den USA auf. Ihr Reiseziel war Belleville in Illinois. In New Orleans trennten sich die Wege der beiden, Engelmann zog den Mississippi aufwärts zu seinen Verwandten, Weber blieb in New Orleans, wo er allerdings nicht reüssierte. Erst mit dem Aufbruch nach Westen (1841) begannen sich seine Jugendträume zu verwirklichen. Von dieser Reise, Webers Anfängen in Kalifornien, seiner Stadtgründung, seinen Erfolgen, aber auch von manchen Enttäuschungen handelt dieses Buch.

Der Lebenslauf Webers zeigt allerdings keinesfalls ein typisches Auswandererschicksal auf. Nur wenigen der Millionen Europäer, die im 19. Jahrhundert in die „Neue Welt" aufbrachen, gelang ein solch kometenhafter Aufstieg vom mittellosen Auswanderer zum wohlhabenden Unternehmer, Großgrundbesitzer und Goldmineneigner.

Der Großteil der Auswanderer konnte durch die Übersiedlung nach Nordamerika gerade im zweiten Drittel des 19. Jahrhunderts der wirtschaftlich-sozialen Not im Heimatland zwar entgehen, lebte aber auch in den USA vielfach in recht bescheidenen Verhältnissen. Gar manche sind – nachdem ihnen das Glück nicht blühen wollte – wieder in die Heimat zurückgekehrt.

Das Bekanntwerden von Carl David Webers Erfolgen, von denen in Deutschland offenbar zuerst die Augsburger Zeitung, dann aber auch lokale Blätter in der Pfalz berichteten, hat manche veranlaßt, sich ebenfalls auf den Weg nach Kalifornien zu machen. Einige, das wissen wir, haben zuvor bei Familienangehörigen Webers in der Pfalz Auskünfte eingeholt und um die Ausstellung von Empfehlungsschreiben nachgesucht. Viele Einwanderer wurden von Carl David Weber bei ihrer Ankunft in Stockton großzügig unterstützt. Auch davon lesen wir in diesem Buch.

In jahrelanger Arbeit hat sich George P. Hammond, Professor emeritus an der University of California in Berkeley und langjähriger Direktor der dortigen Bancroft-Library, mit dem Leben und Werk Carl David Webers beschäftigt. Zum erstenmal wurden jetzt auch die ergiebigen Briefe benutzt, die vor allem der im Gegensatz zu seinem älteren Bruder sehr schreibfreudige Adolph Weber mit seinen Angehörigen in Deutschland ausgetauscht hat und die durch Vermächtnisse verschiedener Nachkommen nun zusammen als „Weber Family Papers" in der Bancroft Library in Berkeley aufbewahrt werden. Dank der außerordentlich großzügigen Förderung, die Professor Hammonds Arbeit durch Carl David Webers Enkelin Mrs. Helen Weber-Kennedy erfahren hat, und der Aufgeschlossenheit sowohl der „Freunde der Bancroft Library" als auch des engagierten Bibliotheksdirektors Dr. James D. Hart konnte die englische Originalfassung unter dem Titel „The Weber Era in Stockton History" im Jahre 1982 in sehr ansprechender Aufmachung erscheinen. Helen Weber-Kennedy durfte die Veröffentlichung noch erleben. Sie starb am 13. April 1983 im Alter vom 93 Jahren.

Daß nun eine deutsche Fassung der Weber-Biographie vorliegt, ist hauptsächlich das Verdienst von Dr. Paul Weber, dem Seniorchef der Karlsberg Brauerei, Homburg. Er hatte nach dem ersten Lesen der englischen Fassung sogleich den Wunsch geäußert, dieses Werk solle auch in deutscher Sprache vorliegen. Er machte sich Gedanken, wen man mit der Übersetzung betrauen könnte, und er fand Frau Helga Ulmcke, die sich bald dazu bereit erklärte und die Arbeit souverän und mit großem Engagement bewältigte. Das Interesse ihres Ehemannes, des Homburger Oberbürgermeisters Reiner Ulmcke, ist ihr dabei sehr entgegengekommen.

Dr. Hammond und Dr. Hart sei für die Genehmigung zum Druck einer deutschen Ausgabe gedankt.

Auf den umfangreichen Anmerkungsapparat in der Originalausgabe wurde bei der Übersetzung verzichtet. Die Auswahlbibliographie dagegen nennt einen Großteil der benutzten Literatur.

Die für die englische Fassung übersetzten deutschen Briefauszüge konnten im „Originalton" gebracht werden, nachdem die Manuscript-Division der Bancroft Library dankenswerterweise Kopien der Briefe zur Verfügung gestellt hatte. In die vorliegende Ausgabe wurden zur Veranschaulichung zusätzlich viele Bilder und einige Karten aufgenommen, deren Provenienz am Ende des Bandes angegeben ist.

Kaiserslautern, im Frühjahr 1989   Roland Paul

Vorwort

Die Besiedlung Kaliforniens ist eines der bemerkenswertesten Ereignisse in der Entwicklung der Vereinigten Staaten von Amerika. Kalifornien, dieses ferne Land im äußersten Westen des amerikanischen Kontinents, wurde erst kurz vor der Entstehung der Vereinigten Staaten an der Ostküste von einigen Europäern stellenweise besiedelt. Das Land im Osten jedoch war schon fast zwei Jahrhunderte lang, bevor es die Vereinigten Staaten überhaupt gab, kolonisiert, und die Fortschritte waren unübersehbar. Während dieser langen Zeit waren auch amerikanische Siedler langsam, Meile für Meile, in Richtung Westen gezogen, hatten die Wildnis besiegt und eine ständig neue Siedlungsgrenze im Anschluß an die bewohnten Gebiete geschaffen. Die Entwicklung Kaliforniens dagegen als Teil der USA vollzog sich im wesentlichen in einem Jahrzehnt, zwischen 1840 und 1850, ohne die sonst übliche langsame Verschiebung der Siedlungsgrenze.

Die Spanier und ihre Erben, die Mexikaner, hatten sich 1769 mühsam den Weg nach Norden gebahnt entlang der ausgedehnten kalifornischen Küste. Später drangen sie gelegentlich bei Expeditionen und Raubüberfällen ins Landesinnere ein, doch die riesigen Gebirgsketten und die Gebirgsausläufer mit ihren Flüssen blieben überwiegend Terra incognita. Das Innere Kaliforniens wurde erst bekannt, als Auswanderer aus den USA die 2000 Meilen, die zwischen den Grenzen im amerikanischen Westen und Kalifornien lagen, auf dem Landweg zurücklegten. Die ersten, die den Kontinent durchquerten, waren Forscher, Bergbewohner und Pelztierjäger. Sie machten Exkursionen in das fremde romanische Land, waren jedoch nicht daran interessiert, sich dort auf Dauer niederzulassen.

Die erste Gruppe, die die Sierra überquerte in der festen Absicht, sich in Kalifornien anzusiedeln, hatte Missouri im Frühjahr 1841 verlassen. Niemand kannte den Weg nach Kalifornien; man wußte nur, daß es im äußersten Westen lag. Unter ihnen befand sich Karl Weber, ein 27-jähriger Deutscher, der schon seit fünf Jahren in den Vereinigten Staaten lebte. Er stammte aus einer guten Familie, die in der bayerischen Pfalz beheimatet war. Der junge Weber war ein ruheloser Geist und sehr impulsiv. Er strebte nach mehr Freiheit als der, die ihn als Nachkomme von protestantischen Pfarrern, erzogen in den strengen deutschen Traditionen, zu Hause erwartete. Nur kurze Zeit nach Beendigung seiner Schulzeit ging er nach Amerika. Niemals sollte er seine Heimat wiedersehen, und viele Jahre lang hatte er überhaupt keinen Kontakt mit seiner Familie.

In New Orleans und St. Louis hatte er sich offenbar sehr um die Gründung einer Existenz bemüht, jedoch ohne Erfolg. Schon bald nach seiner Ankunft in dem unbewohnten Teil Kaliforniens hatte er mehr Glück und erzielte beachtliche Erfolge. Wie alle Neuankömmlinge nahm er sofort Kontakt auf mit Johann August Sutter, der ebenfalls deutscher Abstammung war und seit zwei Jahren in Kalifornien lebte. In diesen zwei Jahren war aus Sutter ein großer Landbaron geworden, auf dessen riesiger Ranch sich ein imposantes Fort am Zusammenfluß von Sacramento und American River befand. Zu seinen Vorposten gehörten die alten russischen Siedlungen nördlich der Bucht von San Francisco. Über Sutter sind schon zahlreiche historische und biographische Werke geschrieben worden, und sein Name findet sich deutlich sichtbar auf der Landkarte von Kalifornien: ein Bezirk, eine vulkanische Gebirgskette und ein Wildreservat sind nach ihm benannt. Weber hatte Sutter nichts zu verdanken; er wurde sogar einmal eine Zeitlang als eine Art Kriegsgefangener von seinem Landsmann festgehalten. Aber auch aus Weber wurde ein großer Landbesitzer. Sutter gründete die Stadt Sacramento; Weber war der Gründer von Stockton. Dennoch sind die einzigen Namen, die an diesen zweiten wichtigen Pionier erinnern, „Weber Creek" (oft fälschlich „Webber Creek" geschrieben) im El Dorado-Bezirk und der „Weber Point", wo er sein Haus in Stockton errichtet hat. Paradoxerweise ist aber gerade Weber – und nicht Sutter – ein Paradebeispiel einer amerikanischen Erfolgsgeschichte.

Dieser Mann, Charles Maria Weber, wie er sich in Kalifornien nannte, wurde in wenigen Jahren ein erstaunlich erfolgreicher Kaufmann und Rancher. Seine Ranch war ca. 99 Quadratmeilen (ca. 20.000 ha) groß. Er war mächtig genug, mit dem Indianerstamm der Gegend einen Vertrag abzuschließen und eine Siedlung zu gründen, aus der sich bald eine Stadt entwickelte, die Hafen und Versorgungszentrum für einen großen Teil des neu entdeckten Goldgebietes war. Seine Errungenschaften wurden immer wieder durch die verschiedensten Faktoren bedroht – die US-Regierung bestritt seinen Anspruch auf seine Ländereien, Squatter besetzten sein Land, Feuer und Überschwemmungen verwüsteten seine Stadt, und Wirtschaftskrisen brachten Verluste – dennoch ging Weber stets als Sieger hervor und gründete eine Familie, die ihm Sicherheit gab. Er erreichte kein sehr hohes Alter; er starb noch vor Vollendung der in der Bibel erwähnten 70 Lebensjahre. Genau 40 Jahre zuvor war er völlig mittellos in Kalifornien angekommen. Bei seinem Tod wurde er geehrt als der erste Bürger einer großen Stadt, die er inmitten der Wildnis gegründet hatte.

Unter diesen Umständen ist es nicht verwunderlich, daß George P. Hammond den Wunsch verspürte, Webers Biographie zu schreiben. Aber der Ausgangspunkt des Buches war noch ein anderer. Webers Enkelin, Mrs. Gerald Kennedy, die natürlich sehr an der Geschichte Kaliforniens interessiert war, überließ vor einigen Jahren ihre Familiendokumente großzügig der Bancroft Bibliothek in der Hoffnung, sie würden Verwendung finden für die Erhellung der Entstehungszeit Kaliforniens, die von ihrem Großvater entscheidend mitgestaltet worden war. Zu diesem Zweck regte sie Dale Morgan, der als Historiker mit der

Bancroft Bibliothek in Verbindung stand, dazu an, eine Studie über das San Joaquin- und das Sacramento-Tal zu verfassen. Nach Morgans frühem Tod übernahm Dr. Hammond, ein bekannter Geschichtsprofessor und ehemaliger Direktor der Bancroft Library, das Projekt, das während seiner Arbeit eine andere Form annahm. Verständlicherweise geriet er in den Bann von Captain Webers Charakter und seinen Erfolgen. Die Familie übergab ihm weiteres Material, das höchst aufschlußreich und seiner Arbeit förderlich war. Die von Adolph Weber verfaßten Briefe, die noch von keinem Wissenschaftler verwertet worden waren, warfen Licht auf seinen Bruder, einen schweigsamen Mann, denn Adolphs Korrespondenz berichtete nicht nur von Charles' Tätigkeiten, sondern erhellte auch wesentliche Züge seines Charakters. Kaum weniger beachtenswert sind die neuen Unterlagen über die Familie von Webers Frau, Helen, der Tochter von Martin Murphy Senior, einem frühen Siedler aus Irland. Als Führer der ersten Gruppe, die mit Planwagen über die Sierra kam, durchquerte er 1844 den Kontinent.

So konnte dank der Großzügigkeit der Nachkommen von Charles und Helen Murphy-Weber dieser fesselnde und wichtige Beitrag zur Geschichte Kaliforniens in Buchform erscheinen. Alle Mitglieder der „Friends of The Bancroft Library" sollen ihn als Geschenk erhalten.

James D. Hart
Direktor der Bancroft Library

Dank

Etliche Personen haben viel Zeit und Energie für dieses Buch geopfert. Insbesondere möchte ich Maxine Chappell und Mary Ann Fisher für ihre Unterstützung bei meinen frühen Nachforschungen danken; Peter Fritzsche für seine Hilfe beim Übersetzen einiger in deutscher Schrift verfaßter Briefe; Marie Byrne und Estelle Rebec von der Handschriftenabteilung der Bancroft Library sowie den Bibliothekaren von der Präsenzbibliothek für ihre unermüdliche Bereitschaft, mir Bücher und Manuskripte herauszusuchen; meiner Frau, Carrie, für Ratschläge und Anregungen und meiner Tochter, Frances, für die Reinschrift des Textes und ihre sonstige Hilfe. Für die endgültige Fassung ist Lorna Price verantwortlich, die erste Lektorin des kunsthistorischen Seminars der University of California; ihr verdankt das Buch seine jetzige Form.

Dank gebührt auch Dr. James D. Hart, dem Direktor der Bancroft Library, für das freundliche Entgegenkommen, das meiner Arbeit sehr förderlich war.

Das Buch wäre undenkbar ohne die Hilfe der Familien, die die Hauptunterlagen über die Familie Weber aufbewahrt haben – Mrs. Helen Weber Kennedy aus Stockton und San Francisco, eine Enkelin von Charles M. Weber, und Mrs. Frieda Weber Weedon aus Menlo Park, eine Nachfahrin von Adolph C. Weber. Mrs. Kennedy, die stets geschichtlich interessiert war, hat eine umfassende Bibliothek angesammelt und folgte damit dem Beispiel ihrer Tante Julia Helen Weber, die bis zu ihrem Tode am 1. August 1935 die Familiendokumente in Verwahrung hatte. Das Familienerbe wird auch von Mrs. Kennedys Töchtern mit Hingabe gepflegt, von Mrs. John Edward Cahill (Peggy), Mrs. Harold Wesley Cookson Jr. (Katherine), Mrs. St. George Holden Jr. (Moira) und Mrs. Jerry Clifford Cole (Geraldine). Mr. Cole kümmerte sich um die geschäftlichen Belange bei der Veröffentlichung dieses Buches.

Allen, die mir mit Rat und Tat geholfen haben, gilt mein herzlicher Dank.

George P. Hammond

Inhaltsverzeichnis

ABBILDUNGSNACHWEIS

Seite 25 Foto: Karl-Heinz Ott, Steinwenden;

Seite 27, 35, 43, 45, 47, 113, 168: Archiv des Instituts für pfälzische Geschichte und Volkskunde, Kaiserslautern

Seite 29: Stadtarchiv Homburg;

Seite 30, 33: Saarpfalz-Druck Ermer KG, Homburg;

Seite 40, 124, 137, 158, 189: Familienarchiv Weber Paul, Steinwenden;

Seite 103: Archiv Sommer, Kirkel;

Seite 126: Archiv Dr. Paul Weber, Homburg;

Seite 194 oben, 200: City of Stockton;

Seite 194 unten, 196 - 199 Fotos: Roland Paul, Steinwenden/Kaiserslautern;

Seite 201: Dr. Gertrude Weber, Sacramento.

Soweit nicht anders angegeben, sind die Fotos und Karten der Originalausgabe entnommen.

Charles M. Weber

Stich nach einer Photographie, aufgenommen am 4. Juli 1880

Einleitung

Während seiner Jugendzeit in Homburg/Deutschland, als sich Karl David Weber auf die traditionelle Universitätsausbildung als protestantischer Pfarrer vorbereitete, begann er, von Amerika zu träumen. In diesem fernen Land hatten viele seiner Landsleute Zuflucht vor politischer Unterdrückung gefunden und sich ein neues Leben aufgebaut. Wahrscheinlich hat ihn auch der Gedanke fasziniert, die Schönheit und Größe dieses neuen Landes, die von Reisenden überall gepriesen wurden, mit eigenen Augen zu sehen. Ob diese Überlegungen eine Rolle in Webers Plänen im Jahre 1836 gespielt haben, als er die Erlaubnis seines Vaters für einen Besuch der Vereinigten Staaten bekam, mag dahingestellt bleiben. Er kehrte jedenfalls nie zurück, sondern beschloß, sich eine eigene Existenz in dieser jungen Nation aufzubauen.

1850, nur 14 Jahre nach seiner Ankunft in Amerika, hatte Charles Weber ein prächtiges Haus in Stockton/Kalifornien gebaut. Das Gebäude wurde von den Bürgern Stocktons als die größte Sehenswürdigkeit der Stadt angesehen und als Herrenhaus bezeichnet. Wir besitzen eine entsprechende Beschreibung von John McCrackan, einem bekannten Rechtsanwalt aus San Francisco. McCrackan, der aus New Haven in Connecticut stammte und offenbar an der Yale-Universität studiert hatte, war während des Goldrausches von 1849 nach Kalifornien gekommen. Aber anstatt auf die Goldfelder zu gehen, richtete er sich eine Rechtsanwaltspraxis in San Francisco ein. Es reizte ihn, einige der Orte mit eigenen Augen zu sehen, die durch die Entdeckungen der Goldgräber bekannt geworden waren, und so unternahm er eine Reihe von Wochenendausflügen.

Ein solcher Ausflug führte ihn auch nach Stockton, dem Haupteingangshafen zum Merced River und zu den südlichen Goldfeldern, die so reichhaltig waren, daß sie im Blickpunkt der ganzen Welt standen. Um seiner Mutter und seinen zwei Schwestern daheim eine Vorstellung von diesem wunderbaren Land zu vermitteln, schrieb McCrackan seine Eindrücke in bemerkenswerten Briefen nieder. Diese Briefe geben uns Auskunft über Charles Webers Errungenschaften. Einmal, im November 1851, fuhren McCrackan und einige Freunde mit dem Schiff nach Stockton. Am 9. November näherten sie sich der Stadt auf dem Stocktoner Kanal, der, wie McCrackan berichtete, „direkt ins Zentrum der Stadt führte". Am gleichen Tag gab er seiner Familie eine lebhafte Beschreibung von Webers Haus.

„Was in Stockton besonders ins Auge fällt, sind das prachtvolle Haus und der Grund und Boden von Mr. Weber, der früher anscheinend Land von 81 Quadratmeilen besessen hat. Um Siedler anzulocken, verschenkte er Land oder verkaufte es zu einem niedrigen Preis. Dies konnte er sich leisten, denn von Monat zu Monat stieg die Zahl der Einwanderer, und die Nachfrage nach Land machte ihn bald außerordentlich reich. Die Stadt erhielt den Namen von Webers Freund, Commodore Stockton von der Marine . . .

Mr. Weber, dieser Hans im Glück, wollte sich in irgendeiner Weise hervortun und die neue Stadt durch den Bau eines Herrenhauses verschönern. Er wählte dazu das Gebiet auf der linken Flußseite, dort, wo man in die Stadt hineinkommt; die Kosten sollen mehr als 300.000 Dollar betragen haben. Das Haus ist teils aus Holz, teils aus Luftziegeln und hat sozusagen vier Flügel, die eine weite Fläche bedecken. Das Dach wird von einer Kuppel überragt, die die Größe eines normalen Wohnhauses hat, und von der Spitze weht unsere Nationalflagge. Die Scheunen und Nebengebäude, alle weiß gestrichen, passen in ihrer Art zu dem Haus. Das gesamte Grundstück ist ein riesiger Blumengarten mit hübschen Gartenhäusern, künstlich angelegten Brunnen und breiten Promenaden; das Ganze ist sorgfältig geplant und ausgeführt, und man spürt überall die Bemühung, es in diesem Zustand zu bewahren. . . . Alles war von äußerster Erlesenheit und Schönheit."

McCrackan berichtete, daß während der Landung seine Aufmerksamkeit so auf Webers Haus gerichtet war, daß der Dampfer fast den Kai erreicht hatte, bevor er dies überhaupt bemerkte. „Der Fluß wird breiter und endet in der trockenen Jahreszeit direkt im Zentrum der Stadt", schrieb er. „Er bildet eine Art Becken, wo alle Dampfer anlegen; einige fahren direkt das Ufer an, andere ankern am Kai, der fast die ganze rechte Seite parallel zum Wasser einnimmt." Menschenmengen erwarteten das Schiff, „Angestellte einer Spedition, Hotelpersonal und Leute, die Besuch abholen wollten". Er bemerkte, daß der Teil der Stadt auf der Südseite des Kanals, ein ganzer Quadratblock, im Juni des Jahres durch einen Brand zerstört und vollkommen abgetragen worden war. Auf der gegenüberliegenden Seite sah man einige große Gebäude, darunter das Stockton Hotel „und ein anderes Gebäude, ‚Colonnade Row' genannt, eine sehr bemerkenswerte Ansammlung von vierstöckigen Bauten, alle unter demselben Dach." Weber besaß einen größeren Anteil daran.

Am Abend machten McCrackan und ein Freund namens Dr. Brown einen Spaziergang und schauten sich die Stadt an.

„Die Nacht war sehr schön, und so schlenderten wir durch Mr. Webers Gartenanlagen, die im Mondlicht wirklich ganz zauberhaft aussahen. Das einzige, was das Vergnügen noch hätte erhöhen können, so sagte ich zu meinem Begleiter, wäre die Gesellschaft einer hübschen Frau. Aber diese Gefühle wurden im Keim erstickt durch die Tatsache, daß weit und breit keine junge Dame zu sehen war . . ." zu dieser nächtlichen Stunde.

Dann gab McCrackan eine interessante Erklärung, wie Weber seinen Garten während der langen, heißen Sommermonate grün erhielt: „Wir sahen uns etwas an, das ich vom Dampfer aus nicht entdeckt hatte, nämlich sein Gerät für die Bewässerung des Gartens. Es wurde von einer Dampfmaschine angetrieben."

Andere gaben ähnliche Berichte über Webers Haus, darunter der erfahrene New Yorker Journalist Bayard Taylor, der 1850 seinen ersten Besuch in Kalifornien machte. Er kam Ende August in San Francisco an und fuhr sofort nach Stockton weiter, dem großen Versorgungslager für das Gebiet der südlichen Goldfelder, um einige der berühmten Goldablagerungen zu sehen. Bei seinem Eintreffen in der Stadt war er von Webers Haus derart beeindruckt, daß er besonders darauf einging in seinem bekannten Werk „At Home and Abroad":

„Der Besuch des herrschaftlichen Hauses von Mr. Weber, dem ursprünglich ganz Stockton gehört hatte, bereitete uns großes Vergnügen. Er hat eine Landzunge zwischen zwei Flußarmen in einen Garten verwandelt und sich in der Mitte ein geräumiges Haus gebaut. Eine entzückendere Villa findet man weder am Bellosguardo noch auf den Hügeln von Fiesole in Italien. Eine dichte Hecke, die noch von einer doppelten Reihe subtropischer Bäume eingefaßt ist, umgibt die Halbinsel. Wenn man durch das Tor tritt, gelangt man in eine gepflegte Allee von Spalierpflanzen, wo die Sonne wie durch Büschel von Amethysten und Chrysoliten hindurchscheint. Zu beiden Seiten liegen Beete mit Edelrosen der verschiedensten Schattierungen (außer in blau natürlich) und verbreiten einen schweren Duft. Das Haus ist niedrig, aber geräumig, mit Holzteilen von dem einheimischen Mammutbaum, der fast ebenso schön ist wie Mahagoni. Es ist von weinbedeckten Veranden umgeben, die die Sonne abhalten, und jedes Fenster gibt den Blick frei auf Pflanzen, die in jedem Gewächshaus an der Atlantikküste voller Stolz ausgestellt würden."

Es stellt sich unweigerlich die Frage, wie es Weber nach nur 14-jährigem Aufenthalt in Amerika gelingen konnte, den außerordentlichen Wandel von einem angehenden Studenten in Deutschland zu einem führenden Bürger von Kalifornien zu vollziehen. Um die Antwort zu finden, müssen wir uns Webers Kindheit und Jugend zuwenden.

I. KAPITEL

Amerika winkt
1814 – 1836

Carl David Weber, das erste Kind von Carl Gottfried und Henriette Weber geb. Geul, wurde am 17. Februar* 1814 in Steinwenden im Bezirk Homburg geboren in dem großen, zweistöckigen Fachwerkhaus, das sein Großvater Johann Carl Weber 30 Jahre zuvor gebaut hatte. Heute ist es ein evangelisches Pfarrhaus. Carl Gottfried Weber war Pfarrer der reformierten protestantischen Kirche in Steinwenden wie schon sein Vater und sein Großvater vor ihm. Am Sonntag, dem 27. Februar 1814, als sein Sohn 10 Tage alt war, taufte er ihn auf den Namen Carl David.

Im darauffolgenden Jahr wurde Pfarrer Carl Gottfried Weber, der ein Theologiestudium an der Jenaer Universität abgeschlossen hatte, zum Pfarrer und Schulinspektor der Schulen des Homburger Bezirks ernannt. Als er außerdem Dekan wurde, zog die kleine Familie in das nahegelegene Homburg. In diesem Städtchen von ungefähr 2500 Einwohnern wohnten die Webers auf dem Marktplatz im amtlichen Pfarrhaus, das wahrscheinlich schon über 150 Jahre alt war. Hier kamen im Laufe der nächsten zehn Jahre Carls Brüder Adolph und Philipp und seine Schwester Julia zur Welt. Später gab Weber gelegentlich Homburg als seinen Geburtsort an, vielleicht weil es bekannter war als Steinwenden.

Bis zu seinem 12. Lebensjahr ging Carl in Homburg zur Schule. Im Herbst 1826 trat er in die Königliche Studienanstalt in Zweibrücken ein. Seit dem Ende des 17. Jahrhunderts hatte es protestantische Pfarrer unter Carls Vorfahren gegeben, und es war der Wunsch seines Vaters, daß Carl diese Familientradition weiterführen solle. Während seines ersten Jahres auf der Zweibrücker Schule nahm Latein den ersten Platz auf seinem Stundenplan ein, aber er lernte auch Deutsch, Französisch, Arithmetik und Geographie. Am Ende des Schuljahres war er leistungsmäßig der 21. unter den 25 Klassenkameraden, die in die nächste Klasse versetzt wurden. Das Fach Geographie fiel nun weg, dafür kamen Griechisch und die Geschichte Bayerns hinzu. Da Carl kein gutes Zeugnis hatte, mußte er das Schuljahr wiederholen. Am Ende dieses Wiederholungsjahres (1829) war er der Sechstbeste in seiner Klasse.

Webers Kindheit bestand nicht nur aus Schule und Büchern. Homburg und Steinwenden lagen am Rande des Landstuhler Bruches, das teilweise trockengelegt worden war. Es gab Fische in großen Mengen, und die verschiedensten Arten von wilden Vögeln hatten dort ihre Nester. Die nahen Wälder waren voll von Rotwild, Hasen, Wildschweinen, Füchsen und anderen Tieren. Es war eine

---

*) laut Geburtsurkunde des Standesamtes Steinwenden am 18. Februar 1814.
    (Anmerkung der Übersetzerin)

Carl David Webers Eltern

Carl Gottfried Weber

Henriette Weber geb. Geul

24

Das 1784 von Pfarrer Johann Carl Weber erbaute Pfarrhaus in Steinwenden, in dem Carl David Weber geboren wurde.

L'AN mil huit cent *quatorze*, le *dix neuf février* à *neuf* heure du *matin* pardevant nous *Maire* Officier de l'état civil de la commune de *Steinwenden* canton de *Landstuhl* département du Mont-Tonnerre, est comparu *Charles Weber, Pasteur reformé demeurant à Steinwenden agé de trente-trois ans*

lequel nous a présenté un enfant du sexe *masculin* né *dix huit février* à *une heure de relevé* de lui déclarant et de *Henriette Geul* épouse, et auquel il a déclaré vouloir donner le prénom de *Charles David* son

Lesdites déclaration et présentation faites en présence de *Daniel Weber epissier à Steinwenden agé de trente quatre ans,* et de *Martin Jung cultivateur à Steinwenden agé de quarante huit ans*

et ont les père et témoins signé avec nous le présent acte de naissance, après qu'il leur en a été fait lecture.

Geburtseintrag von Carl David Weber in den Standesamtsakten der Gemeinde Steinwenden des Jahres 1814. Der Geburtsakt wurde von drei Mitgliedern der Familie Weber unterschrieben, dem Vater des Kindes, Pfarrer Carl Gottfried Weber, dem Bürgermeister Christian Weber und dem Kaufmann Johann Daniel Weber.

herrliche Umgebung für lebhafte Jungen. Sportlich muß Carl wohl auch gewesen sein, denn viele Jahre später schrieb ihm sein jüngerer Bruder Philipp einen Brief, in dem er ihre Aktivitäten aufzählte: „Wir (Philipp und Adolph) schwimmen wie Fische, fechten auf Hieb und Stoß, jagen und schießen, daß wir Dir und dem Alten keine Schanden machen würden." Einmal schrieb er auch: „Lebhaft entsinne ich mich noch, wie Du mir den ersten Pfeil und Bogen gabest oder mich schießen lehrtest oder mich, an Deiner Seite, bei Sonnenaufgang wecktest, um einen Spaziergang nach Karlslust mitzumachen, wo am Schwanenweiher die schönsten Haselgerten standen."

Carl verbrachte sicher viele angenehme Stunden in Steinwenden bei seinem jüngeren Cousin Theodor Engelmann, dessen Vater Carl Gottfried Webers Nachfolger als Ortspfarrer geworden war. Carls Tante, die Schwester seines Vaters, behandelte ihn wie ihren eigenen Sohn. Wahrscheinlich hatte seine Tante ein besonders enges Verhältnis zu dem kleinen Carl, denn er war etwas über ein Jahr alt gewesen, als sie heiratete. Davor hatte sie wohl im Hause ihres Bruders gelebt und sich mit um ihren kleinen Neffen gekümmert.

Im Herbst 1829 wurde in der Zweibrücker Schule auf Anordnung des Bayernkönigs Ludwig I. ein neuer Lehrplan eingeführt. Die Alten Sprachen traten noch mehr in den Vordergrund, die Naturwissenschaften und Französisch sollten nicht mehr gelehrt und der Deutschunterricht gekürzt werden. Noch wichtiger jedoch war, daß die Schüler einen Treueeid auf den katholischen Glauben und das Königreich Bayern ablegen sollten, eine Unmöglichkeit für den Sohn eines protestantischen Dekans. So erschien Webers Name auch nicht mehr im Schulregister dieses Schuljahrs.

Carl war jetzt 15 Jahre alt. Wollte er in die Fußspuren seines Vates treten, so müßte er weiterstudieren, um danach auf die Universität zu gehen. Jahre später sprach Weber von den vielen Privatstunden, die er täglich erhielt zur Vorbereitung auf das Studium an einer deutschen Universität. Möglicherweise begann diese Unterweisung im Hause eines angeheirateten Onkels, Theodor E. Hilgard, der als Richter am Zweibrücker Gericht oft Schwurgerichtssitzungen oder gerichtliche Untersuchungen leitete. Sein großer Haushalt umfaßte mehrere eigene Kinder sowie zwei Neffen, die Brüder Philip Ludwig und Theodor Krafft. Diese Jungen, beide etwas älter als Carl, bereiteten sich bei den Hilgards auf ihr Universitätsstudium vor, und es ist durchaus denkbar, daß Carl sich ihnen anschloß und vielleicht auch schon vorher – während seines Besuchs der Königlichen Studienanstalt – dort gewohnt hatte. Der Ausbruch der Revolution in Frankreich im Jahre 1830 verbreitete Unruhe in Deutschland und führte zu Empörung und Aufständen in Polen, Belgien und Italien. Eine Welle des Liberalismus war Ausdruck der Kraft der neuen Reformbewegung, die unter den Deutschen unaufhaltsam die Sehnsucht nach größerer Freiheit weckte. Weitverbreitete wirtschaftliche Probleme, die durch Mißernten verursacht und durch hohe Steuern, die Einberufung

6. Fünfte Gymnasial=Klasse.

Klassenlehrer, Professor, Postius.

Lateinische Sprache in 8 Stunden. Syntax nach Zumpt, mündliche und schriftliche Uebungsbeispiele. Gröbels Anleitung von §. 136 bis zu Ende. Dörings Elementarbuch, 2tes Bändchen, pag. 154 bis zu Ende. Eine Anzahl Distichen und Sentenzen wurden übersetzt und auswendig gelernt.

Griechische Sprache in 4 Stunden. Die Formenlehre nach Buttmanns Schulgrammatik. Jacobs griechisches Elementarbuch, Abschnitt I — IX.

Deutsche Sprache in 2 Stunden. Die Rechtschreibung und Wortfügung nach Heyses Sprachlehre, Briefe, kleine Aufsätze, Declamationsübungen.

Geographie in 2 Stunden. Einleitung. Die fünf Welttheile im Allgemeinen, Europa ausführlich.

Geschichte in 2 Stunden. Geschichte von Bayern, I — III. Zeitraum.

Arithmetik in 2 Stunden. Die Lehre von den gewöhnlichen und Decimalbrüchen, sodann von den Proportionen.

Französische Sprache in 3 Stunden. Formenlehre nach Hirzel.

Verzeichniß der Schüler nach ihrem Fortgange.

Fortgangs-platz.	Namen.	Alter. Jahre.	Fortgangs-platz.	Namen.	Alter Jahre
*1	Carl Waibel von Zweibrücken	15½	13	Nikolaus Grau, von Pirmasens . . .	18½
*2	Franz Schuler, von Zweibrücken . . .	13⅙	14	Georg Hatry, von Zweibrücken . . .	14¼
*3	Peter Schiffer, von Fahrbach	20½	15	Carl Koch, von Bindersbach	16
4	Theodor Schuler, von Landstuhl . . .	13⅔	16	Wilhelm Hopff, von Zweibrücken . .	13⅚
5	Julius Cäsar, von Oberstein	15½	17	Heinrich Heck, von Zweibrücken . . .	12½
6	Carl Weber, von Homburg	15½	18	Philipp Closmann, von Zweibrücken .	13¼
7	Carl Aulenbach, von Homburg . . .	15½	19	Adolph Roos, von Zweibrücken . . .	14
7	Gustav Herche, von Zweibrücken . . .	14¾	20	Julius Vogt, von Kaiserslautern . .	15¼
9	Christian Vatter, von Zweibrücken . .	14	21	Julius Neubert, von Zweibrücken . .	14¼
10	Franz Vecchioni, von Zweibrücken . .	12	—	Adolph Theyson, von Zweibrücken . .	15½
11	Friedrich Wild, von Neuhornbach . .	14⅙	—	Heinrich Hammel, von Pirmasens . .	15¼
12	Carl Lichtenberger, von Zweibrücken .	13⅓	—	Franz v. Louisenthal v. Zweibrücken .	15¼

Aus dem Jahresbericht über die königl.-bayer. Studienanstalt zu Zweibrücken, vom 31. August 1829

Theodor E. Hilgard

zum Wehrdienst und religiöse Verfolgung verschärft wurden, brachten allgemeine Unzufriedenheit hervor. Die Stadt Homburg lag in der Pfalz, einer bayrischen Provinz, wo französischer Einfluß und republikanische Gesinnung seit der Französischen Revolution von 1789 lebendig waren. 1814 wurde dieses Gebiet von Frankreich unter Napoleon kontrolliert, ein Umstand, der erklären mag, warum Carl Weber einige Jahre später bemerkte, er sei in Frankreich geboren worden. Nach dem Ende der Napoleonischen Ära 1815 fiel dieses Gebiet wieder zurück an Bayern und den Deutschen Bund.

Aber gesellschaftliche und politische Institutionen in dieser Provinz spiegelten weiterhin eine demokratische Auffassung wider, wie sie in anderen deutschen Staaten ungewöhnlich war.

Die Hoffnung, die das deutsche Volk in den Kampf gegen Napoleon getrieben hatte, daß nämlich nach der Vertreibung des Eindringlings von ihrem Grund und Boden die nationale Einheit und eine liberale Regierung erreicht würden, war in Webers Jugendzeit verblaßt. Dennoch wurde nach 1830 vor allem Homburg das Zentrum einer starken republikanischen Bewegung, ein Herd der Opposition gegen die reaktionäre Regierung unter dem Fürsten von Metternich und gegen die Unterdrückung demokratischer Institutionen durch den König von Bayern. Sowohl Dekan Weber als auch Theodor Hilgard hatten liberale Ansichten und traten in Kontakt mit Gleichgesinnten, was schließlich schwerwiegende Folgen für sie und ihre Familien hatte. Richter Hilgard legte einmal die bestehenden Verhältnisse dar, indem er die willkürliche Behandlung kritisierte, die einem Freund widerfahren war: „Einer unserer besten und geschätztesten Kollegen wurde strafversetzt nach Bayern, weil er rein zufällig der beisitzende Richter in einem Prozeß war, dessen Ausgang der Regierung mißfiel. Etwas Ähnliches hätte auch mir jederzeit passieren können."

In Homburg war einer von Dekan Webers Freunden, Dr. Philipp Siebenpfeiffer, seit vielen Jahren Landkommissär. 1830 brachte er eine Zeitschrift mit dem Titel „Rheinbayern" heraus, die sich für eine Verringerung der Machtbefugnisse der Monarchie durch die Einführung republikanischer Institutionen einsetzte. In der Pfalz fand er damit großen Anklang. Sofort wies die bayrische Regierung Siebenpfeiffer einen anderen Posten als Direktor einer Strafanstalt zu. Dort, so dachte man, würde er seine Agitation nicht weiter betreiben können. Siebenpfeiffer mißachtete den Befehl und prozessierte gegen den Staat. Er gewann den Prozeß, aber im Dezember 1830 wurde er gezwungen, das Amt des Landkommissärs zu räumen. Er zog darauf nach Zweibrücken und veröffentlichte eine liberale Zeitung.

1832 war ein anderer Journalist, Dr. Johann Georg August Wirth, von München nach Homburg gezogen, um sich der Verfolgung zu entziehen, nachdem man ihn gezwungen hatte, die Veröffentlichung der Zeitung „Die Deutsche Tribüne" einzustellen. In Homburg gab man für ihn am 8. Januar 1832 ein offizielles Will-

Die führenden Persönlichkeiten des
Hambacher Festes 1832

Dr. Philipp Jakob Siebenpfeiffer

Dr. Johann Georg August Wirth

kommensessen. Unter den 40 Anwesenden war auch Dekan Weber, obwohl er Wirth zu diesem Zeitpunkt nicht kannte. Dies ereignete sich einige Wochen vor Carl Webers 18. Geburtstag, und man darf wohl vermuten, daß der junge Mann von diesen Ereignissen wußte und von ihnen beeindruckt war.

Wirth brachte seine Zeitung in Homburg wieder heraus, doch sie wurde von den staatlichen Stellen scharf angegriffen. Im März wurde er verhaftet, weil er sich für die Pressefreiheit einsetzte – er hatte einen Presseverein gegründet. Er wurde in Zweibrücken vor Gericht gestellt, jedoch freigesprochen.

Um diese Zeit regte Dr. Siebenpfeiffer eine Massenveranstaltung an den Ruinen des ehemaligen Hambacher Schlosses an, wo gegen die Einschränkung der Pressefreiheit von seiten der Regierung protestiert werden sollte. In Homburg wurde dieser Vorschlag begeistert aufgenommen und unterstützt. Auf dem Marktplatz, an dem die Webers wohnten, wurde drei Wochen vor dem Fest ein „Freiheitsbaum" aufgestellt. Vielleicht haben auch Carl Weber und seine jungen Freunde an einem Vorbereitungstreffen teilgenommen, das dort am 20. Mai stattfand. Fünf Tage später standen vier Pferdekutschen, von denen jede 15 Leute aufnehmen konnte, bereit, um von Homburg zum Hambacher Fest zu fahren.

Von Homburg nach Hambach, Mai 1832 (Bildmontage)

Das Fest fand am 27. Mai 1832 statt, am Jahrestag der Annahme der bayrischen Verfassung. Dieses Treffen, das man als Höhepunkt der radikalen Bewegung bezeichnen könnte, war tatsächlich eine der ersten Massenveranstaltungen in Deutschland, und es hatte weitreichende Folgen für die damalige repressive Regierung. Es ist verständlich, daß der Aufruf zu dieser Versammlung vom Volk begeistert aufgenommen wurde. Durch die sorgfältigen Vorbereitungen alarmiert, versuchte die Polizei, die Versammlung zu unterbinden, mußte jedoch klein beigeben gegenüber der empörten Öffentlichkeit. Es kamen buchstäblich Tausende zu diesem Treffen. Die Unterlagen geben keine Auskunft darüber, ob der junge Weber und sein Vater unter den Teilnehmern waren, aber sie müssen auf jeden Fall auf dem laufenden gewesen sein. Die Leute kamen aus vielen Gegenden Deutschlands und aus dem Ausland; man schätzte die Teilnehmerzahl auf 15.000 bis 30.000. Wirth und Siebenpfeiffer gehörten zu den Hauptrednern, aber wenige konnten wirklich hören, was sie sagten. Glocken läuteten, Fahnen flatterten,und Kanonen dröhnten. Unter stürmischen Begeisterungsrufen und munterem Gesang wurde manch eine Flasche guten Pfalzweines geleert. Dann zerstreute sich die Menge und ging nach Hause. Etwas später kamen Soldaten an, um eine Revolution zu unterdrücken, die es gar nicht gab. Dennoch nahm Fürst Metternich dieses Ereignis zum Anlaß, um die gesetzgebende Versammlung des Deutschen Bundes zu überreden, strengere Maßnahmen gegen die Versammlungsfreiheit und die freie politische Meinungsäußerung zu ergreifen.

Die bayrische Regierung in München reagierte schnell. Schon am 7. Juni ordnete sie eine Überprüfung der Sprecher auf diesem Fest an. Viele der Betroffenen flohen nach Frankreich, andere wurden unter polizeiliche Aufsicht gestellt. Wirth wurde am 16. Juni, Siebenpfeiffer zwei Tage später verhaftet. Nach mehrmonatigem Gefängnisaufenthalt wurden die Männer Ende 1833 zu zwei Jahren Gefängnis verurteilt. Während Siebenpfeiffer und Wirth noch im Zweibrücker Gefängnis auf ihren Prozeß warteten, kam Carls Vater in Schwierigkeiten.

Als oberster Schulaufsichtsbeamter war Carl Gottfried Weber ein königlich bayrischer Beamter. Wegen seiner Verbindungen zu den beiden angeklagten Journalisten setzte die Regierung im Herbst 1832 eine zweijährige Untersuchung seiner Aktivitäten in Gang, eine Untersuchung, gegen die er sich mit Geschick und Talent wehrte.

Als sich dies ereignete, war Carl achtzehneinhalb Jahre alt, und es wäre für ihn an der Zeit gewesen, auf die Universität zu gehen. Jahre später berichtete er, daß sein „Geist durch das harte Studium überanstrengt und nicht in der Lage war, das Gelernte zu behalten"; er mußte also „die Schule verlassen und sich anderen Dingen zuwenden." Die Ereignisse des Jahres hatten Carl vielleicht zu sehr verwirrt, und die Tatsache, daß sich sein Vater einer Untersuchung durch die Regierung unterziehen mußte, hätte dem Sohn den Besuch einer Universität unmöglich gemacht. Wahrscheinlich hatte Carl Weber zu diesem Zeitpunkt bereits jegliches Interesse am Studieren verloren.

Um seinen Lebensunterhalt zu verdienen, begann der junge Weber zu arbeiten, aber was er genau tat, ist nicht bekannt.*) Später erinnerte er sich, daß er die revolutionären Ereignisse der damaligen Zeit mit Interesse verfolgte und auch aktiv daran teilnahm. Vielleicht meint Weber hier seine Teilnahme am Hambacher Fest oder an einer Versammlung vorher oder nachher in Homburg. Oder er dachte an einen Vorfall, der sich in den letzten Apriltagen des Jahres 1834 ereignete, als Dr. Wirth, noch in Untersuchungshaft, in einer Kutsche von Zweibrücken nach Kaiserslautern gebracht wurde.

Wirths Kutsche fuhr unter militärischer Begleitung die Kaiserstraße entlang und passierte auch Homburg. In der Nähe des Ortes Bruchhof abseits der Hauptstraße griff eine kleine Schar von bewaffneten Männern, wahrscheinlich zu Pferde, die Bewacher an. Ein wachhabender Offizier wurde verletzt, ein Pferd getötet und Wirth befreit; dieser jedoch weigerte sich, mit seinen Befreiern zu gehen. Einige der Angreifer wurden festgenommen, mehreren gelang die Flucht. Vielleicht gehörte Carl Weber zu den letzteren; er wäre in vertrauter Umgebung gewesen, denn Steinwenden, wo er sich in seiner Kindheit oft bei seinem Cousin Theodor aufgehalten hatte, war von Bruchhof nicht allzuweit entfernt. Es wäre natürlich tollkühn von Carl gewesen, bei solch einer Unternehmung mitzumachen, denn seine Festnahme hätte schlimme Folgen für den Prozeß seines Vaters haben können, der noch nicht abgeschlossen war. Obwohl Carls Name auf keiner schwarzen Liste der Regierung auftaucht, ist es möglich, daß er einfach Glück hatte. Dieser Vorfall, bei dem er vielleicht mit knapper Not davongekommen war, muß seinen Entschluß gestärkt haben, Deutschland zu verlassen.

Wahrscheinlich wandten sich Webers Gedanken in dieser stürmischen Zeit Amerika zu. Während seiner Kindheit war eine wachsende Zahl von Landsleuten nach Amerika ausgewandert; sie waren unzufrieden mit den Lebensbedingungen zu Hause und hofften, ebenso wie die Engländer ein zweites Vaterland in Amerika zu finden. Viele dieser Auswanderer schrieben verlockende Berichte über ihre Erfahrungen, und einige der Geschichten wurden gedruckt und von einem großen Kreis gelesen.

Ein solcher Bericht machte 1829 in Deutschland die Runde, er war von Dr. Gottfried Duden verfaßt. Dieser junge deutsche Arzt war 1824 nach St. Louis ausgewandert und hatte sich ungefähr 40 oder 50 Meilen westlich davon auf einer Farm in Warren County/Missouri niedergelassen. Der Hauptteil des Buches bestand aus 36 Briefen, die angeblich an einen Freund gerichtet waren. „Seine geschickte Feder", schrieb Dr. William G. Bek, der 1919 eine englische Übersetzung des Buches veröffentlichte, „vermischte Dichtung und Wahrheit, Phan-

---

*) Carl Weber machte eine Lehre bei dem Homburger Kaufmann Christian Scharpff.
(Anmerkung der Übersetzerin)

Homburg um 1910

Das ehemalige protestantische Pfarrhaus
Ecke Marktplatz/Eisenbahnstraße,
in dem die Familie Weber wohnte.
(Hier nach dem Ende des 19. Jahrhunderts erfolgten Umbau)

tasie und Erfahrung und brachte die Freiheit der Wälder und der demokratischen Institutionen in Gegensatz zu den gesellschaftlichen Einschränkungen und politischen Wirren in Europa." Bek behauptet, daß dieses Buch die eigentliche Ursache der großen deutschen Auswanderungswelle nach Missouri während der dreißiger und vierziger Jahre des 19. Jahrhunderts war.

Es ist durchaus denkbar, daß Carl Weber dieses populäre Buch von Duden gelesen hat; sein Onkel Theodor E. Hilgard aus Zweibrücken gehörte bestimmt zu den Lesern. Entmutigt durch die „tausend Beschränkungen in Handel und Industrie, die Dünkelhaftigkeit des Adels, der Offiziere und Beamten, die allgemeine Unterdrückung der Redefreiheit, die Einmischung der Polizei in alle Angelegenheiten und die Einschränkungen der Pressefreiheit", gab Hilgard sein Amt als Richter am Berufungsgericht, das er 12 Jahre innegehabt hatte, auf und zog mit seiner großen Familie Anfang 1835 nach Amerika.

Kaum hatten sich die Hilgards in ihrer neuen Heimat in Belleville/Illinois niedergelassen, als Carl, unruhig und begierig, die Neue Welt kennenzulernen, seinen Vater um Erlaubnis bat, sie zusammen mit seinem Cousin Theodor Engelmann zu besuchen. Ob ihm Dekan Weber seine Erlaubnis bereit- oder widerwillig gab, wissen wir nicht; aber seines Sohnes riskante und vielleicht zu offensichtliche Teilnahme an politischen Ereignissen gab möglicherweise den Ausschlag.

Auf jeden Fall erhielt Carl am 20. August 1836 als Voraussetzung zur Ausstellung eines Passes eine Bescheinigung vom Bürgermeister von Homburg, die besagte, daß Carl ein gut beleumundeter Bewohner dieser Stadt war. Mit diesem Dokument muß er sofort nach Speyer gefahren sein, der Hauptstadt der bayrischen Pfalz, wo zwei Tage später, am 22. August, sein Paß ausgestellt wurde. In seinem Paß, für den er den geringen Betrag von sechs Kreuzern zahlte, war vermerkt, daß er nach Nordamerika reisen wollte, um Verwandte zu besuchen. Ausgestellt auf den Namen Carl Weber, aber unterschrieben mit „Charles", enthielt er die Beschreibung seines Äußeren im Alter von 22 Jahren. Er war fünf Fuß und zehn Inches (ca. 1,78 m) groß und hatte dunkles Haar und dunkle Augenbrauen. Seine Gesichtsfarbe war gesund, seine Nase und sein Mund wiesen keine Besonderheiten auf, sein Kinn war rund.

Am 21. September befanden sich Carl und Theodor in Paris; von dort reisten sie, wahrscheinlich mit der Postkutsche, nach Le Havre, dem Hafen, von dem aus auch die Hilgards aufgebrochen waren. Schlechtes Wetter verzögerte das Auslaufen ihres Schiffes, der McLellan, so daß Carl ein Versprechen einhalten konnte, das er seinem jüngeren Bruder Philipp gegeben hatte. Er wollte nämlich versuchen, ihm einige Muscheln zu schicken. Carl schrieb ihm am 2. Oktober: „Es gibt hier in der Umgebung keine Muscheln. Man kann sie nur bei Händlern in der Stadt und zwar zu einem hohen Preis bekommen. Aber um Dir, mein lieber Bruder, eine Freude zu machen, bringe ich Dir ein kleines Opfer und sende

Dir mit Hilfe von Herrn Karsch (Sohn des Weinhändlers Karsch in Kaiserslautern) einige Stücke, über die Du Dich hoffentlich freust." Viele Jahre später erinnerte sich Philipp: „Die schönsten Zeugen der Erinnerung sind jedoch die Muscheln, welche Du mir in einer Kiste zugesendet hast . . . ich weiß, daß Du damals Dein letztes Geld ausgabst, um mir eine Freude zu machen."

Mit diesem Geschenk an seinen Bruder verabschiedete sich Carl nicht nur von seinem Bruder, sondern von Europa, das er nie wiedersehen sollte. Vier Tage später, am 6. Oktober 1836, lief die McLellan in Richtung Amerika aus.

Le Havre

II. KAPITEL

Durch die Prärie
1836 – 1841

Die erste amerikanische Stadt, die Carl und sein Cousin Theodor zu Gesicht bekamen, war New Orleans, wo die McLellan am 30. November 1836 vor Anker ging. Für sie war New Orleans nur der Anlaufhafen, denn sie wollten flußaufwärts nach Belleville ziehen. Sie erfuhren jedoch bald, daß die Flußschiffe im Eis gefangen waren und daß die Schiffahrt auf dem Mississippi zum Erliegen gekommen war. Engelmann entschloß sich, auf dem Landweg zu seinem Ziel in Illinois zu gelangen, während es Weber vorzog, in New Orleans zu bleiben. Wahrscheinlich gefiel es ihm in diesem sommerlichen Land, das so ganz anders war als Deutschland zur Winterzeit. In New Orleans zog er zu einer deutschen Familie, zu Herrn und Frau E. V. Richard, die im französischen Viertel (French Quarter) der Stadt wohnten.

Weber schaute sich nun nach Arbeit um und zeigte Interesse an „Handel und Verkehr", wie Tinkham schreibt. Eines seiner Projekte war der Bau einer Brücke, das ihm teuer zu stehen kam, da Hochwasser die Anlage hinwegspülte. 1837 traf ihn noch ein anderes Unglück: er bekam Gelbfieber. Nach seiner Genesung ging Weber nach Texas, das damals von heftigen Unruhen heimgesucht wurde. Am 2. März 1836 hatte Texas seine Unabhängigkeit von Mexiko erklärt, was einen Krieg zur Folge hatte. Die Vereinigten Staaten verzeichneten eine Welle von Unterstützung für die texanische Sache; viele Amerikaner eilten herbei, um ihren Freunden im Kampf um Loslösung von Mexiko beizustehen. Nachdem die Texaner den General Santa Anna besiegt hatten, kam es noch zu Grenzgefechten. Carl Weber, der von der Aufregung um diesen Konflikt angesteckt war, ging mit seinem Freund Joseph Tam nach Texas, um Sam Houstons Truppen beizutreten. Wir besitzen keinen zeitgenössischen Bericht von Webers Teilnahme an diesen Ereignissen, sondern nur Erinnerungen seiner Familie und Tinkhams kurze Bemerkung, daß „er gegen die Mexikaner kämpfte". Aus Tinkhams Geschichte entnehmen wir, daß Weber 1840 wieder in New Orleans war, wo er und ein gewisser Iserang ein Restaurant eröffneten, doch auch dieses Projekt scheiterte. Nach einer erneuten Krankheit beschloß er auf Anraten seines Arztes, sich nach einem kühleren Klima umzusehen.

Während Weber in New Orleans war, schrieb ihm sein Vater gemäß der Familientradition und bat ihn, nach Deutschland zurückzukehren. Vielleicht begann der lange Auslandsaufenthalt des jungen Mannes für den Vater politisch unangenehm zu werden, oder aber wollte ihn seine Familie einfach gern wieder zu Hause haben. Sein 1836 ausgestellter Paß, der es ihm erlaubte, Verwandte in Amerika zu besuchen, war längst ungültig geworden.

Carl jedoch wollte nicht zurückkehren. Jetzt, wenn nicht schon früher, erkannte er ohne Zweifel die Gelegenheit, unabhängig zu werden, falls er in Amerika bliebe, selbst auf die Gefahr hin, daß dadurch die Beziehungen zu seiner Familie abbrechen würden. Das Leben, das ihn aufgrund der Familientradition und nach dem Wunsch seines Vaters in Deutschland erwarten würde, sagte ihm nicht zu; eine starke katholische Regierung und politische Ereignisse hatten bereits seine Studien unterbrochen. In Amerika sah der junge Weber die Gelegenheit, sein eigenes Leben frei von Zwang und der Aussicht auf einen Beruf zu gestalten, für den er wegen seiner ungestümen Natur nicht geeignet war.

Da für eine Reise auch gesundheitliche Gründe sprachen, entschloß sich Weber schließlich, den lange aufgeschobenen Besuch bei den Hilgards in Illinois zu machen. Vermutlich fehlte es ihm an Geld, denn am 22. März 1841 lieh er sich 500 Dollar zu fünf Prozent Zinsen von der Firma Kolligs Brothers. Dann begab er sich von New Orleans auf die 800-Meilen-Reise den Mississippi aufwärts nach St. Louis. Sein Schiff war wahrscheinlich nicht so groß und prächtig wie die „schwimmenden Paläste" in den fünfziger Jahren des 19. Jahrhunderts, der Zeit Mark Twains. Aber obwohl der Fluß gefährlich war durch zahlreiche verborgene Hindernisse und fehlende Leuchtfeuer an den Ufern, die dem Kapitän den Weg hätten weisen können, dauerte seine Reise wohl nicht länger als fünf oder sechs Tage.

Während der Dampfer nordwärts fuhr vorbei an blühenden Plantagen und flachem Ödland, konnte Weber den Fluß mit den Lastkähnen beobachten, die in der schnellen Strömung zwischen schaukelndem Treibholz ihren Weg nahmen. Andere Dampfer fuhren mit klingenden Glocken vorbei, denn die Dampfpfeife, die jedem Flußschiff seine eigene Identität gab, wurde erst mehrere Jahre später eingeführt. Stapel von Klafterholz säumten die Flußufer, und die Dampfschiffe steuerten oft diese Plätze an, um Brennmaterial für ihre unersättlichen Maschinen aufzunehmen. Oft erhielten die Reisenden einen Nachlaß auf den Fahrpreis, wenn sie das Holz die Uferbefestigung hinunter auf Deck trugen. Als Weber in St. Louis ankam, fand er eine geschäftige Stadt vor mit ungefähr 16.000 Einwohnern und noch mehr Bewohnern in der Umgebung. Im Jahre 1822, als General William H. Ashley einhundert Männer zum Aufbau des Pelzhandels am Missouri-Fluß suchte, war St. Louis ein Handelsplatz an der Siedlungsgrenze. Die Stadt blühte auf mit dem schnellen Anwachsen des Verkehrs auf dem Mississippi und seinen Nebenflüssen und mit der ständig ansteigenden Zahl von Leuten, die nach Westen zogen. Für mehr als eine Generation war St. Louis das Tor zum aufregenden Pelzhandel und zur Erforschung des Westens gewesen. Als Webers Schiff an der Landestelle festmachte, war es nur eines von ungefähr 1.900 Schiffen, die im Jahr 1841 registriert wurden. Die zahlreichen Schiffsladungen, die in St. Louis an Land gebracht wurden, bestanden aus Weizen und Mehl, Tabak, Blei, Fleisch, Hanf, Tauen und – als Beweis für die Bedeutung der Stadt im westlichen Pelzhandel – Büffelfellen, Häuten und Pelzen.

Kurz nach seiner Ankunft in St. Louis erfuhr Weber, daß eine Gruppe von Auswanderern im gleichen Sommer noch nach Kalifornien aufbrechen wollte. Die Gruppe sollte sich in Sapling Grove treffen, neun Meilen westlich der Grenze des Staates Missouri oder fünfzehn Meilen westlich von Independence oder acht von Westport, den üblichen Stationen für den Aufbruch nach Westen. Über dieses waghalsige Unternehmen wurde wahrscheinlich überall in der Stadt gesprochen. Vielleicht las Weber aber auch in Zeitungen darüber, möglicherweise sogar in dem deutschen „Anzeiger des Westens". Sein Besitzer und Herausgeber, ein gewisser Wilhelm Weber, hatte in Jena Jura studiert, sich aber wegen seiner revolutionären Aktivitäten gezwungen gesehen, aus Deutschland zu fliehen.

Die ersten Pläne für diese Expedition waren im Herbst zuvor im Platte-Bezirk in West-Missouri geschmiedet worden. Der junge John Bidwell, ein Lehrer, der schon viele Meilen gereist war, hatte ein Treffen in Weston am Missouri organisiert, ungefähr 25 Meilen oberhalb seines Zusammenflusses mit dem Kansas auf der berühmten Platte-Route, dem Hauptweg nach Westen. Die Versammlung wurde einberufen, damit die Teilnehmer sich über Kalifornien informieren konnten. Ein Trapper aus New Mexiko, Antoine Robidoux, hatte die gleiche Reise bereits gemacht. Viele der Zuhörer hatten die Gewohnheit, von Zeit zu Zeit weiterzuziehen, und lauschten begierig, wie der Sprecher die angenehmen Seiten des Lebens und des Klimas in der weit entfernten mexikanischen Provinz beschrieb. Bidwell faßte sofort den Entschluß, dieses wunderbare Land zu sehen.

Dieses begeisternde Treffen führte zu der Gründung der Westlichen Auswanderungsgesellschaft (Western Emigration Society). Jedes Mitglied verpflichtete sich, sich am 9. Mai 1841 in passender Ausrüstung in Sapling Grove an der alten Santa Fe-Route einzufinden. 500 Leute erklärten ihre Absicht, in den Westen zu gehen. Ankündigungen in Zeitungen erregten großes Interesse an der geplanten Expedition, und die Folge waren zahlreiche briefliche Anfragen, einige sogar aus Kentucky, Illinois und Arkansas. Inzwischen waren Briefe von Dr. John Marsh aus Kalifornien bei Bekannten in Missouri eingetroffen. Er hatte in den dreißiger Jahren ein Geschäft und eine Bar in Independence/Missouri in der Nähe von Weston betrieben. Dann war er über eine südliche Route durch New Mexiko nach Kalifornien gezogen, wo er nun eine riesige Ranch besaß. Seine Briefe, die in ihrer Begeisterung an jene von Gottfried Duden erinnerten, enthielten überschwengliche Berichte von einem angenehmen Klima, Land im Überfluß und großen Rinderherden, die man für wenig Geld kaufen konnte. Aus persönlichen Gründen war Marsh daran gelegen, daß sich möglichst viele Amerikaner in Kalifornien niederließen, und er drängte seine alten Nachbarn, ihre Freunde mitzubringen und ihm nach Westen zu folgen. In Missouri wurden seine Briefe herumgereicht und einige sogar gedruckt. Die Briefe, die in Zeitungen erschienen, wurden wiederum von anderen Zeitungen übernommen, z.B. vom „St. Louis Argus."

Dr. John Marsh

Weber, der knapp sechs Wochen vor dem Aufbruch von Bidwells Gruppe nach St. Louis kam, war natürlich begeistert von der Idee, nach Kalifornien zu gehen. Von dort könnte er sich nach Mexiko einschiffen und über New Orleans nach St. Louis zurückkommen. Da das Treffen im Mai unmittelbar bevorstand, blieb ihm nur wenig Zeit, die Angelegenheit zu überdenken. Tinkham faßte Webers Dilemma so zusammen: „Als Fremder in einer fremden Stadt mußte er ganz allein denken und handeln." Er überlegte sich, daß die kühle und erfrischende Luft in den Rocky Mountains noch besser für seine Gesundheit wäre als das Klima in Illinois.

Weber traf eine schnelle Entscheidung und begann, sich auszustatten und Vorräte für die Reise zuzulegen. Wahrscheinlich nahm er dafür von dem Geld, das er sich in New Orleans geliehen hatte. Wieder einmal schob er den beabsichtigten Besuch bei den Hilgards auf, denn die Zeit reichte nicht aus, mit der Fähre über den Mississippi und weiter zu dem Heim der Hilgards zu reisen. Er schickte nur seinen Koffer mit Kleidungsstücken und anderen Dingen nach Belleville.

Während sich Weber auf seine Kalifornien-Reise vorbereitete, traf er mehrere Leute – vielleicht bei deutschen Bekannten – , die Johann Sutter in der Zeit von 1834 bis 1835 in St. Louis gekannt hatten. Von diesen Leuten erhielt Weber Empfehlungsschreiben, die er vielleicht in Kalifornien gebrauchen könnte. Der bekannte Sutter hatte, wie man weiß, in St. Louis gewohnt, bevor er nach Westen zog und die Siedlung Neu Helvetia gründete, die abenteuerlichste Unternehmung seines Lebens.

Kurz vor dem Treffen am 9. Mai verließ Weber St. Louis, um die 500 Meilen mit dem Dampfschiff den Missouri aufwärts nach Westport, einer Stadt an der Siedlungsgrenze, zurückzulegen. Dort hatte er das Glück, den rothaarigen Joseph B. Chiles und den wagemutigen James John, beide etwas älter als er, zu treffen. Sie wollten den Kalifornienzug einholen und waren wahrscheinlich froh, aus Sicherheitsgründen noch einen weiteren Gefährten zu haben. Chiles besaß einen Planwagen, und die drei Männer verließen Westport am Sonntag, dem 16. Mai 1841. Nach einer Woche, gegen 5.00 Uhr nachmittags, holten sie den Haupttreck ein. Da die Leute wußten, daß Chiles unterwegs war, hatten sie ihr Tempo etwas verlangsamt. Die Auswanderergruppe war zahlenmäßig viel kleiner als die, die sich John Bidwell im Herbst zuvor ausgemalt hatte, als viele Leute Mitglieder der Western Emigration Society geworden waren. Die ursprüngliche Begeisterung hatte sich bei vielen gelegt bei dem Gedanken an die Gefahren dieser langen, beschwerlichen Reise durch unbekanntes Land. Außerdem brauchte man für die Ausstattung und den Kauf von Vorräten Geld, und daran mangelte es gewöhnlich den Leuten der „frontier" (Siedlungsgrenze). Im Frühling dieses Jahres waren auch einige Briefe von Thomas Jefferson Farnham aus New Yorker Zeitungen entnommen worden, die ein erbärmliches Bild von Kalifornien zeichneten. Dies rührte teilweise von ernsthaften Auseinandersetzungen zwischen Männern wie Isaac Graham, einem Mann mit politischen Ambitionen und Gangsterinstinkten, und mexikanischen Beamten her. So war Bidwell der einzige Vertreter der Western Emigration Society. In den nächsten paar Wochen schlossen sich noch etliche verspätete Teilnehmer dem Zug an, darunter eine Gruppe aus der Nähe von Independence. Mehrere dieser Leute hatten Briefe von Dr. Marsh aus Kalifornien bekommen.

Das erste Problem, das auf den Treck zukam, war, wie Bidwell zugab, daß „keiner den Weg kannte". Zum Glück gesellten sich ihnen einige Jesuiten-Missionare hinzu, die unter der Leitung des belgischen Priesters Pierre Jean De Smet nach Oregon ziehen wollten. De Smet war enttäuscht, weil zwei Gruppen, mit denen er aus Sicherheitsgründen hatte reisen wollen, nicht erschienen waren, und so war er über Bidwells Treck erfreut. Geführt wurde die Truppe von dem gebirgserfahrenen Thomas „Broken Hand" (Gebrochene Hand) Fitzpatrick. Nur einige Wochen vorher hatte der „St. Louis Republican" über den geplanten Aufbruch der De Smet-Gruppe berichtet und Fitzpatrick folgendermaßen charakterisiert: „Er lebt seit ungefähr 20 Jahren im Land der Indianer, ist vollkommen vertraut mit ihrem Wesen und ihren Sitten und nicht nur als guter Jäger, sondern auch als geschickter Kommandeur bekannt." Fitzpatrick brachte den Männern die für das Überleben in der Prärie notwendigen Fertigkeiten bei – wie man auf Indianer zugeht, Büffel jagt, im Falle von Gefahr die Planwagen zusammenstellt und auf sich und die Rinder, Pferde und Maultiere aufpaßt. Die beiden Gruppen folgten in der Regel der Route am Platte-Fluß, die damals den indianischen Händlern und Trappern bekannt war. Die Strecke jenseits von Soda Springs und Fort Hall war der gefährlichste Teil, und ihre Ausdauer wurde auf die härteste Probe gestellt, zumal sie den Pfad überhaupt nicht kannten.

Während die Expeditionsteilnehmer ihr Lager in der Nähe des Kansas-Flusses aufgeschlagen hatten, stellten sie am 18. Mai, fünf Tage bevor Weber zu ihnen stieß, Regeln für die Reise auf und wählten ihre Anführer. Als Präsidenten wählten sie Talbot H. Green, als Sekretär John Bidwell und als Polizeihauptmann John Bartleson von der Independence-Gruppe. Die Wahl des letzteren war notwendig gewesen, weil er nur unter dieser Bedingung mitgehen wollte. Der Führer Fitzpatrick war der eigentliche Kommandeur, bis die Gruppe Soda Springs im südöstlichen Idaho erreichte. Danach begleitete er die Missionare ins Land der Flachkopf-Indianer.

Am 24. Mai, einem Montagmorgen, war Weber zum erstenmal dabei, als sich der Zug mit Fitzpatrick an der Spitze wie ein Band durch die hügelige Prärie bewegte. Alles war sorgfältig geplant: die elf Missionare bildeten die Spitze, ihre vier zweirädrigen Karren und ein kleiner Planwagen wurden von je zwei Maultieren gezogen, die hintereinander angespannt waren. Dann kamen acht von Pferden und Maultieren gezogene Wagen, und ihnen folgten fünf weitere Ochsenkarren. Es gab noch andere Tiere zum Reiten und als Ersatz für die müden Zugtiere; was jedoch fehlte, waren Milchkühe – „ein großer Schaden für die Kinder" (so schrieb Bidwell), von denen so um die zehn dabei waren. Im ganzen waren es ungefähr 70 Leute, darunter fünf Frauen. Neben den Männern, die eine neue Heimat und ein besseres Leben suchten, gab es solche, die aus Vergnügen, gesundheitlichen oder persönlichen Gründen unterwegs waren. Talbot H. Green z.B. war in Wirklichkeit Paul Geddes, ein Bankangestellter aus Philadelphia, der sich aus dem Staub gemacht hatte.

Wie viele seiner Gefährten führte Weber offensichtlich Routinearbeiten aus; jedenfalls erscheint sein Name nicht auf den Seiten der zahlreichen Tagebücher, die auf der Reise abgefaßt wurden. Sicher jagte er wie die anderen und hielt Wache in der Nacht.

Am 31. Mai wurde die Gleichförmigkeit des Tages durch eine Gruppe von Jägern und Fallenstellern unterbrochen, die mit Pelzen und Büffelfellen auf dem Weg von Fort Laramie nach St. Louis waren. Die Männer sahen aus, „als hätten sie nie Rasierklinge, Wasser, Seife und Bürste gesehen," schrieb Bidwell, und ihre Ochsen, „als würden sie jeden Tag tausend Schläge bekommen." Am nächsten

Nachmittag, kurz nachdem die Wagen den Platte-Fluß erreicht hatten, unterbrach ein heftiges Gewitter mit Regen und Hagelkörnern so groß wie Rebhuhneier die stickige Hitze, die sie mehrere Tage hatten ertragen müssen. Es regnete, blitzte und donnerte fast die ganze Nacht hindurch, und alles wurde durch und durch naß. Trotz des schlechten Wetters fand eine Eheschließung im Lager statt. Der Pfarrer Joseph Williams vereinte Isaac Kelsey und eine Miss Williams, Tochter von R. Williams, einem der Expeditionsteilnehmer. Pfarrer Williams war ein 63-jähriger Methodistenprediger, der allein von Indiana gekommen war und drei Tage nach Weber zu der Gruppe gestoßen war.

Am 4. Juni brach beinahe Panik aus, als sich der Zug für die Nacht einrichtete und der Schrei „Indianer! Indianer!" ertönte. Der junge Nicholas Dawson war jagen gegangen und hatte sich gegen Fitzpatricks Befehl außer Sichtweite der anderen begeben. Dabei traf er auf eine Gruppe von Indianern, die ihm sein Gewehr, sein Messer und sein Maultier abnahmen. Als sie ihm auch noch die Kleider wegnehmen wollten, riß er sich los und kam ins Lager zurückgerannt. Auf Fitzpatricks Anordnung hin – er fluchte wahrscheinlich heftig dabei – stellten die erschreckten Reisenden ihre Wagen in Form eines Quadrats mit den Tieren nach innen auf. Die Indianer erwiesen sich als freundliche Stammesangehörige der Cheyennes, aber die Erfahrung war ohne Zweifel sehr lehrreich für die unbedarften Reisenden. Dieser Vorfall brachte dem überraschten jungen Jäger den Spitznamen „Cheyenne" Dawson ein, wie er von nun an genannt wurde.

Am Samstag, dem 5. Juni, sahen die Reisenden am Platte-Fluß dunkle Wolken über den Himmel jagen. Stürme entwurzelten Bäume und wirbelten die Äste umher. Um zu verhindern, daß die Wagen umgeworfen wurden, stützten sich alle gegen sie. Unter schrecklichem Getöse erhob sich eine Wasserhose – eine Meile hoch, so schien es Pater De Smet – über dem Fluß und zog dann weiter. Als die Wagen ins Lager fuhren, prasselten Regen und große Hagelkörner auf sie nieder.

Nun sahen sie die ersten Büffel, und am Montag, dem 7. Juni, töteten sie drei Tiere. Mehrere Tage lang war die Ebene schwarz wegen der vielen Tiere mit ihren zottigen Mähnen, und die Erde bebte, wenn die riesigen Herden vorbeijagten.

Bidwell beschrieb die Szene folgendermaßen:

„Eines Nachts, als wir unser Lager am südlichen Arm des Platte-Flusses aufgebaut hatten, kamen sie in solchen Massen, daß wir uns aufsetzen und Schüsse abfeuern und möglichst viele Feuer anzünden mußten, um sie daran zu hindern, über uns hinwegzurennen und uns in den Staub zu trampeln. Es blieb uns nichts anderes übrig, als sie in einiger Entfernung vom Lager umzuleiten. Captain Fitzpatrick sagte uns, wenn wir dies nicht täten, könnten die vorderen Büffel nicht zur Seite ausweichen wegen der nachschiebenden Tiere. Die ganze Nacht lang hörten wir das Donnern der Büffel, die Erde zitterte, wenn sich die riesigen Herden dem Lager näherten. Hätten wir sie nicht umgeleitet, wären wir sowie unsere Wagen und Tiere von ihnen niedergetrampelt worden."

Vielleicht gehörte Weber zu den Männern, die ausritten, um die riesigen Tiere vom Lager fernzuhalten.

Am Nachmittag des 8. Juni erreichte die Gruppe den südlichen Platte nach einem Marsch von 18 Meilen. Während sie sich für die Nacht einrichteten und die Flußüberquerung am nächsten Tag besprachen, ließen sie ihre Blicke über die großen Büffelherden in der Prärie schweifen und genossen die schmackhaften Büffelsteaks. Der Fluß war nicht tief, sie konnten das schlammige Wasser an einer Stelle durchwaten, wo der Fluß nur zwei Drittel Meilen breit war.

Eine Tragödie ereignete sich am Morgen des 13. Juni, als der junge George Shotwell leichtsinnig sein Gewehr aus dem Wagen nahm und ein sich lösender Schuß in die Nähe seines Herzens drang. Er blieb bei Bewußtsein, starb aber eine Stunde später. Seine Gefährten begruben ihn im Sand am Ufer des nördlichen Platte, und Pfarrer Williams hielt den Gottesdienst an seinem Grabe. Ein Komitee beauftragte Captain Bartleson, Shotwells bescheidene Habe zu verwalten. Um 11.00 Uhr war der Treck schon wieder auf seinem Weg.

Erschöpft kämpften sie sich voran, jeden Tag legten sie so zwanzig bis siebenundzwanzig Meilen zurück, bis sie am 22. Juni Fort Laramie erreichten. Mittlerweile waren Indianer, Büffel, Antilopen, Wölfe und Präriehunde vertraute Anblicke für Weber und seine Gefährten. Sie hatten gelernt, die täglichen Unannehmlichkeiten zu ertragen oder mit ihnen fertig zu werden, z.B. mit der Moskitoplage. Moskitos, so sagte Pater De Smet, „belästigen den Reisenden nicht, wenn er den Schatten meidet und in der glühenden Sonne bleibt. Aber bei Anbruch der Dunkelheit fallen sie über ihn her und hängen an ihm bis zum Morgen wie Blutegel. Es gibt keinen Schutz vor ihren Stichen, außer man versteckt sich unter einer Büffelhaut oder wickelt sich in etwas ein, das sie nicht durchstechen können, und läuft gleichzeitig Gefahr zu ersticken . . ."

Der mühsame Weg
durch die Berge nach Westen

De Smet, „ein liebenswürdiger Herr von angenehmem Äußeren und strahlendem Humor", unterhielt sich täglich mit einem, oft auch mit mehreren Zugteilnehmern. Ohne Zweifel sprach er auch mit Weber, vielleicht auf deutsch. Es war ein Trost für den Jesuitenmissionar, „unsere Reisegefährten von einer schweren Last zu befreien, dem Vorurteil gegen unsere heilige Religion." Außer über religiöse Dinge haben diese beiden Reisenden vielleicht auch über anderes gesprochen, denn Weber war kultivierter und gebildeter als viele seiner Gefährten. Laut Überlieferung soll ein Rosenkranz, der lange im Besitz der Familie Weber war, von Pater De Smet stammen. Er gab ihn Carl irgendwo unterwegs, vielleicht als sich ihre Wege in Soda Springs trennten.

Als die Wagen weiterholperten und Fort Laramie hinter ihnen lag, sahen sie den berühmten „Unabhängigkeitsfelsen" (Independence Rock) vor sich. Wie andere Reisende auch konnten sie der Versuchung nicht widerstehen, anzuhalten und ihre Namen einzuritzen; dann machten sie sich unter Fitzpatricks Führung wieder auf den Weg. Die Gruppe verlangsamte das Tempo nur, um Büffel zu jagen, die seltener geworden waren, und Fleisch für den späteren Gebrauch zu trocknen. Am 18. Juli erreichten sie die kontinentale Wasserscheide am Südpaß (South Pass) und damit die Flüsse, die zum Pazifik fließen.

Einige Tage später trafen sie am Green River auf eine Gruppe von Fallenstellern und Jägern, „ein wildaussehendes Pack", wie Dawson niederschrieb. Sie tauschten Kleider und Munition gegen gegerbte Häute, Kleidung aus Wildleder, Mokassins und Seile. Die Auswanderer nach Kalifornien versuchten, unter diesen Jägern einen Führer für ihren Zug zu finden. Aber man sagte ihnen, daß es für die Wagen kein Durchkommen gäbe, sie könnten höchstens nach Oregon und dann den Columbia-Fluß abwärts ziehen. Während die Gruppe am Green River Rast machte, gaben sechs Männer, „diejenigen, die zum Vergnügen oder aus gesundheitlichen Gründen unterwegs waren", die Reise nach Westen auf und wandten sich wieder der Zivilisation zu. Vielleicht hat auch Weber mit dem Gedanken gespielt, mit ihnen zurückzugehen, doch sein Wunsch, Kalifornien zu sehen, war offensichtlich stärker.

Am 10. August, einem schönen, sonnigen Tag, erreichte der Zug Soda Springs. Hier mußten die Reisenden eine wichtige Entscheidung treffen, denn der Pfad teilte sich: der eine Weg führte nach Fort Hall und Oregon, der andere, so hoffte man, nach Kalifornien. „Es gab", so schrieb Pfarrer Williams, „einige Meinungsverschiedenheiten und Streit unter uns wegen des weiteren Weges." Mehrere von denen, die Missouri in der Absicht verlassen hatten, nach Kalifornien zu ziehen, vor allem diejenigen mit Familien, entschieden sich nun für den Weg in Richtung Oregon. Weber ebenso wie Bidwell, Bartleson und 29 andere wollten sich nicht von dem ursprünglichen Ziel abbringen lassen und zogen den direkten Weg nach Westen weiter. Unter diesen waren auch eine Frau, die noch nicht ganz achtzehnjährige Nancy Kelsey, ihr Mann Benjamin und ihre kleine Tochter Ann.

Fort Laramie im Jahre 1842

Soda Springs, von Pater De Smet gezeichnet

Am Morgen des 11. August rollten die Wagen zum letzten Mal gemeinsam aus dem Lager heraus. Nach einigen Meilen nahmen sie Abschied voneinander, und der Zug teilte sich. Fitzpatrick führte die Missionare und die Auswanderer nach Oregon in Richtung Fort Hall; Pfarrer Williams war mit von der Partie. Captain Bartleson und drei Männer seiner Gruppe ritten ebenfalls zum Fort in der Hoffnung, Proviant aufzutreiben und einen Führer anzuheuern oder wenigstens genauere Informationen über das vor ihnen liegende gefährliche Land zu

47

bekommen, als Fitzpatrick ihnen geben konnte. Weber hat sie wahrscheinlich begleitet, denn Tinkham, dessen Information aus Gesprächen mit Weber stammt, schreibt folgendermaßen: „Sie (die Kalifornien-Auswanderer) brachen ohne Führer von Fort Hall auf und kamen zum Mary's River, der heute Humboldt-Fluß heißt . . .“

Die vier Männer, die nach Fort Hall gezogen waren, holten ihre Gruppe elf Tage später ein; sie hatten einigen Proviant besorgt, aber keinen Führer. Alles, was sie über die Route erfahren hatten, war: „Falls man zu weit nach Süden geht, kommt man in eine Wüste, wo die Tiere eingehen, denn es gibt dort weder Wasser noch Gras . . . Andererseits darf man auch nicht zu weit nach Norden ziehen, weil man sonst in die gefährlichen Schluchten gerät, die zum Columbia-Fluß führen, wo man sich verirren und zu Tode kommen kann.“

Die Bidwell-Bartleson-Gruppe reiste ohne Kompaß. Die Führer wußten aber aus einigen alten Landkarten, die sie bei sich hatten, von einem Fluß mit Namen Buenaventura oder St. Mary's, der vermutlich aus dem Großen Salzsee nach Westen floß und in den Pazifik mündete. „Wir hatten gedacht, daß wir nur unseren Fluß finden und ihm folgen müßten,“ bemerkte Dawson. Dr. John Marshs Briefe enthielten auch Hinweise: er hatte den Reisenden geraten, bis nach Fort Hall/Oregon zu gehen und einem Flußlauf in südwestlicher Richtung zu folgen. Dann kämen sie in die Wüste und würden auf den Mary's River stoßen, der in eine Senke fließt, die Mary's Lake genannt wird. Sie sollten wieder nach Südwesten gehen, die Sierra Nevada überqueren und endlich das langersehnte Land betreten.

Kalifornien lag im Westen, das nahmen alle an, und so schlug die kleine Schar von Auswanderern auch diese Richtung ein. Sie zogen durch trockenes, ödes Land. Gelegentlich fanden sie gutes Wasser und trafen auf Indianer, die aber so arm waren, daß sie ihnen kaum mehr als ein paar Eicheln oder Samenkörner im Tausch gegen Messer oder andere Kleinigkeiten überlassen konnten. Ihre Vorräte an Büffelfleisch, das sie in der Prärie gedörrt hatten, und anderen eßbaren Dingen waren seit langem erschöpft. Nacheinander wurden nun die Ochsen geschlachtet. Am 18. September hatten sie bereits vier Ochsen verzehrt, und nachdem am 22. Oktober das letzte Ochsenfleisch aufgebraucht war, ernährten sie sich von Maultier- oder Pferdefleisch. Inzwischen waren drastische Maßnahmen notwendig geworden, und so ließen Benjamin Kelsey und sein Bruder am 12. September ihre Planwagen zurück und setzten Nancy und das Baby und einen großen Teil ihrer Habe auf den Rücken von Maultieren und Pferden, damit der Zug leichter würde. Fünf Tage später gaben die übrigen ihre Wagen auf. Alle bewegten sich mühsam vorwärts, meistens zu Fuß, weil sie die Pferde, Maultiere und Ochsen mit ihrem Gepäck beladen hatten. Das Gepäck auf dem Rücken der Tiere zu befestigen, verlangte besonderes Geschick, und sie wurden durch Schaden klug. Bidwell beschrieb die Szene folgendermaßen: „Schon nach wenigen

Minuten fing das Gepäck an zu verrutschen, die Pferde bekamen Angst, die Maultiere traten aus, die Ochsen sprangen umher und brüllten, die Gepäckstücke flogen in alle Richtungen." Nach einiger Übung ging es dann besser. Wahrscheinlich hatte Weber keinen Wagen, und seine Habe war zusammengeschrumpft.

Schließlich erreichte die Gruppe nach Zeiten der Angst und der Entbehrung den Humboldt- bzw. den Mary's-Fluß. Sie litten Hunger und Durst, als sie die Wüste durchquerten, konnten sich aber dann am Walker River erfrischen. Dort schauten sie zu der hohen, drohenden Wand der Sierra Nevada empor. Sie hatten den direkteren Weg durch die Berge entlang des Truckee River verpaßt. Der Anstieg auf der Ostseite der Sierra erwies sich als leichter, als sie befürchtet hatten, aber nachdem sie die Höhe am oder in der Nähe des Sonora Passes am 18. Oktober überquert hatten, gerieten sie in die tiefe Schlucht des Stanislaus River. In ihren zerrissenen Kleidern irrten sie hilflos in dem gebirgigen Land umher und stiegen langsam die gefährlichen Steilstücke und Engpässe hinunter. Um diese Zeit entfernte sich ein Mann namens Jones von der Gruppe, um Wild zu jagen. Er tauchte nicht wieder auf, und die anderen zogen weiter. Wenn sie auf die gewaltigen Berggipfel zurückschauten, die sie gerade bezwungen hatten, sahen sie, daß sie von Neuschnee bedeckt waren. Zum Glück setzten die Stürme in diesem Jahr spät ein.

Manchmal muß es ihnen vorgekommen sein, als wollten die zerklüfteten Berge und die tiefen Schluchten nie enden. Aber am Morgen des 30. Oktober lag das Tal des San Joaquin vor ihnen; sie waren sich jedoch nicht sicher, ob dies nun Kalifornien war oder nur eine Illusion. Mußten sie noch die Gebirgskette, die am westlichen Horizont zu sehen war, überqueren? Nach der Aussage von „Cheyenne" Dawson haßten sie die Berge geradezu, aber wenn es noch mehr davon zu überqueren gäbe, so würden sie dies wenigstens „mit vollem Bauch" tun. Es gab Antilopen, Rotwild, Elche und Wildvögel in Hülle und Fülle, und so bewegte sich die Gruppe, gesättigt und etwas erfrischt, mit ungewohnter Geschwindigkeit nordwestlich durch das Tal.

Am 2. November sahen sie zu ihrem Erstaunen, wie einer der Ihren – der verlorengegangene Jones – ihnen in Begleitung eines indianischen Führers entgegenritt und die freudige Nachricht überbrachte, daß Dr. Marshs Ranch nur wenige Meilen entfernt lag.

Am nächsten Tag überquerten Weber und seine Gefährten, mit denen er nun seit sechs Monaten zusammen war, den San Joaquin. Obwohl die Reisenden auf einer fehlerhaften Karte einen nicht existierenden Fluß gesucht hatten, und sich auf ihrem mühsamen Weg nach Westen durch unerforschtes Gebiet weder auf einen Kompaß noch auf Sternenkunde stützen konnten, erreichten sie schließlich ihr Ziel: das Haus und die Ranch von Dr. Marsh, der sie mehr als irgend jemand sonst in dieses Gelobte Land gelockt hatte.

Die Neuankömmlinge fanden Marshs Haus etwas enttäuschend, es war klein und aus ungebrannten Ziegelsteinen gebaut und hatte keinen Kamin. Der Fußboden bestand aus Erde, das Dach aus Rohrkolben. Marsh bewirtete sie, so gut er konnte, indem er ein oder zwei fette Schweine für seine Gäste schlachtete. Neben dem Fleisch gab es nur einen kleinen Maisfladen, den Marshs indianischer Koch aus kostbarem Saatweizen bereitet hatte. Die Ankömmlinge erfuhren, daß Kalifornien an den Folgen einer langen Trockenheit litt. Die Reisenden bedankten sich für Marshs Gastfreundschaft, indem sie ihm aus ihren mageren Vorräten Dinge wie Schießpulver, Blei und Messer überließen. Sie schlugen ihr Lager um das Haus herum auf und waren „recht zufrieden". Diejenigen, die Marsh aus Missouri kannten, erinnerten sich an die alten Zeiten und schilderten ihre Erlebnisse auf dem Zug nach Westen. Am nächsten Tag würden sie sich die Frage stellen müssen, was sie in Kalifornien anfangen könnten.

III. KAPITEL

Als Neuling in Kalifornien
1841 – 1842

Die Nachricht, daß die Western Emigration Society eine Expedition nach Kalifornien plante und zusammenstellte, hatte für beträchtliche Aufregung in Missouri gesorgt und war von den Zeitungen überall verbreitet worden. Natürlich erfuhren auch die konsularischen und sonstigen Vertreter Mexikos in den Vereinigten Staaten von diesem Plan und informierten ihr Außenministerium entsprechend. Den mexikanischen Beamten blieb der Expansionswille des amerikanischen Volkes, der sich vor kurzem in Texas gezeigt hatte, nicht verborgen, sie fürchteten, daß das kalifornische Territorium, obwohl weit entfernt und wenig bekannt, das Ziel zahlreicher Auswanderer werden könnte. Die mexikanische Regierung war also vorgewarnt. Sie legte Anfang 1841 ihren Beamten die Situation dar und befahl, daß keinem ausländischen Einwanderer der Aufenthalt im Land ohne ordentliche Papiere gestattet werden sollte. Der Befehl besagte auch, daß sich jeder ausländische Siedler, der sich bereits in Kalifornien niedergelassen hatte, um die rechtmäßige „cartas de seguridad", d.h. die Aufenthaltsgenehmigung, bemühen müsse; anderenfalls habe er das Land zu verlassen.

Auf solche alten Siedler wie Juan B. R. Cooper, Benjamin Wilson, William Heath Davis, William D. M. Howard, Thomas O. Larkin und Abel Stearns machte diese Ankündigung wahrscheinlich wenig Eindruck. Im allgemeinen kamen sie gut mit den örtlichen mexikanischen Beamten und den Einwohnern aus. Viele von ihnen hatten einheimische Frauen geheiratet und waren wichtige Bürger und Geschäftsleute, die in nicht geringem Maße die Grundlage für Kaliforniens Reichtum geschaffen hatten. Aber es hatte auch Unruhestifter unter diesen Ausländern gegeben – Männer wie der anmaßende und kampflustige Isaac Graham, der 1838 versucht hatte, weniger gesetzestreue Amerikaner um sich zu scharen und sich in die Politik einzumischen. Er unterstützte einen Aufstand, durch den Juan Bautista Alvarado, ein Einheimischer, Gouverneur wurde. Der Streit legte sich jedoch wieder, und die Provinz verfiel erneut in ihr schläfriges Dasein.

Die Lage änderte sich plötzlich am 4. November 1841 mit der Ankunft der großen Zahl von Einwanderern auf Marshs Ranch zehn Meilen östlich des Mount Diablo. Frühere Einwanderer waren gewöhnlich allein oder in kleinen Gruppen gekommen. Die Ankunft dieser neuen Gruppe war offensichtlich eine Überraschung, aber Marsh faßte sich und hieß seine alten Freunde aus Missouri und deren Gefährten, wenn auch in etwas kleinlicher Manier, willkommen. Obwohl seine Gastfreundschaft bald nachließ, bemühte er sich, den Einwanderern Ratschläge zu geben, wie sie reguläre Bürger werden und Arbeit und eine Bleibe finden könnten. Marsh kannte die Probleme, die auf die Einwanderer zukommen würden. Er wußte auch um die Gefahr, die sie bedrohte, falls die mexikanischen Beamten sich ihnen gegenüber feindlich verhielten. Da er selbst als Arzt sehr geschätzt war (er war laut Bidwell der einzige in Kalifornien), eine große Ranch besaß und als Mann von Rang und Namen galt, erhielten seine Freunde schließlich mit seiner Hilfe die für den Daueraufenthalt notwendigen Papiere. Zunächst besorgte er sich von Bidwell eine Liste mit den Namen aller Zugteilnehmer – es waren 32 Männer, eine Frau und ein Kind – , darunter ein gewisser „Carlos Weaver". Diese Liste schickte er an Don Antonio Suñol, den Unterpräfekten des San Jose-Bezirks. Er teilte ihm mit, daß sich die Neuankömmlinge, nachdem sie sich auf seiner Ranch etwas ausgeruht hätten, bei ihm vorstellen und ihn von ihren friedlichen Absichten überzeugen würden. Ihr einziger Wunsch sei es, mexikanische Bürger zu werden. Bald darauf, am 6. November, gingen 15 der Männer nach San Jose, um Arbeit zu suchen. Dort wurden sie festgenommen und eingesperrt, weil sie nicht die notwendigen Papiere hatten. Dies war wohl eine legale Maßnahme. Gerade zu der Zeit hielt sich General Mariano Guadalupe Vallejo, der Militärkommandant des nördlichen Bezirks von Kalifornien, in San Jose auf und nahm sich dieser Ausländer an. Zuerst ließ er sie aus dem Gefängnis frei und auf die Bezirksverwaltung bringen. Am 11. November schickte er Michael C. Nye zu Marsh zurück mit der Bitte, er möge so schnell wie möglich kommen und Auskunft darüber geben, warum die Besucher Kalifornien ohne Pässe betreten hatten. Marsh kam sofort, und am 13. November stellte Vallejo in seiner großzügigen Art, jedoch nach gründlicher Überlegung, den Ausländern zeitlich begrenzte Pässe aus, die sie benutzen konnten, bis sie die endgültigen Papiere vom Gouverneur erhielten. Zu diesen Männern gehörten John Bartleson, Talbot H. Green, Charles Hopper, Michael C. Nye, die zwei Kelseys (Andrew und Benjamin sowie Benjamins Frau Nancy und ihr Kind) und Grove Cook. Alle Berichte bestätigen, daß, wie Bancroft es ausdrückt, „Vallejo sowie andere Kalifornier die Einwanderer mit Rücksicht und Freundlichkeit behandelten". Er gab sich große Mühe, ihnen die Gesetze des Landes zu erklären. Bis Ende November hatten alle Neuankömmlinge Marshs Ranch verlassen und Einheimische gefunden, die für ihr ehrenhaftes Verhalten bürgten.

Doch was war aus Carl Weber geworden? Wie andere auch hatte er sicher einige Tage auf Marshs Ranch verbracht, bevor er sich entschloß, Captain John Sutter in Neu Helvetia aufzusuchen und die Empfehlungsschreiben vorzuzeigen, die ihm Freunde in St. Louis mitgegeben hatten. Es erschien ihm ganz natürlich, sich wegen Arbeit an einen deutschsprachigen Schweizer zu wenden, zumal Sutter Marsh geschrieben hatte: „Ich habe Arbeit hier für 60 – 80 Männer." So machten sich Weber und ein anderer, wahrscheinlich Henry Huber, um den 15. November herum zu Sutters Fort auf. Im Rückblick erinnerte sich Weber, daß er „sehr beeindruckt war von der Schönheit des Landes", mit dem er zum erstenmal in Berührung kam und das später seine Heimat und ein Teil des San Joaquin-Bezirks werden sollte.

Das genaue Datum von Webers und Hubers Ankunft in Neu Helvetia ist nicht bekannt, aber es muß vor dem 8. Dezember gewesen sein, denn an dem Tag schrieb Sutter an General Vallejo in Sonoma, daß er die Verantwortung vor dem Gesetz für Henry Huber und „Carlos Maria Weber" übernehme. Warum Sutter in dem Paßantrag an General Vallejo „Maria" als Webers zweiten Namen angab, ist eine interessante, aber ziemlich ungeklärte Angelegenheit. Es ist durchaus möglich, daß Weber, nachdem er seine Empfehlungsschreiben von Sutters Freunden und Bekannten in Missouri vorgelegt hatte, sowie Huber und andere Männer mit dem geselligen Sutter während der langen Winterabende über ihre Zukunftsaussichten in Kalifornien redeten. Was sollte ein Neuankömmling anstellen, um ein erfolgreicher Geschäftsmann oder Landbesitzer zu werden? Dazu hatte der ewige Optimist Sutter sicher einiges zu sagen. Wahrscheinlich riet er seinen Gästen, sich den Einheimischen anzupassen und deren Lebensweise zu übernehmen. Weber empfahl er eine geringfügige Namensänderung, anstelle von „David" sollte er sich „Maria" nennen. „Maria" war ein gebräuchlicher Männername bei den katholischen Kaliforniern, und Weber würde so wie einer der ihren erscheinen. Der Wechsel von Charles bzw. Carl zu „Carlos" verfolgte das gleiche Ziel. Aus ihm wurde also Carlos Maria Weber, unter diesem Namen ist er in die Geschichte Kaliforniens eingegangen. Nur einmal noch benutzte Weber seinen Taufnamen, die Abkürzung D. für David, und zwar am 19. September 1843 in einem Schreiben an den Friedensrichter von San Jose, Salvio Pacheco. Er gab ihm seine Absicht, die Einbürgerung zu beantragen, bekannt und unterschrieb mit „Carlos Maria D. Weber".

In Sutters Fort hielt sich auch Webers Freund, James John, auf. Er hatte die Einwanderergruppe in den Stanislaus-Bergen verloren und sich trotz Hunger und Durst nach Neu Helvetia durchgeschlagen, wo er am 3. November ankam, einen Tag bevor die Hauptgruppe Marshs Ranch erreichte. Nachdem sie nun den langen Kampf hinter sich hatten, genossen Weber und John Sutters Gastfreundschaft, hörten seinen abenteuerlichen Berichten zu und waren sicherlich von seinen Erfahrungen beeindruckt.

Sutter stammte aus ärmlichen Verhältnissen und hatte es zu Reichtum gebracht. 1834 hatte er heimlich seine Heimat und seine Familie in der Schweiz mit nur wenig Geld verlassen. Seine ersten Unternehmungen in Missouri und auf einigen Handelsexpeditionen nach Santa Fe waren erfolglos. 1838 durchquerte er mit einigen Kaufleuten die Prärie und ließ sich in Fort Vancouver nieder. Er war schon immer ein Opportunist ersten Ranges gewesen, und so ließen die Erfolge nicht auf sich warten. Da Sutter in Vancouver niemanden fand, der sogleich mit ihm nach Kalifornien ziehen wollte, verkaufte er seine Pferde, Maultiere und seine übrige Habe, behielt jedoch seinen indianischen Diener, der ihm wegen seiner Englischkenntnisse sehr nützlich war. Nach einem Monat fuhr Sutter an Bord eines Schiffes der Hudson Bay Company nach Hawaii. Er erreichte Honolulu im Dezember 1838, von wo aus er sich eine bessere Überfahrt nach

San Francisco erhoffte. Es dauerte mehrere Monate, bis eine solche Überfahrt zustande kam, aber dank dieser Verzögerung konnte er die führenden Männer der Inseln kennenlernen, darunter William French, einen bekannten amerikanischen Kaufmann. Sutter war eine anziehende Persönlichkeit und machte überall einen guten Eindruck. John Coffin Jones, der amerikanische Konsul, schrieb an General Vallejo, daß Sutter „ein Herr aus der Schweiz und ein hervorragender Mensch, geachtet wegen seiner Talente und seines guten Rufes" sei. Sutter nutzte auch die Gelegenheit, sich öffentlich den Rang eines Hauptmanns der Schweizer Garde im französischen Dienst zuzulegen, ein Titel, der Eindruck machte und ihm von großem Nutzen sein sollte.

Nach fünf Monaten in dieser herrlichen Umgebung sah sich dieser Abenteurer erneut vom Glück begünstigt. Sutter berichtet, daß William French ihm so viel Frachtgut garantierte, daß er die englische Brigg „Clementine" bezahlen könnte, wenn er sie samt Ladung zu der russischen Kolonie nach Sitka brächte. Diese Geschichte ist vielleicht ausgeschmückt wegen Sutters Vorliebe für gute Erzählungen und seines Geschicks, die Menschen um sich herum zu beeindrucken. Laut Bancroft schickte French Sutter wahrscheinlich als Ladungsaufseher auf die „Clementine" mit einer Ladung, die auch für ihn etwas Gewinn abwarf. Wie es auch immer gewesen sein mag, Sutter, der nie das Glück oder eine gute Gelegenheit von sich wies, nahm den Vorschlag bereitwillig an und fuhr nach Sitka.

Nachdem er seine Ware verkauft hatte, verbrachte er einen angenehmen Monat in Sitka. Er fand Gefallen an den Zerstreuungen der russischen Gesellschaft, die von dem Gouverneur von Russisch-Alaska, Iwan Kupreyano, und seiner Frau, einer Prinzessin, angeführt wurde. Zusammen mit ihnen nahm er an dem turbulenten gesellschaftlichen Leben des Forts teil, er tanzte mit der Frau des Gouverneurs, „doch leider", so schrieb Sutter, „mußte ich bei Tänzen mitmachen, die mir vollkommen fremd waren." In der anregenden Gesellschaft der Russen konnte er seine Fremdsprachenkenntnisse bestens anwenden. Er schilderte seine Lage folgendermaßen: „Mit dem höchsten Angestellten sprach ich spanisch, mit dem Lagerverwalter deutsch und mit dem Gouverneur und seinen Beamten französisch." Einige Jahre später, als es die Russen für angebracht hielten, ihr Eigentum in Fort Ross in Kalifornien zu verkaufen, profitierte Sutter von dieser ganzen Unternehmung. Der Käufer war kein anderer als Captain John Sutter.

Sutter hatte auf seinen zahlreichen Reisen einiges über Kalifornien erfahren, und mit seinem wachen Sinn für Strategie entschloß er sich, Land im Innern, weit entfernt von spanischem Einfluß, zu erwerben. Als er schließlich am 2. Juli 1839 an Bord der „Clementine" in San Francisco ankam, durfte er nur so lange dort bleiben, bis er sich einige Vorräte besorgt und an dem Schiff dringende Reparaturen ausgeführt hatte. Man teilte ihm mit, daß San Francisco kein Einwanderungshafen sei. Unerschrocken fuhr Sutter direkt nach Monterey zu dem

Gouverneur Juan Bautista Alvarado, dem er ein ganzes Bündel Empfehlungsschreiben präsentierte, unter anderem die der Russen in Sitka und der Beamten der Hudson Bay Company. Ähnliche Briefe hatte er für David Spence, den er als „den einflußreichsten Ausländer in der Hauptstadt" bezeichnete.

Gouverneur Alvarado war überwältigt. Noch nie hatte er einen Mann mit so vielen Empfehlungsschreiben gesehen, und er war von der Idee seines Besuchers angetan, eine Kolonie in dem Tal im Landesinnern zu gründen, „wo die Indianer sehr wild und böse waren". Sutter bat um Land am Sacramento, eine Entscheidung, die der Gouverneur guthieß. Er erkannte nämlich, daß nun jemand anderes als die schwerfälligen Kalifornier die Verantwortung für die Kolonisierung der Sacramento-Grenze und die Verteidigung des Gebietes gegen feindliche Indianerhorden übernehmen würde. Alvarado riet seinem Gast, sich zunächst um die mexikanische Staatsbürgerschaft zu bemühen, sich dann ein passendes unbewohntes Gebiet im Hinterland auszusuchen und schließlich in einem Jahr zurückzukommen, um seine Einbürgerungspapiere und die Urkunde der Landzuweisung in Empfang zu nehmen.

Alvarados Großzügigkeit mag mehrere Gründe gehabt haben: die gespannte politische Lage in Kalifornien in der damaligen Zeit, seine schwache Stellung als Gouverneur (er war ein Einheimischer) und seine Eifersucht auf General Vallejo in Sonoma. Außerdem sah man es als Vorteil an, daß sich ein Ausländer, der sich loyal zu der mexikanischen Regierung verhielt, inmitten der wilden Stämme im Landesinnern niederlassen wollte. Die anderen Neuankömmlinge hatten es in der Regel vorgezogen, in den Siedlungen an der Küste zu leben, wo der Handel blühte und sie vor indianischen Angriffen in Sicherheit waren.

Sutter war erfreut, daß er bald seine eigene Kolonie haben würde weit entfernt vom „Auge des Gesetzes", und er bemühte sich, seinen Plan in die Tat umzusetzen. Er kehrte nach San Francisco zurück, machte einen kurzen „good will"-Besuch bei General Vallejo in Sonoma und besuchte einen alten schottischen Einwanderer, Edward McIntosh, auf seiner Ranch in Bodega. Von dort zog er nach Fort Ross, um den russischen Verwalter Alexander Rotchev zu treffen. Er machte diese Reise, bevor er seine eigentlichen Pläne in Angriff nahm. Sie brachte ihn mit seinen wichtigsten, wenn auch weit entfernten Nachbarn in Kontakt, mit Männern, mit denen er wahrscheinlich in Zukunft zu tun haben würde.

Nach diesen Formalitäten sammelte Sutter eine kleine Gruppe von Leuten um sich, die den Kern seiner Kolonie bilden sollten. Es waren vier Weiße, die er von Hawaii mitgebracht hatte, vier oder fünf Seeleute aus Yerba Buena und zehn Eingeborene der Südseeinseln, darunter zwei Frauen. Von Hinckley & Spear, Kaufleuten in San Francisco, mietete er den Schoner „Isabella" und die Yacht „Nicolas" und kaufte eine Pinasse mit vier Rudern von einem Kapitän Wilson. Er hatte sich auch schon mit einheimischen Ranchern an der Bucht in Verbindung gesetzt, um Rinder und Vorräte auf Kredit zu kaufen, die übliche Art, wie man in Kalifornien Geschäfte abschloß. Er verstaute seine Kanone und die übrigen Sachen an Bord seiner Schiffe und brach unter dem Kommando von William Heath Davis am 9. August 1839 zum Sacramento auf. Ein paar Tage lang erforschten sie den Fluß und fuhren flußaufwärts, nachts schlugen sie ihre Zelte auf. Sie sahen keine Indianer, aber sie bemerkten, daß man sie verfolgte und aus Verstecken am Ufer beobachtete.

Sutter teilte den Mitgliedern seiner Mannschaft mit, wie sie sich verhalten sollten, falls sie während ihrer Flußfahrt auf Widerstand stoßen sollten. Bis zum letzten Tag der Reise trafen sie niemanden. Dann sahen sie, nur zwölf Meilen von ihrem Ziel entfernt, auf einem freien Gelände ungefähr zweihundert Krieger. Diese waren in Kriegsbemalung und offenbar entschlossen, ihnen die Weiterfahrt zu versperren. Sutter befahl seinen Männern, nicht zu schießen, ging unbewaffnet an Land und rief einige spanische Worte in der Hoffnung, daß sie jemand, vielleicht ein Flüchtling von der Mission, verstehen würde. Dieses Vorgehen hatte Erfolg. Zwei Krieger traten hervor, und er erklärte ihnen, daß er gekommen sei, um als Freund bei ihnen zu leben, daß keine Spanier unter ihnen seien und daß er Geschenke für sie habe, wenn sie ihn später in seinem Lager besuchen würden. Dies beruhigte die Indianer, die sich friedlich zurückzogen. Sutter setzte seine Reise ohne Unterbrechung fort. An ihrem Ankunftstag versammelte sich eine Gruppe neugieriger Indianer am Ufer und schaute zu, wie die Schiffe entladen wurden. Als die Schiffe ihre Rückfahrt nach San Francisco antraten, ließ Sutter die Messingkanone abfeuern, „was eine ganz erstaunliche Wirkung hatte". Als das Echo verstummt war, war das Lager „von Hunderten von Indianern" umgeben, wie William Heath Davis berichtete. Er fügte hinzu: „Eine große Zahl von Rotwild, Elchen und anderen Tieren der Prärie war verwirrt, sie rannten hin und her und hielten dann inne, um zu lauschen. Sie hoben ihre Köpfe, sie waren vor Neugier und Erstaunen starr und fasziniert, während das Geheul der Wölfe und Coyoten aus den anliegenden Wäldern drang und riesige Schwärme von Wasservögeln aufgeregt über das Camp flogen."

Davis war erfüllt von Staunen und Bewunderung, als er auf der Rückfahrt an Deck der „Isabella" stand. Er schrieb: „Dieser Salutschuß war das erste Echo der Zivilisation in einer Wildnis, die bald besiedelt und in ein großes Landwirtschafts- und Handelszentrum umgewandelt werden würde." Mit Geschützfeuer und einem Salut auf die amerikanische Flagge gründete also Sutter seine Siedlung „Neu Helvetia".

Ungefähr ein Jahr später begann Sutter mit dem Bau seiner berühmten Festung aus Ziegeln. Es war ein richtiges Fort mit Bastionen an zwei Ecken, fünf Fuß dicken Mauern, einer Einfassung mit Unterkünften für Soldaten und verschiedenen Werkstätten. In der Nähe der Stelle, wo er gelandet war, baute Sutter später eine Gerberei. All diese Einrichtungen waren von Häusern für seine Angestellten umgeben. Als die Siedlung wuchs, kamen zahlreiche Einheimische, um für ihn zu arbeiten – sie fällten Bäume, machten Ziegel, hüteten die Rinderherden, standen Wache und verdingten sich als persönliche Diener. Sutter verstand es, sich die Loyalität dieser Leute zu erhalten. Um so viele Menschen ernähren zu können, legte er einen Garten an und säte Weizen in einen Boden, der mit den „armseligen kalifornischen Pflügen" bearbeitet worden war. Er konnte sehr großzügig sein, wenn er z.B. heruntergekommene Pferde von den Einheimischen kaufte, aber auch brutal, wenn er sich der Peitsche oder des Exekutionskommandos bediente, falls er dies für notwendig hielt. Gelegentlich ließ er seine Kanone abfeuern, um Zauberkraft zu demonstrieren und die Neubekehrten mit ihrem Dröhnen und ihrer zerstörenden Kraft zu erschrecken. Macht war sein Verbündeter.

Da die Gefahr, von umherstreifenden Indianern angegriffen zu werden, noch nicht gebannt war, ließ Sutter Wachen rund um die Uhr aufstellen. Eines Nachts, erinnerte sich Sutter, „war ein ganzer Trupp Indianer gekommen, um uns offensichtlich alle zu töten und die Siedlung in ihren Besitz zu bringen." Sie wurden jedoch von seinen Wachen und den Bulldoggen auf frischer Tat ertappt. Im Sommer darauf bereiteten sich die Eingeborenen wieder auf einen Kampf vor, aber Sutter kam ihnen zuvor. Als er erfuhr, daß sich eine Gruppe – darunter frühere Angestellte von ihm – ungefähr 20 Meilen entfernt am Cosumnes-Fluß versammelt hatte, griffen er und seine aus sechs Männern bestehende „Armee" die Leute an und besiegten sie, wobei sie auch einige davon töteten. Nach dem Kampf teilte er den Indianern mit, daß er sie vertrauensvoll wieder bei sich aufnehmen würde, falls sie zurückkommen und wie vordem für ihn arbeiten wollten. Sie kamen tatsächlich zurück und gingen friedlich ihrer Beschäftigung nach. Die Folge war, daß Neu Helvetia, wie er seine Siedlung nannte, ständig wuchs und der militärische Vorposten wurde, der die Eingeborenen unter Kontrolle hielt. Auf diese Weise wurde den regelmäßigen Überfällen auf die Mission San Jose und die umliegenden Gebiete Einhalt geboten. Für die Bewohner war der Alptraum, plötzlich überfallen und ihrer Rinder und anderer Habe beraubt zu werden, endlich vorbei. Lange hatten sie mit dieser Gefahr leben müssen.

Weber wurde im Dezember 1841 als Aufseher Teil von Sutters Mannschaft. Durch Beobachtung und Erfahrung lernte er, die Indianer zu lenken und mit den Kaliforniern auszukommen. Im Fort fand er Saatgut vor, das Sutter von Freunden bekommen hatte, z.B. von William G. Rae, dem Agenten für die Hudson Bay Company in Yerba Buena, von den Russen in Fort Ross und von Schiffskapitänen. Es waren mehrere Blumen-, Gemüse- und drei verschiedene Sorten von Tabaksamen. Der Tabak war – laut Tinkham – besonders bei den Trappern und Indianern begehrt. Im ersten Winter ließ Weber von den Indianern den Boden für die Einpflanzung vorbereiten. Neu Helvetia wurde somit der erste Versuchsgarten in Kaliforniens großem Tal im Landesinnern, und Weber war von der landwirtschaftlichen Nutzbarkeit bald überzeugt.

Am Ende des Winters 1841 – 42 machte Weber Pläne, sich selbständig zu machen. Seine ersten Monate in Kalifornien waren interessant und lehrreich gewesen – er war nun vertraut mit den Indianern, den Kaliforniern, dem Land und seinen Schätzen. Aber Weber wußte auch, daß es wichtig für ihn war, Neu Helvetia zu verlassen. Die wenigen Ausländer, die sich damals dort aufhielten, nämlich Sutter, Weber, Huber, Bidwell und James John, sprachen sicher ausführlich über ihre Pläne. Im Frühling war Weber entschlossen, nach San Jose zu gehen, dem ältesten bedeutenden Landwirtschafts- und Handelszentrum der dortigen Gegend, und nach Sutters Vorbild ein Geschäft aufzumachen. Wir können seine Abreise ziemlich genau datieren, denn am 10. Mai 1842 gab ihm Sutter einen Paß, wozu er von General Alvarado am 1. September 1840 die offizielle Vollmacht erhalten hatte. Damals war er zum „Regierungsvertreter in der Justizverwaltung am Sacramento" ernannt worden; er war also der Hauptrepräsentant der mexikanischen Regierung in dem indianischen Siedlungsgrenzgebiet am Sacramento.

Zu dieser Zeit hatte Weber die Idee vollständig aufgegeben, mit der er gespielt hatte, als er von St. Louis nach Kalifornien aufgebrochen war – daß er nämlich per Schiff von der Pazifikküste nach Mexiko und von dort zurück nach Louisiana fahren könnte. Seine Gedanken waren nun ganz auf Kalifornien gerichtet, wo er Möglichkeiten für sich sah, wie er sie sich selbst in seinen kühnsten Träumen nie vorgestellt hatte. Wahrscheinlich rieten ihm Sutter und andere, als Auftakt zu einem besseren Leben Land zu kaufen. Sicher erkannte Weber die Vorteile der weiten kalifornischen Ebenen für die Rinder- und Pferdezucht, die Fülle an Gras und anderen einheimischen Pflanzen und die ausgezeichnete Wasserversorgung durch die Bergbäche. Darüberhinaus gab es schiffbare Flüsse, vor allem den San Joaquin und den Sacramento, auf denen Häute und Talg, Getreide und andere Produkte auf den Markt gebracht werden konnten.

Weber war nun 28 Jahre alt. Einige Jahre zuvor war er in Homburg/Deutschland bei Sonnenaufgang zu einem Schwanenteich gelaufen und hatte seine Freude an dem parkartigen Aussehen der mit Eichen übersäten Landschaft gehabt. Nun war er tief beeindruckt von den Naturschönheiten und dem Reichtum der Gegend in der Nähe des San Joaquin mit ihren riesigen herrlichen Eichenwäldern. Was wäre natürlicher gewesen, als daß er beabsichtigte, in dieser wunderschönen Umgebung seßhaft zu werden, vorausgesetzt er könnte das Land erwerben? Als Weber Neu Helvetia verließ und sich nach San Jose aufmachte, wurde dieser frühere Traum Wirklichkeit für ihn.

Fort Sutter, Stich aus dem Jahre 1848

Johann (John) August Sutter

IV. KAPITEL

Als Kaufmann in San José
1842 – 1844

Als sich Webers Pferd am 1. Juni 1842 seinen Weg durch die gewundenen Straßen von San Jose bahnte – Straßen, die sich scheinbar willkürlich verengten und verbreiterten, vielleicht um Schlammlöchern oder anderen Hindernissen auszuweichen –, gelangte Weber zu der Plaza mit dem einzigen öffentlichen Gebäude, dem „juzgado", in dem ein Gerichtssaal, das Büro des Friedensrichters und das Gefängnis untergebracht waren. Die wenigen Einwohner der Stadt lebten in niedrigen Ziegelhäusern, die in allen Richtungen um die Plaza herum mit ihrer unregelmäßigen Form standen. Das Dorf war 1777 am Ostufer des Guadalupe-Flusses gegründet worden, als Leutnant José Joaquin Moraga auf Befehl des Gouverneurs Felipe de Neve eine Handvoll Siedler – Männer, Frauen und Kinder mit ihren Pferden, Rindern und Schafen – in dieses Gebiet gebracht hatte. Sie sollten den Guadalupe eindämmen, die angrenzenden Felder bewässern und genügend Landwirtschaft betreiben, um ihren eigenen Bedarf zu decken und vielleicht noch den der Leute in Monterey und Yerba Buena. Aber die Siedlung wuchs nur langsam, denn sie wurde oft von feindlichen Indianern aus dem Landesinnern angegriffen, die von Abtrünnigen aus den Missionen angeführt wurden. Kurz nach seiner Ankunft in San Jose traf Weber den 41-jährigen William Gulnac, von Beruf Schmied, der einige Jahre lang als erster Verwaltungsbeamter der Mission San Jose gearbeitet hatte. Er war 1801 im Staate New York geboren und lebte seit 1833 in dem Pueblo. Möglicherweise hatte Sutter Weber auf ihn aufmerksam gemacht, denn Gulnac war einer der führenden Bürger der Stadt.

Gulnac hatte Wanderblut in seinen Adern. Als junger Mann war er zur See gegangen, hatte Kap Horn umsegelt und sich, nachdem er wahrscheinlich als blinder Passagier auf einem Schiff gefahren war, spätestens 1822 in San José del Cabo in Nieder-Kalifornien angesiedelt. Er wurde von der dortigen Gesellschaft aufgenommen. Gulnac gehörte den holländischen Presbyterianern an und wurde 1824 im katholischen Glauben getauft, bevor er Maria Isabel de Ceseña, die einer vornehmen Familie entstammte, heiraten konnte. Maria Isabels Schwester, Loreta, war mit Juan Pedro Pedrin verheiratet, der bei Gulnacs Taufe Pate war. Aus diesem Grund wohl legte Gulnac seinen sehr wenig spanisch klingenden Namen ab und nahm den Namen seines Paten an. Er erscheint in den Registern von Nieder-Kalifornien als José Guillermo Pedrin. Gulnac und Maria Isabel heirateten am 21. April 1825; am 7. März 1826 bekamen sie einen Sohn, den sie José Ramon Pedrin nannten. (Ihre übrigen Kinder waren Juan Panfilo (geb. 1831), Carlos Maria (geb. 1833) und drei Töchter; Susana, Isabel und Luisa (geb. 1834, 1836 und 1838) und offenbar noch ein siebentes.)

Irgendwann zog Gulnac mit seiner Familie nach Honolulu. 1833 kamen sie auf der „Volunteer" wieder nach Monterey. Einzelheiten über die dazwischenliegenden Jahre sind nicht bekannt. In Kalifornien ließ er sich in San Jose nieder. Im Juli 1834 bekam er die mexikanische Staatsbürgerschaft, denn „er war getauft, hatte Kinder, Besitz und einen guten Charakter." Die wenigen Anhaltspunkte, die wir haben, deuten darauf hin, daß er ein angesehener Bürger der Stadt war. 1838 erhielt er den Auftrag, das in städtischem Besitz befindliche Land zu überprüfen, und im folgenden Jahr übte er einige Monate lang das Amt des Regidors (Stadtrats) des „Ayuntamiento" aus, bis dieses Gremium aufgelöst und durch eine andere städtische Regierung abgelöst wurde.

Unmittelbar nachdem Weber in San Jose angekommen war, wurden er und Gulnac Partner in einem Handelsunternehmen. So fiel es Weber leicht, sich in der Stadt niederzulassen. Gegenüber der Plaza in der Nähe des „juzgado" eröffneten sie ein Geschäft in dem gleichen Gebäude, wo Weber auch eine Wohnung gefunden hatte.

Die Partner betrieben auch eine zwar primitive, aber doch sehr gewinnbringende Getreidemühle, die erste in San Jose, die mit Wasserkraft arbeitete. Vom Müllerhandwerk verstand Weber etwas, denn der Cousin seines Vaters, Carl Weber, besaß eine große Mühle in Steinwenden. Von ihrem Mehl, das sie wahrscheinlich zum Teil von anderen als Gegenleistung für das Mahlen bekamen, backten Weber und Gulnac Schiffszwieback und Kekse, die bei den Handelsschiffern und Walfängern an der Küste sehr beliebt waren. Noch größer wurde der Bedarf im Sommer 1846, als ein Krieg zwischen Mexiko und den Vereinigten Staaten ausbrach.

Bevor die Mühle sich zu dem großen Unternehmen entwickelte, das schließlich daraus erwuchs, nahmen Weber und Gulnac andere Geschäfte in Angriff. Sie profitierten von Gulnacs Erfahrungen als Schmied und erweiterten die Schmiede. Dafür bestand in dieser primitiven Gesellschaft großer Bedarf. Die Fremden, die in der Stadt eintrafen, ließen ihre Pferde beschlagen und ihre Wagen mit Rädern versehen, die in Eisen gefaßt waren. Sie waren auf der Suche nach besseren Pflügen, welche die der Kalifornier ersetzen sollten. Die alten Pflüge waren laut Bidwells treffender Beschreibung „nichts anderes als ein gebogener Ast mit einem flachen Eisenstück als Spitze und einer Stange zum Befestigen der Deichsel". Erfahrene Techniker wurden damals dringend gebraucht. Sutter war froh, daß er Peter Lassen in Neu Helvetia hatte. Lassen war ein tüchtiger dänischer Schmied, der auch für Gulnac gearbeitet hatte. Er war ständig damit beschäftigt, Waffen für die Jäger und Werkzeuge für die Bauern zu reparieren. Lassen war jedoch eine Ausnahme, denn wie man lesen kann, waren auch in Sutters Fort „die Männer, die als Schmiede arbeiteten, in der Regel Stümper". Obwohl es Sutter an ausgebildeten Handwerkern fehlte, waren seine Einrichtungen gut. John Frémont, der sich 1844 in Neu Helvetia aufgehalten hatte, berichtete später, daß Sutter hervorragende Werkstätten hätte.

Die Weber-Gulnac Firma in San Jose war erfolgreich vor allem wegen Webers vorausschauender Art und seiner Energie. Sie verlegten sich auf die Herstellung von Salz, einem gängigen Produkt. (Ihre Salzmine an der Ostküste der Bucht von San Francisco in der Nähe der späteren Stadt Centerville war 1880 noch in Betrieb.) Um einen weiteren Bedarf zu decken, begannen sie, Stiefel und Schuhe herzustellen, die die in Kalifornien üblichen Mokassins ablösen sollten. Wahrscheinlich bekam Weber das Leder von der Gerberei, die Captain Sutter um 1843 in seinem Fort eröffnet hatte, oder von Schiffen, die in regelmäßigen Abständen an der Küste anlegten.

Diese Handelsschiffe, allgemein „Boston Schiffe" genannt, wurden für Weber eine wichtige Quelle für Fertigwaren. Er bezahlte mit Häuten, Talg und Pelzen – ja sogar mit Geweihen – sowie mit Mehl, Keksen und Salz. Diese Artikel waren für die Bostoner Händler billig. Andere Waren bekam er von Mexiko, mexikanische und ausländische Produkte, die „nationalisiert" worden waren. Dieser Handel war hauptsächlich in den Händen amerikanischer Kaufleute, von denen viele mexikanische Staatsbürger geworden waren. Einer von ihnen war Juan B.R. Cooper, der 1823 nach Kalifornien gekommen war und ein sehr erfolgreiches Unternehmen aufgebaut hatte. Sein Halbbruder Thomas O. Larkin, der neun Jahre später kam und amerikanischer Konsul in Kalifornien werden sollte, wurde zunächst Einzelhändler in Monterey. Andere Kaufleute waren David Spence, Henry Delano Fitch, Alfred Robinson und Abel Stearns; sie alle bemühten sich, Kaliforniens wachsende Nachfrage nach Fertigprodukten zu decken. Sie betrachteten Kalifornien nun als ihre Heimat und wurden sehr erfolgreich. Dem ehrgeizigen und findigen Weber müssen die Möglichkeiten, in Kalifornien Handel zu treiben, grenzenlos erschienen sein. Der Gegensatz zwischen den Aussichten in Kalifornien und seiner Vergangenheit in Europa hätte nicht größer sein können.

Ein Indiz für den Erfolg der Weber-Gulnac Unternehmungen war die wachsende Zahl an Pferden und Rindern. Zu der damaligen Zeit war es in Kalifornien nicht notwendig, daß jemand seine Rinder auf seinem eigenen Land hielt. Die mit Kennzeichen am Ohr und Brandzeichen versehenen Tiere durften frei herumlaufen. Zur Kennzeichnung ihres Eigentums baten Weber und Gulnac den örtlichen Friedensrichter am 8. März 1843 um Zustimmung zu einem Brandzeichen für ihre Tiere, und diese Bitte wurde ihnen anstandslos gewährt. Die Buchstaben waren G W. Der Buchstabe G stand leicht über dem W und war mit ihm verbunden, so daß sich ein besonderes Zeichen ergab.

Um diese Zeit eröffnete Weber ein Hotel in San Jose, das er Weber-Haus nannte. Geschäftig wie er war, gab er nie die Hoffnung auf, ein Stück Land zu besitzen. Es waren in Kalifornien riesige Flächen vorhanden, die man für sehr wenig Geld erwerben konnte. Für die landhungrigen Europäer jedoch war der Besitz eines Stück Landes, ganz zu schweigen vom Besitz eines größeren Geländes, ein Ziel, das nur wenigen zu erreichen vergönnt war. In Kalifornien konnten nur mexikanische Bürger Ländereien erwerben; aber Weber zögerte noch, sich naturalisieren zu lassen. Denn dieser Schritt würde bedeuten, daß er alle seine Bindungen an seine Heimat und sein Vaterland abbrechen und eine Treuepflicht gegenüber Mexiko übernehmen müßte. Erinnerungen an rauhe Gefechte gegen mexikanische Soldaten in Texas haben ihn vielleicht auch verunsichert. Aber Weber spürte die überwältigende Anziehungskraft Kaliforniens und die Möglichkeiten, die man nicht ausschlagen konnte. In Neu Helvetia hatte er einen einflußreichen Freund in Sutter, und in San Jose galt er bereits als der führende Kaufmann. Die mexikanische Staatsbürgerschaft bildete den Schlüssel zu Webers weiteren Plänen. Deshalb schrieb er am 19. September 1843 an den örtlichen Friedensrichter, Salvio Pacheco, mit der Bitte um Gewährung der Staatsbürgerschaft und um seine Unterstützung bei diesem Vorhaben. Erst am 13. Dezember erhielt er eine Antwort. An den Rand von Webers Brief, den er ihm offensichtlich zurückschickte, schrieb Pacheco nur, daß Weber einen offiziellen Antrag auf Einbürgerung stellen sollte. Das tat Weber sofort am 19. Dezember. Er gab an, er komme aus Bayern, sei von Geburt Franzose und lebe seit zwei Jahren und einigen Monaten in Kalifornien. Außerdem führte er Beweise seines untadeligen Charakters an. Am 4. Januar 1844 ordnete der Gouverneur die Einbürgerung gerichtlich an, und am 20. Februar folgte die offizielle Erklärung. Weber war nun also mexikanischer Staatsbürger.

Die Partnerschaft zwischen Weber und Gulnac dauerte ungefähr ein Jahr; in dieser Zeit bemerkte Weber, „daß er keine kluge Wahl getroffen hatte". Es zeigte sich, daß Gulnac nicht zuverlässig war, trank und seine Pflichten und Verantwortlichkeiten vernachlässigte. Deshalb vereinbarten die beiden Männer am 20. Juli 1843 die rechtliche Auflösung ihrer Geschäftsverbindungen. Weber übernahm die Firmenschulden und verpflichtete sich, Gulnac eintausend „arrobas" an Mehl und zweihundert Pesos in Waren zu zahlen. Gulnac dagegen sollte all den Weizen, den Weber kaufte, zu drei „reales" pro Scheffel mahlen. Gulnac verzichtete auf alle seine Rechte in der Firma, auf Einnahmen sowie auf Schulden, und Weber wurde der alleinige Besitzer. William D.M. Howard, ein bekannter Geschäftsmann aus San Francisco, war bei der Unterzeichnung des Dokuments zugegen.

Weber war nun unabhängig und konnte sein Geschäft erweitern und nach Belieben neue Pläne schmieden. Bevor sich jedoch die Wege der beiden Männer trennten, hatte Gulnac auf Webers Betreiben den Gouverneur um ein Stück Land gebeten, eine Gunst, auf die Weber, da er damals noch nicht eingebürgert war, kein Anrecht hatte. In seiner Bittschrift erwähnte Gulnac das Gelände, das unter dem Namen „El Campo de los Franceses" bekannt war und im Indianergebiet zwischen den Flüssen Calaveras und San Joaquin lag. Weber hatte es im Dezember 1841 auf dem Weg von Marshs Ranch zu Sutters Neu Helvetia durchquert und nochmals im darauffolgenden Jahr auf dem Weg nach San Jose. Eine Bedingung für eine Landzuweisung war, daß der Bittsteller eine Karte des gewünschten Geländes vorlegte; und diese Karte wurde wahrscheinlich von Weber oder zumindest unter seiner Leitung angefertigt. Eine andere Voraussetzung war, daß der Regierungsvertreter für den inneren Teil Kaliforniens, der über die örtlichen Gegebenheiten gut informiert sein mußte, bestätigte, daß das Land unbewohnt war. Dies tat Captain Sutter am 8. Juni 1843. Er war sicher erfreut darüber, seinen deutschsprachigen Freund und Schützling mit so viel Voraussicht und Energie vorgehen zu sehen.

Am 14. Juli 1843, knapp eine Woche vor dem offiziellen Ende der Partnerschaft, bat Gulnac „Seine Exzellenz, den Gouverneur des Ministeriums der beiden Kalifornien", um das Gebiet, das unter dem Namen „El Campo de los Franceses" bekannt war.

In seinem Schreiben erklärte Gulnac:
„Seit 21 Jahren lebe ich in diesem Land. Vor 18 Jahren heiratete ich eine Mexikanerin, mit der ich sieben Kinder habe. Ihnen möchte ich, bevor die göttliche Vorsehung meinem Leben ein Ende setzt, genügend Eigentum hinterlassen, um ihnen zu ermöglichen, mit Anstand zu leben, wie es sich für einen Menschen von gutem Charakter ziemt.

Ich besitze 200 Rinder, 40 Maultiere, Stuten und Hengste. Zu mir haben sich andere Männer meines Standes gesellt, die ebenfalls mit Mexikanerinnen verheiratet sind und eine Art von Pueblo auf dem Lande errichten wollen. Um diesen Plan zu verwirklichen, bitte ich Eure Exzellenz, mir das Recht zu gewähren, zu eben diesem Zweck das auf der beigefügten Karte angezeigte ca. 99 Quadratmeilen große Land zu besiedeln . . .".

Der neue mexikanische Gouverneur, Manuel Micheltorena, erhielt Gulnacs Gesuch Ende Juli 1843 in Santa Barbara. Dies ergibt sich aus einer Randbemerkung auf dem Dokument vom 25. Juli. Der Antrag solle in Monterey gestellt werden, nachdem ein Bericht von dem Präfekten des Ersten Distrikts vorliege. Irgendwann im August kam Micheltorena schließlich nach Monterey und nahm seine dortigen Pflichten auf. Am 18. September reichte der Präfekt, José Ramón Estrada, Gulnacs Bitte um Übertragung des „Campo de los Franceses" wieder ein. Der nächste Schritt erfolgte am 5. Oktober. General Vallejo wurde gebeten, aufgrund seiner Kenntnis der Verhältnisse im Norden einen Bericht über das Land zu geben. Bis zum Ende des Monats lag noch keine schriftliche Antwort des Generals vor, vielleicht hatte er dem Gouverneur mündlich berichtet anläßlich einer Zusammenkunft von Beamten in der Hauptstadt am 9. Oktober.

Micheltorena nahm es mit dem in solchen Angelegenheiten üblichen Bürokratismus peinlich genau. Er fragte Manuel Jimeno, den Minister, nach seiner Meinung zu der Landübertragung. Jimeno antwortete am 28. November. Er erklärte, daß 99 Quadratmeilen das Maximum seien, das die Regierung abtreten könne. Falls das Land, wie Gulnac angegeben hatte, noch für elf weitere Familien bestimmt sein sollte, so müßten die Namen dieser Familien mitgeteilt werden. Sei das Land aber für Gulnac allein gedacht, so sei es wahrscheinlich zu groß, und es gäbe bald kein Land mehr für andere am San Joaquin. Jimeno schloß sein Schreiben mit der weisen Bemerkung: „Euer Exzellenz werden sicher eine angemessene Entscheidung treffen." Micheltorena griff den Vorschlag auf und bat Gulnac am 1. Januar 1844, ihm noch einmal darzulegen, ob das Land für eine ganze Kolonie bestimmt sei oder nicht.

Überraschend und ohne weitere Erklärung trat der Gouverneur am 13. Januar 1844 das 99 Quadratmeilen (ca. 20.000 ha) große „El Campo de los Franceses" am San Joaquin an Gulnac ab „für seinen persönlichen Gebrauch und den Gebrauch seiner und elf weiterer Familien". Diese Verordnung mußte vorschriftsmäßig von der Ministerialversammlung genehmigt werden. Das geschah am 13. Juni 1846 bei einer Zusammenkunft in Los Angeles. In der Zwischenzeit erklärte Sutter, der Regierungsvertreter am Sacramento, Gulnac Ende 1844 zum rechtmäßigen Besitzer des Landes, das er beantragt hatte. Dieses Recht hatte Gültigkeit bis zu dem Zeitpunkt, wo Kalifornien amerikanisches Territorium wurde. Dann mußten alle Landbesitzer nach den Verordnungen der Vereinigten Staaten von 1851 die Gesetzmäßigkeit ihres Anspruchs auf das Land nachweisen.

Warum hatte Micheltorena schließlich so schnell gehandelt? Wir können nur vermuten, daß er seine schwierige politische Lage richtig einschätzte und erkannte, daß der frühere Gouverneur Alvarado und dessen mächtiger Onkel, General Vallejo, ihm nicht freundlich gesinnt waren. Der diplomatische Captain Sutter andrerseits hatte Micheltorena mit großer Höflichkeit behandelt. Als der Gouverneur auf seiner Reise von Mexiko in den Norden Los Angeles erreicht hatte, schickte Sutter seinen Rechtsberater, William Flügge, einen deutschen Juristen und Diplomaten, zu ihm. Er sollte dem Gouverneur Sutters Lage darlegen. Sutter habe kein Vorurteil gegen die mexikanische Regierung, aber er mißbillige die Anmaßung der Kalifornier, die sich ständig in seine Angelegenheiten einmischten. Durch Flügge ließ Micheltorena Sutter ein Schreiben zukommen, in dem er seine Freundschaft für ihn zum Ausdruck brachte und ihn nach Monterey einlud. Auf diese Weise knüpften die beiden Männer freundschaftliche Beziehungen zueinander an. Wie es scheint, kamen Sutters Bemühungen zur rechten Zeit, denn tatsächlich mißbilligte Vallejo Sutters quasi unabhängige Stellung im Landesinnern. Möglicherweise setzte sich der scharfsinnige Gründer von Neu Helvetia auch für seine Freunde Weber und Gulnac ein. Der neue Gouverneur brauchte Leute, die ihn im Norden unterstützten; und die Landübertragung war ein wirksamer Weg für ihn, zwei wichtigen Freunden einen besonderen Gefallen zu tun.

Gulnac kam also in den Besitz eines großen Areals guten Landes, das zwischen dem San Joaquin und dem McCloud-See lag, in den die Fremont-, Lindsay-, Stockton- und Mormonkanäle einmündeten und eine Halbinsel umschlossen,

die bald unter dem Namen „Weber Point" bekannt wurde. Obwohl die Landübertragung auf Gulnacs Namen lautete und sich Gulnac in den Jahren 1843/44
um die Angelegenheit gekümmert hatte, nimmt man doch an, daß Weber aus
persönlichem Interesse die Bittschrift veranlaßt hatte. Mit Hilfe anderer Leute,
vor allem der von Peter Lassen, organisierte Gulnac wahrscheinlich im Herbst
1843 eine Expedition in das neue Gebiet, um mehrere hundert Rinder und
Pferde dorthin zu treiben. Dies geschah zu einem Zeitpunkt, wo das Land noch
nicht überschrieben war – ein Vorgehen, das damals jedoch nicht ungewöhnlich
war. Zusammen mit Gulnac und seinen „vaqueros" (Cowboys) ging dessen 17-
jähriger Sohn, José Ramón, den diese abenteuerliche Reise in indianisches Gebiet sicherlich faszinierte. Begleitet wurden sie auch von Peter Lassen, dem däni-
schen Schmied, der 1840 über Oregon nach Kalifornien gekommen war und der
schließlich in Nordkalifornien am Deer Creek im Tehama County Land in Besitz
nehmen konnte.

Gulnacs kleine Gruppe erreichte French Camp ohne Zwischenfälle, aber sie fan-
den die Indianer so feindselig, daß sie es nicht wagten, dort zu bleiben. Die
Männer der Hudson Bay Company, die seit Jahren im Winter und im Frühling
Biber in den Sümpfen und Bächen des Deltas jagten, unterhielten in French
Camp einen Stützpunkt. Sie hatten sich jedoch zurückgezogen, und so mußten
Gulnac und seine Leute auf ihre Gesellschaft und Unterstützung und vielleicht
auch auf ihre freundliche Vermittlung bei den Indianern verzichten.

Jahre später, 1853, berichtete Lassen im Rahmen von Untersuchungen über die
Rechtmäßigkeit des Landbesitzes über die Besiedlung von French Camp: „Im
Frühjahr 1843 zog ich mit Rindern von San Jose zum Cosumnes-Fluß und
durchquerte das Gebiet, das French Camp genannt wird. William Gulnac befand
sich in meiner Begleitung, wir trieben unsere Rinder gemeinsam. Gulnac wollte,
daß ich in French Camp blieb und bot mir einen Teil des Landes an." Offensichtlich ging es Gulnac nicht nur um irgendwelche Siedler, sondern um fähige und
erfahrene Männer wie Lassen, von dessen Fertigkeiten er überzeugt war. Vielleicht war Lassens Erinnerung an den genauen Zeitpunkt der Reise falsch. Sie
fand möglicherweise im Spätsommer oder im Herbst 1843 statt. Sie hätten den
San Joaquin mit einer Rinderherde nicht vor dem Sommer überqueren können,
denn das Hochwasser ging erst zu dieser Jahreszeit zurück. Dies entspräche
auch Gulnacs Terminplan. Er und Weber lösten ihre Geschäftsverbindungen
am 20. Juli auf. Danach war er frei, sich zeitweise auf dem neuen Land niederzulassen. 1853 berichtete Joseph Willard Buzzell, einer der ersten Siedler von
Stockton und ein Zeuge vor der Versammlung der Landkommissare, über das
Weber-Gulnac-Gelände: „Man konnte mit Rindern nur dann den Fluß überqueren, wenn das Wasser im Herbst niedrig war." Im Frühling war der Fluß von dem
Schmelzwasser in den Bergen überschwemmt, und die Niederungen bis ungefähr drei Meilen westlich des Flusses waren von den Wasserfluten bedeckt.
Nur ein ganz erfahrener Reiter hätte mit seinem Pferd den Übergang gewagt.

Aus Angst vor den Indianern trieben Lassen und Gulnac ihre Rinder weiter zum Cosumnes, wo die Nähe von Sutters Fort ihnen größere Sicherheit versprach. Lassen war nun auf vertrautem Boden, denn nachdem er Santa Cruz verlassen und als Schmied für Sutter in Neu Helvetia zu arbeiten begonnen hatte, hatte er dort seine Herde gehabt. Praktisch wie er war, hatte er sich in Rindern anstelle von Geld bezahlen lassen, weil Sutter gewöhnlich in Geldverlegenheit war. Ein Jahr nach seinem und Lassens Mißerfolg, French Camp 1843 in Besitz zu nehmen, machte Gulnac einen zweiten Versuch, das Land zu besiedeln. Aber wo gab es Siedler, die bereit waren, ihr Leben in solch einer feindlichen Umgebung zu riskieren? Die Kalifornier und die Mexikaner in den Küstensiedlungen waren mit ihrer Art zu leben zufrieden und dachten nicht daran, sich den großen Gefahren an der indianischen Siedlungsgrenze, vor allem in dem berüchtigten San Joaquin-Gebiet, auszusetzen. Gulnacs einzige Chance war es wohl, sich nach Siedlern auf Sutters Fort umzuschauen, das für die meisten Neuankömmlinge in Kalifornien das erste Ziel war. „Es gab kaum einen Pionier in den vierziger Jahren, der nicht irgendwann einmal mit Neu Helvetia zu tun hatte . . .", schrieb Gudde in „Sutters eigene Geschichte". Einige Monate später, nachdem sie sich von den Strapazen der Reise erholt und meistens für Sutter gearbeitet hatten, machten sie Pläne für ihre eigene Zukunft und zogen weiter. In dieser Hoffnung reiste Gulnac 1844 zu Sutters Fort. „Herr Gulnack ist hier", schrieb Sutter, „und wird in ein paar Tagen mit mehreren Leuten zu seinem Land am ‚old French Camp' aufbrechen." Auf seiner Liste standen Thomas Lindsay, James Williams, Joseph Willard Buzzell und David Kelsey, der letztere wurde von seiner Familie und einem Gehilfen namens John Kelly begleitet.

Der erste aus dieser Gruppe, der das Land in Augenschein nahm, war James Williams. Dies war im Juli 1844. Er blieb nur eine Woche und ritt zurück zu Sutters Fort, um Nahrungsmittel zu holen und sich einen Pflug schmieden zu lassen, damit er die Erde bearbeiten könnte. Inzwischen hatte Gulnac auch Thomas Lindsay für sein Unternehmen gewonnen, und im August ließen sich Lindsay und Williams endgültig auf dem Land nieder. Sie suchten sich eine Stelle nördlich der heutigen Stadt Stockton aus, offenbar am oder in der Nähe des Embarcadero (Landestelle). Dort bauten sie eine Hütte aus Rohrkolben und eine feste Umzäunung. Nach Dan Murphys Angaben hatte Williams auch eine Viehweide zwei Meilen nördlich vom Calaveras Creek, wo er einige Pferde und Maultiere aufzog. Gemeinsam kümmerten sie sich um Lindsays dreißig zahme Kühe und um Gulnacs Rinder, so daß dort ungefähr hundert Tiere zusammen waren. Um Landwirtschaft zu betreiben, hatte Williams genug Saatweizen für zwanzig Acres Land gekauft. Lindsay dagegen erwartete, daß ihm Gulnac – wie versprochen – Saatgut zur Verfügung stellen würde. Sie setzten auch ungefähr eine Gallone Pfirsichkerne ein, und während eines Besuches auf der Ranch pflanzte Gulnac einige Obstbäume.

Im gleichen Sommer, 1844, war David Kelsey mit seiner Frau und seinen Kindern von Oregon gekommen. Es war die erste Einwanderergruppe in dem Jahr gewesen, sie wurde manchmal die „Kelsey Gruppe" genannt. David, der 1843 nach Oregon kam, war der Bruder (oder möglicherweise der Vater – die Berichterstattung ist nicht eindeutig) von Andrew und Benjamin Kelsey, mit denen Weber 1841 nach Kalifornien gezogen war. Die Kelseys gehörten also zu einer heimatlosen Gruppe in Neu Helvetia, die alle auf der Suche nach Land waren, wo sie Wurzeln schlagen könnten. Dort trafen sie Gulnac, der Siedler suchte, die sich auf der French Camp Ranch niederlassen würden. Gulnacs Bemühungen waren nicht so erfolgreich, da die Einwanderer ein tiefes Mißtrauen den Indianern gegenüber hegten. Kelsey jedoch war von dem Angebot beeindruckt, das er im August desselben Jahres nach Angaben des Historikers Gilbert annahm. Um ihm ein wenig die Angst vor Plünderern zu nehmen, bot man ihm die kleine Kanone oder, genauer gesagt, das schwenkbare Gewehr an, das Sutter im Jahr zuvor Gulnac gegeben hatte, als er und Lassen sich mit ihrer Herde am Cosumnes in Sicherheit bringen wollten. Kelsey ließ sich am French Camp Creek nieder und baute dort sein Haus aus Rohrkolben. Es lag etwas flußaufwärts, wo der Boden höher war, wahrscheinlich in der Nähe der Stelle, wo die Jäger und Trapper der Hudson Bay Company viele Jahre lang ihren Sammelplatz hatten, bis der Biber- und Otterhandel nachließen und unrentabel wurden. Bei seiner neu errichteten Hütte stellte Kelsey das schwenkbare Gewehr auf. Jeden Abend, so schreibt Tinkham, schoß er in die Dunkelheit, um die umherstreifenden Indianer, die vielleicht etwas Böses im Schilde führten, abzuschrecken.

Die Kelseys blieben mehrere Monate auf ihrem einsamen Posten. Als ihre Vorräte zur Neige gingen, waren sie gezwungen, sich von „gekochtem Weizen, Fleisch, Milch und Minztee, den sie am Flußufer gepflückt hatten", zu ernähren. Da sie dieser langweiligen Kost überdrüssig waren, gruben die Kelseys das Gewehr ein und zogen für einige Zeit nach San Jose, wo Kelsey zum erstenmal Captain Weber traf, wie Gilbert berichtet. Sollte er tatsächlich Weber dort getroffen haben, müßte er vor Ende Dezember nach San Jose gekommen sein. Denn zu der Zeit war Weber nach Neu Helvetia gereist, um Sutter zu bewegen, sich aus den wachsenden Spannungen zwischen den Kaliforniern herauszuhalten, in deren Mittelpunkt der neue Gouverneur, Manuel Micheltorena, stand. Wie wir sehen werden, war Sutters Reaktion, daß er Weber mit Gewalt in Neu Helvetia zurückhielt, während er selbst aufbrach, um Micheltorena mit privaten Truppen zu unterstützen. Das Ergebnis war jedoch verhängnisvoll.

Mittlerweile hatte Kelsey in San Jose einen Indianer besucht, der an Pocken erkrankt war, ohne es zu wissen. Vielleicht hatte ihn Kelsey als Viehhirten gewinnen wollen oder als Kontaktmann für die Indianer in der Nachbarschaft von French Camp. Der Zeitpunkt der Rückkehr der Kelseys ist nicht bekannt. Keiner der zeitgenössischen Schreiber und keiner der Zeugen der Landübertragung auf Weber gibt einen Hinweis. Er war wohl nicht lange in San Jose, denn Lindsay und Williams waren noch nicht Sutters Armee beigetreten, die am 1. Januar aufbrach. Während der Rückreise wurde Kelsey krank, und seine Frau bestand darauf, daß er sich auf Sutters Fort medizinische Hilfe hole. Sie verbrachten eine Nacht bei Lindsay. Williams gab dem Kranken eine Medizin, dieser bekam jedoch Pocken und starb noch in derselben Woche. Lindsay ließ sofort alles zurück und schloß sich zusammen mit Williams Sutters Armee an. Kelseys Frau und seine zwei Kinder bekamen die Krankheit ebenfalls, doch sie überstanden sie. Frau Kelsey verlor jedoch ihr Augenlicht.

V. KAPITEL

Aufruhr in Kalifornien
1844 – 1847

Vor 1842 war Kalifornien von zwei Männern regiert worden. Juan B. Alvarado war der politische Führer und Mariano Guadalupe Vallejo der Oberbefehlshaber des Militärs. Sie stritten über die jeweilige Machtbefugnis des anderen, und es gelang ihnen nicht, der Provinz eine geordnete Regierung zu geben. Um der Eifersucht und der ganzen verworrenen Situation ein Ende zu setzen, schaffte die mexikanische Regierung das duale System ab und legte die Exekutive in eine Hand, die des Gouverneurs. Dieser Posten wurde im Dezember 1842 Manuel Micheltorena, einem mexikanischen Offizier, übertragen. Micheltorena war ein beliebter Mann. Er war gutaussehend, groß und stattlich, umgänglich und freundlich. Als Führer jedoch erwies er sich als lau und unentschlossen, und er war auch kein Kalifornier. Dies störte die örtlichen Politiker, die Kalifornien ohne mexikanische Kontrolle regieren und auch die Einkünfte der Provinz für sich behalten wollten. Außerdem hatte er 300 nicht ausgebildete und schlecht bezahlte Soldaten mitgebracht; die meisten von ihnen waren Sträflinge aus den Gefängnissen von Mexiko. Micheltorena bemühte sich, seine Männer zur Ordnung anzuhalten und ihre Ausschreitungen einzudämmen, aber da er zur Stützung seiner Autorität von ihnen abhängig war, wagte er nicht, sie zu hart anzupacken. Diese diebische Truppe war den Kaliforniern ein Dorn im Auge. Sie fielen über die Bevölkerung her, wenn die Regierung es versäumte, ihnen ihren Sold zu zahlen. Im Herbst 1844 stand Kalifornien am Rande eines offenen Aufstands.

Für die eingewanderten Fremden war die Lage schwierig. Könnten sie in dem Land leben und unter solchen Bedingungen neutral bleiben? Einige der Einwanderer, darunter auch Carl Weber, meinten, daß die Kalifornier ihre eigenen Probleme ohne Einmischung der Fremden lösen sollten. Nur widerstrebend erfüllte Weber die Bitte des Generals José Castro, des obersten Militärführers in San Jose, er und William Gulnac mögen ihm ungefähr 50 Freiwillige aus der Gegend zur Unterstützung der Kalifornier bereitstellen. John Sutter in Neu Helvetia hatte persönliche Gründe, Micheltorena zu helfen, denn die beiden waren gute Freunde geworden. Der Gouverneur hatte sich bereit erklärt, die zahlreichen Pachtverträge zu erweitern und anderen Einwanderern als Dank für ihre Unterstützung Land zu übertragen. So warb Sutter auswärtige Soldaten an, die unter der Fahne des Gouverneurs kämpfen sollten, wann immer sie gebraucht würden. Im Herbst 1844 organisierte er zu diesem Zweck eine Bürgerwehr.

Die öffentliche Unzufriedenheit mit Micheltorena und seinen verhaßten Soldaten – man nannte sie „cholos" oder Diebe – gipfelte in einer Verschwörung, die von Alvarado in Sonoma und José Castro in San Jose angezettelt wurde. Man plante, den Gouverneur und seine Truppen aus Kalifornien zu verjagen. Sie fanden Unterstützung bei aufgebrachten Kaliforniern in der ganzen Provinz. Was ihnen fehlte, waren eine gute Organisation, Waffen und Munition. Der Aufstand ereignete sich Mitte November 1844, als eine Gruppe von ungefähr 50 Männern unter der Führung von Manuel Castro und Francisco Rico die Pferde des Gouverneurs aus Monterey zu ihrem Stützpunkt im Salinas-Tal trieben und Waffen in San Juan Bautista holten. Dieser Akt der Auflehnung konnte nicht ungestraft bleiben. Am 22. November marschierte Micheltorena mit ungefähr 150 Mann von Monterey nach Norden. General José Castro wurde eilig von einer Kampagne gegen feindliche Indianer im San Joaquin-Tal zurückgerufen, um die militärische Leitung der Aufständischen zu übernehmen. In der Hoffnung, den Aufstand vor seiner Ausweitung zu unterdrücken, eilte Micheltorena nach San Jose, Castros Hauptquartier. Als Castro davon erfuhr, zog er sich mit seinen Leuten nach Santa Clara zurück. San Jose war praktisch ungeschützt. Um Micheltorenas Eindringen in die Stadt zu verhindern, teilte Weber dem Gouverneur mit, daß Castro die Stadt verlassen habe, und bat ihn, die Truppen weiterzuführen und der Stadt keinen Schaden zuzufügen. Seine Bitte fand jedoch kein Gehör.

Die Truppen von Micheltorena lagen nun auf Juan Alvirez' Farm in Laguna Seca, nur ungefähr zwölf Meilen entfernt. Weber und seine Kollegen waren sich der Gefahr bewußt, die auf San Jose zukäme, falls die Geschäfte und Ranchen von den Feinden geplündert würden. Sie bereiteten sich also auf die Verteidigung der Stadt vor. Micheltorena wurde mitgeteilt, daß diese Gruppe San Jose verteidigen würde zum Schutz vor Plünderungen und nicht aus feindlicher Gesinnung. Weber führte seine Truppe zu einigen niedrigen Hügeln ungefähr ein Dutzend Meilen außerhalb von San Jose. In einem strategischen Kampf hielt er den Feind in Schach. Seine List bestand darin, seine Männer an einer bestimmten Stelle auftauchen zu lassen und sie dann schnell an einen anderen Ort zu dirigieren. Auf diese Art und Weise täuschte er Stärke und eine große Zahl von Kämpfern vor. Castros Leute stießen von Santa Clara zu ihnen; es waren zusammen ungefähr 220 Männer. Sie standen Micheltorenas zahlenmäßig überlegener Truppe in den Hügeln der Santa Teresa-Ranch gegenüber. Nach Truppenverschiebungen und Verhandlungen, die mehrere Tage dauerten, wurde ein Kompromiß erzielt. Am 1. Dezember 1844 unterzeichnete Micheltorena den Vertrag von Laguna Seca oder Santa Teresa, in dem er sich verpflichtete, die sich nicht einwandfrei verhaltenden Soldaten und einige ihrer Offiziere nach Mexiko zurückzuschicken. Darauf kehrte er nach Monterey zurück. San Jose war vor Invasion und Plünderung gerettet worden. General Castro erkannte, wie sehr der Bezirk Weber für seinen hervorragenden Einsatz zu Dank verpflichtet war, und ernannte ihn am 15. April 1845 zum Hauptmann der Infanteriehilfstruppen. Obwohl Weber der Ernennung keine Beachtung schenkte und sie später zurückwies, wurde er seitdem überall „Captain Weber" genannt.

Micheltorena hielt sich in keiner Weise an den Vertrag, den er abgeschlossen hatte, und nach wenigen Tagen schon wurde Alvarado und anderen klar, daß er ihn nur unterzeichnet hatte, um Zeit zu gewinnen. In der Zwischenzeit stellte Sutter eine Armee zusammen, die Micheltorenas Truppen verstärken sollte. Der Gouverneur war überzeugt, daß er mit diesen Schützen und zusätzlichen Rekruten Castros Aufständische besiegen konnte. Neu Helvetia war ein Militärlager geworden, denn Sutter rekrutierte Neuankömmlinge aus den Staaten, die auf Land aus waren und glaubten, daß Sutter ihnen welches verschaffen könnte. Männer wie Weber hatten die Einmischung von Ausländern in den Konflikt befürchtet, und genau das schien sich jetzt anzubahnen. General Vallejo hatte keinen Erfolg bei seinem Versuch, Sutter davon abzuhalten, Micheltorena zu unterstützen. Carl Weber war der Meinung, daß Sutters Rekruten irregeführt worden waren und daß sie dazu gebracht werden könnten, ihre Entscheidung zu überdenken. Deshalb fuhr Weber kurz vor Weihnachten 1844 nach Neu Helvetia, um persönlich mit Sutter zu sprechen und seinen alten Freund von dieser eigennützigen und gefährlichen Politik abzubringen. Sein Versuch scheiterte. Er wurde sogar festgenommen für die Dauer des Krieges auf Befehl des selbstbewußten Herrschers von Neu Helvetia und seines privaten Kriegsrates. Bancroft faßte die Situation kurz und bündig zusammen:

„Weber widersetzte sich entschieden Sutters Plan, in den Konflikt einzugreifen. In der Überzeugung, daß die Ausländer durch falsche Darstellung der Lage zu höchst unklugen Handlungen verleitet würden, machte sich Weber nach Neu Helvetia auf, um die Dinge klarzustellen. Genau das mißfiel Sutter und seinen Gefährten . . ., sie nahmen Weber einfach fest als Verschwörer gegen die Regierung und hielten ihn unter Arrest, bis die Kampagne vorbei war und er durch seine Reden keinen Schaden mehr anrichten konnte."

Sutter hatte eine starke Truppe zusammengestellt und ausgerüstet – über 400 Männer, so behauptete er. Am 1. Januar 1845 folgte er Micheltorenas Aufruf und zog über Marshs Ranch und San Jose, um die Truppen des Gouverneurs zu verstärken. Mit ihm zogen 100 Schützen, 40 Reiter, eine unbekannte Zahl von Kaliforniern und eine Gruppe Indianer. In Salinas trafen Sutters und Micheltorenas Truppen zusammen und machten sich auf den Weg nach Südkalifornien.

Die gesamte Unternehmung erwies sich als Fehlschlag. Die Armee bewegte sich vorwärts ohne Schwung und Erfolg. Schuld daran waren der Regen, die schlechten Straßen und die Unpäßlichkeit des Gouverneurs. Am 31. Januar 1845 schrieb Larkin aus Monterey seinen Freunden Parrott & Co. in Mazatlán:

„Der General hat gegenwärtig alle Möglichkeiten und alle Macht, jeden Aufstand in Kalifornien niederzuschlagen. Er reist 12 bis 15 Meilen pro Tag, manchmal aber auch gar nicht. Er hat jetzt nach seiner vierrädrigen Kutsche schicken lassen, um die Feinde über die Berge zu jagen. Über einige dieser Berge muß die Kutsche sicher von Soldaten getragen werden. Wenn Micheltorena in Santa Barbara ankommt, ist Castro vielleicht in Monterey."

Ein Grund für das langsame Vorankommen war die schlechte Gesundheit des Gouverneurs. In seinen „Erinnerungen" erwähnte Sutter, daß Micheltorena Hämorrhoiden hatte und nicht zu Pferde sitzen konnte. Er war deshalb gezwungen, in einem Wagen zu fahren, wo er sich der Länge nach ausstrecken konnte.

Bei dieser Art zu reisen konnten sie in einem Land mit Trampelpfaden für Pferde anstelle von Straßen nur sehr langsam vorankommen. Schließlich stand der Gouverneur mit seiner geschwächten Armee dem Feind einige Meilen von Los Angeles entfernt gegenüber. Am 20. und 21. Februar 1845 kam es zur Schlacht bei Cahuenga, die Stoff für eine komische Oper hätte bieten können. Die Truppen hatten wenig Lust zu kämpfen, denn auf beiden Seiten standen Freunde, darunter eine Anzahl von Ausländern. Der Krieg fand ein Ende, als Micheltorena, der das Ergebnis voraussah, eine Konferenz vorschlug. Am 22. Februar unterzeichnete er einen Vertrag, der das Ende seiner Karriere in Kalifornien zur Folge hatte. Er versprach erneut, seine „cholos" nach Mexiko zurückzuschicken. Diejenigen jedoch, die als Bürger in Kalifornien bleiben wollten, erhielten die Erlaubnis dazu. Ende März fuhren Micheltorena und 200 seiner Soldaten per Schiff nach Hause. Viele von Sutters Leuten waren während der Südkalifornien-Kampagne desertiert. Er selbst wurde von den Rebellen festgenommen und nach Los Angeles gebracht. Eine Zeitlang hatte er um sein Leben gefürchtet, aber er wurde gut behandelt. Abel Stearns, einer der angesehensten Bewohner der Stadt, nahm ihn auf und kümmerte sich um ihn. Schließlich wurde er freigelassen. Praktisch ohne Vorräte machte sich Sutter auf den Rückweg über den Tejonpaß (später nannte man ihn den Grapevinepaß) und durch das San Joaquin-Tal und kam am 1. April in Neu Helvetia an. Trotz seines Mißerfolges erlaubten ihm die neuen Befehlshaber unter dem Gouverneur Pio Pico, daß er seine Ländereien und andere Vorrechte, die man ihm früher gewährt hatte, behalten konnte.

Während sich Sutter im Dezember 1844 auf seinen Einsatz für Micheltorena vorbereitete, kam am 10. Dezember die Vorhut einer Einwanderergruppe – es war die erste Gruppe, die in dem Jahr über Land aus den Vereinigten Staaten eingetroffen war – in seinem Fort an. Vier Männer und zwei Frauen, Mitglieder der Stevens-Murphy-Gruppe, ritten in das Camp, wo ein großes Durcheinander aufgrund der Kriegsvorbereitungen herrschte. Sie wollten die Behörden von ihrer Ankunft in Kenntnis setzen und von der mißlichen Lage der übrigen Zugteilnehmer, die in den Bergen ihr Lager aufgeschlagen hatten. Die sechs Leute waren die 22-jährige Helen Murphy und zwei ihrer Brüder, Daniel und John; Mrs. John Townsend; der Kanadier Olivier Magnent und der Diener Frances Deland. Sie hatten die Hauptgruppe in der Nähe des Donner Lake, nicht weit von dem heutigen Truckee, zurückgelassen und waren zum Sacramento geritten. Drei Tage später tauchten 17 weitere Männer der Gruppe an den Toren des Forts auf, kurz bevor starker Schneefall die Bergpfade unpassierbar machte. Die übrigen Mitglieder der Gruppe, Frauen und Kinder sowie Martin Murphy Senior und Patrick Martin, waren gezwungen, sich, so gut es ging, in dem Lager an der südlichen Gabelung des Yuba, das vollkommen eingeschneit war, für den Winter einzurichten. Drei junge Männer sollten auf die Planwagen am Donner Lake aufpassen. Sie hatten sich dort eine Holzhütte gebaut, aber das schlechte Wetter und der Mangel an Nahrungsmitteln zwang sie zur Aufgabe der Stellung. Der junge Moses Schallenberger, Mrs. Townsends Bruder, hatte mit seinen beiden Gefährten auf dem Weg aus dem Gebirge heraus nicht mithalten können und war zum Donner Lake zurückgekehrt, wo er ganz allein in der Hütte ohne jede Vorräte den strengen Winter überlebte.

Die Ankunft so vieler gesunder Männer war ein Segen für Sutter gewesen. Er warb sie sofort für seine Armee an. Er hätte sie wahrscheinlich einfach einberufen können, aber er machte sich das Gerücht zunutze, daß die Kalifornier im Falle eines Sieges die Ausländer aus ihrem Land ausweisen würden. Diese Männer (darunter sechs von der Familie Murphy) „hatten nicht zweitausend Meilen durch Wüste und über Berge zurückgelegt, um wieder zurückgetrieben zu werden. Sie würden auf jeden Fall versuchen, ihre Stellung zu behaupten . . . ." So boten sie Sutter freiwillig ihre Dienste an und schlossen sich seiner Miliz an. Am 1. Januar 1845 brachen sie mit ihm auf, um Micheltorenas Truppen zu verstärken. Sechs Wochen später wurden diese Soldaten der Murphy-Gruppe in Carpinteria (bei Santa Barbara) überfallen, als sie die Stellung des Feindes auskundschafteten. Nach kurzer Festnahme wurden sie zurückgeschickt, nachdem sie auf Ehrenwort versprochen hatten, sich in Zukunft aus den Streitigkeiten herauszuhalten. Micheltorena entließ sie aus der Armee, damit sie ihre Frauen und Kinder in der Sierra Nevada retten könnten. Gleichzeitig mit ihnen verließen ungefähr 35 andere die Armee, um vor weiterem Militärdienst verschont zu sein. In Monterey und in Sutters Fort erhielten die Männer Vorräte, mit denen sie zum Yuba aufbrachen, wo sie ihre Familien wohlbehalten, aber hungrig vorfanden. Mrs. Townsend, die Schwester des jungen Schallenberger, bat die Murphy-Rettungsmannschaft, auch nach ihrem Bruder Ausschau zu halten. Dennis Martin erfüllte ihre Bitte. Jung und stark wie er war, kämpfte er sich auf Schneeschuhen über die Sierra hinweg und brachte Schallenberger sicher zu Tal. Endlich war die Gruppe wieder vereint. Sie zogen weiter zum Sacramento und erreichten Sutters Fort Ende März 1845.

Für Weber kam die Festnahme in Sutters Fort während des Micheltorena-Kriegs nicht ganz ungelegen. Er verbrachte dort zwei oder drei Monate, während Frank Lightston, sein guter Manager, sich um sein Geschäft in San Jose kümmerte. Außerdem waren so viele Männer in den Krieg gezogen, daß das Geschäftsleben wahrscheinlich eine Flaute erlebte. Dadurch, daß er in Neu Helvetia bleiben mußte, entging er der Schärfe der Auseinandersetzung und der zweifelhaften Ehre, in einen Bürgerkrieg verwickelt zu sein, den er streng verurteilte. Im Fort wurde er wahrscheinlich eher als Gast denn als Gefangener behandelt, und seine Einkerkerung war wohl mehr ein Hausarrest. Der Mann, der während Sutters Abwesenheit für alles verantwortlich war, war sein höchster Angestellter, der fähige und ehrenwerte Pierson B. Reading, dem Sutter nach seiner Abreise geschrieben hatte: „Bitte sagen Sie Mr. Weber, daß ich ihn bei meinem Aufbruch nicht angetroffen habe, um mich von ihm zu verabschieden."

Wir wissen nicht, wann Weber freigelassen wurde und nach San Jose zurückkehren konnte. Bekannt ist nur, daß er am 22. März 1845 zu Hause war. An diesem Tag schrieb er an Dr. John Marsh, den er sehr schätzte und den er als Führer gewinnen wollte. Er ging nicht auf die Erfahrungen während der vergangenen Monate ein, sondern legte nur seine Ansicht von der politischen Lage dar: „Mein großer Wunsch, Frieden und Ordnung in diesem Land wiederhergestellt zu sehen, veranlaßt mich, Sie sobald wie möglich um eine Unterredung zu bitten. Aber meine Geschäfte und die Tatsache, daß ich keine Pferde zur Verfügung habe, hindern mich daran, zu Ihnen zu kommen. Meine Absicht ist es, öffentliche Versammlungen zu organisieren und so alle Ausländer zu vereinen und die Wiederholung ungesetzlicher Ausschreitungen zu verhindern." Seiner Meinung nach war Dr. Marsh der einzige Mann „mit genügend Fähigkeiten, Erfahrung und Patriotismus für dieses Unternehmen", und so bat er ihn, die Angelegenheit zu unterstützen. Während die Politik so viele der Führer Kaliforniens beunruhigte, hatte William Gulnac Anstrengungen unternommen, eine Kolonie auf dem Campo de los Franceses zu gründen. Einer seiner zukünftigen Siedler war Thomas Lindsay, der Sutters Armee beigetreten, aber unterwegs desertiert war, um zu seiner Hütte auf der neuen Ranch zurückzukehren. Ein paar Wochen später kam sein Partner James Williams ebenfalls zurück, zog aber bald wieder zu Sutters Fort, um Vorräte zu holen. In Williams' Abwesenheit überfielen die Indianer das Lager aus Rohrkolbenhütten und töteten Lindsay, den sie allein vorfanden und als Eindringling betrachteten.

Als Zeuge vor der US-Versammlung der Landkommissare sagte Williams 1853 aus, er habe vor Regelung seiner Angelegenheiten in Neu Helvetia die Nachricht erhalten, daß die Indianer Lindsay getötet und den ganzen Viehbestand von Lindsay und Gulnac in die Berge getrieben hätten. Sie stahlen aus dem Haus auch alle Werkzeuge und Geräte, die Lindsay und Williams dort besaßen, und brannten das Haus nieder. Am 1. April 1845, kurz nach diesem Angriff, kehrte Sutter von seinem glücklosen Feldzug nach Neu Helvetia zurück. Da er seine Macht über die Indianer am Sacramento durch eine Kombination von Freundschaft und Stärke erlangt hatte, war er entschlossen, zu seiner eigenen Sicherheit und zur Sicherheit der benachbarten Siedler Lindsays Mörder zu bestrafen. Er organisierte unverzüglich eine starke militärische Expedition und verfolgte die Täter. Dies war das erste, was er nach seiner Rückkehr aus dem Süden unternahm. Mit 22 Männern, so schrieb er am 9. April an Antonio Pico, griff er eine Gruppe von 400 Indianern an, die man für Lindsays Mörder hielt, und errang einen überwältigenden Sieg. Er verlor einen Mann, Juan Baca, während bei den Indianern 22 getötet wurden. „Nun ist die Straße sicher," meldete Sutter dem Gouverneur.

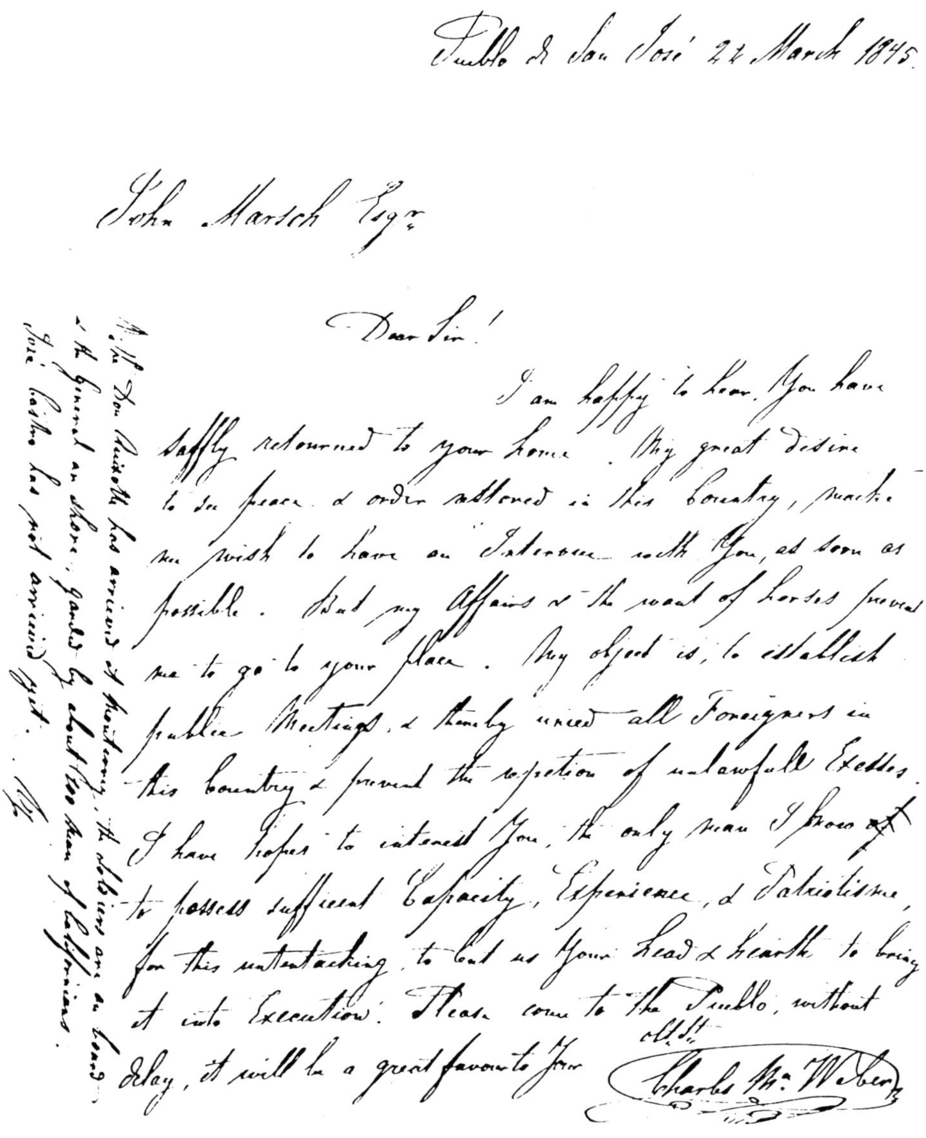

Pueblo de San José 22 March 1845.

John Marsch Esqr.

Dear Sir!

I am happy to hear, You have
safly retourned to your home. My great desire
to see peace & order restored in this country, make
me wish to have an Interview with You, as soon as
possible. But my Affairs & the want of horses prevent
me to go to your place. My object is, to establish
public Meetings, & thereby unite all Foreigners in
this country & prevent the repetion of unlawful Excess.
I have hopes to interest You, the only man I know of
to possess sufficient Capacity, Experience, & Patriotism,
for this undertacking, to lent us Your head & hearth to bring
it into Execution. Please come to the Pueblo, without
delay, it will be a great favour to You
Charles M. Weber

[left margin, vertical:]
N.B. You Rickets had arrived at Monterey, &
A General on shore goods & about two days of California
are lost — he not arrived yet.

Webers Brief an Dr. John Marsh, in dem er ihn um Unterstützung bei der Wiederher-
stellung der Ordnung in Kalifornien bittet

Auch Williams erwähnte diese Ereignisse in seiner Zeugenaussage im Jahre 1853. Sutter habe ihn mit drei Männern ausgeschickt, um an einer Strafaktion gegen die Indianer teilzunehmen. Ein Mann sei getötet und fünf seien verwundet worden. Die Indianer hätten 36 Tote und Verwundete zu beklagen. 30 Stück Vieh aus Lindsays Herde seien zurückgewonnen worden.

Diese erfolglosen Versuche, eine Siedlung in solch gefährlicher Umgebung zu gründen, und die schweren Verluste entmutigten Gulnac und machten seinen ursprünglichen Wunsch, das Land zu kultivieren, zunichte. Am 3. April 1845 verkaufte er die gesamte Parzelle von El Campo de los Franceses für 200 Dollar an Weber, seinen geheimen Partner bei der Landübertragung. Die Hälfte dieser Summe war in Silber, die andere in Waren zu zahlen. So wurde Weber nach nur vierjährigem Aufenthalt in Kalifornien Eigentümer eines großen Gebietes, das noch unerschlossen war, von feindlichen Indianern heimgesucht und im Frühjahr oft von anschwellenden Flüssen überflutet wurde.

Bevor sich Weber um seinen neuen Besitz kümmern konnte, mußte er sich seinem Geschäft in San Jose widmen. Zusätzlich zu dem Campo de los Franceses kaufte er 1845 eine weitere Ranch, die Cañada de San Felipe y Las Animas südöstlich von San Jose. Sie lag im San Felipe-Tal östlich von Coyote und eignete sich gut zur Aufzucht von Rindern und Pferden. Die Ranch war 18 Quadratmeilen (ca. 4.600 ha) groß und gehörte ursprünglich Thomas G. Bowen, einem amerikanischen Trapper aus New Mexico, der 1834 nach Kalifornien gekommen war und sich zwei Jahre später in San Jose niedergelassen hatte. Dort heiratete er eine Kalifornierin und wurde eingebürgert. Er machte verschiedene Geschäfte und unterhielt eine Branntweinbrennerei, wahrscheinlich zusammen mit Gulnac. Am 17. August 1839 beantragte Bowen (oder Bone, wie die Kalifornier seinen Namen oft buchstabierten und aussprachen) die Übertragung des San Felipe y Las Animas-Geländes. Sein Antrag war erfolgreich. 1846 wurde er von John C. Frémont als ein „betrunkener Vagabund aus dem Pueblo San Jose" charakterisiert. Seine Schwäche für Alkohol mag eine Erklärung sein für seinen mißglückten Versuch, das Land zu kultivieren. Am 7. Oktober 1842 verkaufte er es an Francisco García und Carlos Moreno (Charles Brown). Diese beiden Männer behielten es drei Jahre lang und verkauften es am 10. Dezember 1845 an Charles M. Weber für 400 Dollar in Waren. Weber war mittlerweile eingebürgert worden.

Ende 1845 schon waren Webers Unternehmungen erfolgreich. Der trennende Bürgerkrieg in Kalifornien war zu Ende. Neue Einwanderer hatten sich in der Gegend von San Jose niedergelassen, und andere waren auf dem Weg nach Kalifornien. Nun konnte Weber die Aufgabe in Angriff nehmen, sich um sein Eigentum und seine geschäftlichen Interessen am San Joaquin zu kümmern. Doch plötzlich ereignete sich ganz überraschend am 14. Juni 1846 die Bear Flag-Revolte in Sonoma.

Der Ausbruch des Krieges zwischen den Vereinigten Staaten und Mexiko im Jahre 1846 war eine Folge der Expansion der westlichen Staaten und Gebiete. Seit der Zeit, als die amerikanischen Siedler die Allegheny-Berge überquert hatten, zogen die Weißen ständig in neues Land, das nur von Indianern bewohnt war, und die Indianer zogen sich in den Westen zurück. Die Amerikaner betraten unaufhaltsam texanisches Gebiet. Während der zwanziger und dreißiger Jahre kam es zu Streitigkeiten in der Gegend, bis Mexiko zu den Waffen griff, um sein Territorium zu verteidigen. Ein richtiger Grenzkrieg brach 1836 aus.

Auf ihrem Weg nach Westen ließen sich viele amerikanische Abenteurer in Texas nieder. Sie besetzten das Land, bauten Häuser und verdrängten verschiedene Indianerstämme, die hauptsächlich von der Jagd, dem Fallenstellen und dem Handel lebten. Nach den Vorstellungen der damaligen Zeit konnte jeder, der wollte, das Land in Besitz nehmen. „Seine herrlichen Wälder, seine weiten Prärien . . . waren starke Anziehungspunkte", man konnte ihnen nicht widerstehen, und so drangen immer mehr amerikanische Pioniere in dieses einladende Land ein. So viele Amerikaner ließen sich schließlich dort nieder, daß ihre Führer eine Versammlung nach Austin einberiefen. Am 2. März 1836 erklärten sie Texas für unabhängig von Mexiko. In dem darauf folgenden Krieg wurde die mexikanische Armee unter General Antonio López de Santa Ana 1836 in der Schlacht von San Jacinto vernichtend geschlagen. Während der nächsten zehn Jahre stritten verschiedene Parteien in den USA um den Anschluß von Texas an die Union. Der Streit führte unausweichlich zu einem erneuten Krieg mit Mexiko. Texas wurde schließlich ein Teil der Vereinigten Staaten.

In Kalifornien waren viele Ausländer – wie z.B. Weber – den Vereinigten Staaten freundlich gesinnt und hätten es gerne gesehen, wenn Kalifornien ebenso wie Texas von Mexiko unabhängig und ein Teil der USA geworden wäre. Andrerseits hatten sie Freunde, Verwandte und Geschäftspartner unter den Kaliforniern; nur wenige wären dafür gewesen, mit Gewalt gegen sie vorzugehen, um die Unabhängigkeit Kaliforniens zu erlangen. Sicher ist, daß Weber, der gerade seine ehrgeizigen Pläne in die Tat umzusetzen begann, eine Revolution zu vermeiden wünschte. Sie hätte wahrscheinlich den Bruch zahlreicher geschäftlicher Verbindungen zur Folge gehabt. Einige wenige Männer im Norden jedoch, Männer, die Weber als leicht erregbar bezeichnete, griffen für die Unabhängigkeit zu den Waffen. Sie fühlten sich ermutigt durch die Anwesenheit von Captain John C. Frémont in Kalifornien mit einem gut ausgerüsteten „Inspektionstrupp" der US-Armee, und sie waren ziemlich sicher, daß die Vereinigten Staaten Mexiko bald den Krieg erklären würden. Also starteten sie am 14. Juni 1846 ihre „Bear Flag-Revolte" in Sonoma. Weber erfuhr von dem Aufstand einige Tage später und erkannte, daß dies der Beginn größerer Feindseligkeiten war. Von José Castro wußte er, daß dieser versucht hatte, eine Bürgerwehr in Santa Clara auf die Beine zu stellen – offensichtlich, um Frémont und den Streitkräften der Vereinigten Staaten Widerstand zu leisten, wenn der Konflikt ausbräche, vielleicht auch, um sich seinem alten Feind Pio Pico zu widersetzen. Castros sofortige Reaktion auf den Bear Flag-Aufstand waren die Einberufung der Kalifornier zur Verteidigung ihres Landes und das Versprechen, allen Ausländern Schutz zu gewähren, die sich an dem Aufstand nicht beteiligten. Weber war dennoch besorgt um die Sicherheit der ausländischen Familien in San Jose, die vielleicht Opfer von Vergeltungsschlägen der Kalifornier werden könnten. Bestürzt über die Spaltung, die dieser Aufstand in Kalifornien bestimmt hervorbringen würde, ritt er nach San Francisco, um mit Frémont zu beraten. Nicht in Yerba Buena, sondern in San Rafael traf er ihn schließlich an.

Frémont teilte Weber seine Einschätzung des Aufstandes und seine Beurteilung von Schreiben aus Washington mit und legte ihm seine Pläne dar für den Krieg, der seiner Ansicht nach mit Sicherheit kommen würde. Weber seinerseits berichtete Frémont von den Aktivitäten General Castros in seinem Gebiet und beschrieb die gefährliche Lage der amerikanischen Familien dort. Die beiden Männer waren sich darin einig, daß San Jose Schutz brauchte, und beschlossen, Weber solle dorthin zurückgehen und heimlich eine Verteidigungstruppe aufstellen. Er sollte sich auch mit Thomas Fallon in Santa Cruz in Verbindung setzen und ihn ermutigen, Freiwillige in diesem Gebiet einzuziehen und nach San Jose zu bringen. Weber muß diesen Abmachungen widerwillig zugestimmt haben, denn erstens war Castro sein ehemaliger Verbündeter, und zweitens hatte er viele Freunde auf beiden Seiten.

Auf dem Rückweg nach San Jose kam Weber mit einem Mann ins Gespräch, der im Palo Alto-Vorgebirge Holz fällte. Es handelte sich um John Coppinger, einen Iren mit einer Ranch in der Nähe von San Mateo. Vielleicht hat Weber Coppinger als potentiellen Rekruten für seine private Bürgerwehr angesehen. Auf jeden Fall erzählte er ihm von dem drohenden Krieg und von seinem Plan, Freiwillige in der Stadt zu rekrutieren. Coppinger jedoch hatte eine spanische Frau, und seine Sympathie galt eindeutig der mexikanischen Regierung, die ihm die Ranch überlassen hatte. Er informierte unverzüglich Castro über Webers Aktivitäten zur Unterstützung Frémonts und der Amerikaner.

Weber hatte keine Ahnung, daß seine Pläne bekannt waren, und sammelte in aller Ruhe Rekruten in den Bergen bei Santa Clara. Als er Ende Juni nach San Jose zurückkehrte, um sich um seine Geschäfte zu kümmern, erhielt er die Nachricht, daß der „alcalde" ihn zu sehen wünschte. Ohne Bedenken betrat er das Regierungsgebäude und wurde sofort von bewaffneten Männern festgenommen, die das Haus umstellt hatten. Gleichzeitig wurden Webers Schmied, Benjamin Washburn, und ein Gehilfe namens Burt oder Bird eingesperrt. Viele Kalifornier waren beleidigt, weil sich Weber, obwohl ihm ein großes Stück Land übertragen worden war, geweigert hatte, ein mexikanisches Offizierspatent anzunehmen, und stattdessen ein Verbündeter der Amerikaner geworden war. Nun forderten sie seinen Tod. Aber Castro erinnerte sich an Webers Hilfe in dem

Micheltorena-Aufstand und lehnte es ab, ihn dem Exekutionskommando auszuliefern.

Am 7. Juli 1846 nahmen die amerikanischen Seestreitkräfte unter Kommodore John D. Sloat den Hafen von Monterey in Besitz und hißten die amerikanische Flagge. Es war ihnen gar nicht bekannt, daß tatsächlich ein Krieg zwischen den Vereinigten Staaten und Mexiko ausgebrochen war. Zwei Tage später, am 9. Juli, hißte Captain John B. Montgomery die Fahne auf der Portsmouth Plaza in San Francisco. Erst am 12. August folgte die offizielle Bestätigung des Krieges.

Castro sah die wesentlich besseren Chancen, die die Amerikaner ihm gegenüber hatten. So entließ er die meisten seiner Männer und brach in Richtung Mexiko auf, um dem Zorn der Amerikaner zu entgehen. Weber und die anderen zwei Gefangenen, Washburn und Burt, nahm er mit. In Los Angeles verleibte er seine magere „Armee" der des Ex-Gouverneurs Pio Pico ein. Weber blieb ihr Gefangener, bis Los Angeles am 13. August von Kommodore Robert F. Stockton eingenommen wurde. Castro und Pico flohen nach Mexiko. „Castro nahm Weber mit zum Rio Grande, dort ließ er ihn zurück. Allein machte sich Weber zu Fuß auf den Rückweg, er hatte weder Wasser noch Nahrungsmittel. Zwei oder drei Tage nachdem Los Angeles von Stockton und Frémont eingenommen worden war, traf Weber erschöpft dort ein."

Erst in der ersten Oktoberhälfte des Jahres 1846 kam Weber wieder nach San Jose. Auf der Heimreise war er krank geworden und hatte fast einen Monat für seine Genesung in der Nähe von San Luis Obispo zugebracht. Zu Hause nahm das Leben wieder seinen gewohnten Lauf; man traf sich auf Versammlungen und hielt Wahlen ab. Weber nahm die Position des Militärkommandeurs von San Jose an; er glaubte jedoch wie die meisten anderen Leute auch, daß eine friedliche Lösung der Feindseligkeiten gefunden worden war. Ende Oktober wurde bekannt, daß Südkalifornier unter José María Flores in einer Revolte Los Angeles zurückeroberten und den amerikanischen Kommandeur, Lt. Archibald Gillespie, festgenommen hatten. Man fürchtete, daß sich der Aufstand in die mittleren und nördlichen Bezirke ausbreiten könnte, und Frémont traf sogleich Vorbereitungen, nach Süden zu ziehen und den Aufstand zu unterdrücken. Mit 200 Schützen fuhr er per Schiff nach Los Angeles. Unterwegs erfuhr er, daß für seine Truppen keine Pferde zur Verfügung standen, und so kehrte er widerwillig nach Monterey zurück. Webers Aufgabe in dieser neuen Krise bestand wieder einmal darin, Freiwillige für den Schutz von San Jose einzuziehen. Später sollte er Pferde für Frémonts Truppen besorgen, und er durchkämmte sämtliche Viehweiden auf beiden Seiten der Bucht zwischen Martinez und San Jose und nahm alle Pferde an sich, die er finden konnte. Am 29. November hatte er endlich genug Pferde für Frémonts Truppe zusammen, dieser brach mit etwa 300 Männern auf, um den Aufstand in Los Angeles niederzuschlagen.

Diese Aktivitäten sollten Weber teuer zu stehen kommen, denn er hatte eifrig Pferde von Freunden und von Feinden requiriert. Es gab lautstarke Klagen über unzureichende Entschädigungen, vor allem von Ranchern, die ohne Pferde ihre Arbeit nicht fortführen konnten. Webers Unterstützung der amerikanischen Sache hatte bereits einige Kalifornier befremdet, und nun fanden auch viele seiner ausländischen Freunde, daß man ihnen übel mitgespielt hatte. Ein Rest dieser Bitterkeit sollte zurückbleiben, obwohl sie zu einem gewissen Grad von dem Goldrausch ausgelöscht wurde, der bald über das Land hereinbrechen sollte.

Da Frémont so viele Männer mit in den Süden genommen hatte, um Los Angeles zurückzugewinnen, fühlten sich einige Nordkalifornier ermutigt, gegen die ihrer Ansicht nach unfairen Praktiken der Amerikaner zu protestieren. Sie waren der Meinung, daß das Militär ihre Ranchen überfallen und ihre Tiere ohne angemessene Entschädigung mitgenommen hatte. Nun verlangten sie den doppelten Preis für die Lieferung von Rindfleisch an die US-Streitkräfte in Yerba Buena. Dies veranlaßte den Leutnant Washington A. Bartlett, einen Offizier des US-Kriegsschiffs „Warren" und obersten Polizeibeamten von San Francisco, im Dezember einen Beutezug nach Fleisch zu organisieren.

Während Bartlett und seine Leute Rinder auf einer Ranch in der Nähe der Mission Dolores „einsammelten", wurden sie von Francisco Sánchez und anderen Kaliforniern überfallen und gefangengenommen und in die Hügel hinter San Mateo gebracht. Sánchez' Gruppe wurde bald verstärkt durch andere verbitterte Rancher, die entschlossen waren, ihr Eigentum zu verteidigen. Sie hofften, die Geiseln als Druckmittel für den Abschluß eines Vertrags mit den Amerikanern zu benutzen, der den Plünderungen ein Ende bereiten würde. Weber erfuhr von dem Vorfall in San Jose und plante, Sánchez' Rebellen zu verfolgen. Aber er erkannte bald, daß es zu viele waren im Vergleich zu seiner kleinen Truppe. Weber überließ die Verteidigung von San Jose Leutnant Robert F. Pinkney und ritt stattdessen nach Yerba Buena, um Verstärkung zu holen. Daraufhin kam Sánchez aus dem Hügelland heraus und zog in das Gebiet um San Jose, das er fälschlich für nur schwach verteidigt hielt. Als er eine Nachricht an Leutnant Pinkney schickte und ihn zur Kapitulation aufforderte, lehnte dieser ab und bereitete sich auf den Widerstand vor. Zu dem Zeitpunkt setzte sich James Alexander Forbes, der britische Konsul, für Verhandlungen über die Freilassung von Bartlett ein. Dies lehnte Sánchez ab, war aber andererseits bereit, alle sechs Gefangenen im Austausch gegen Weber freizulassen. Darauf gingen die Amerikaner natürlich nicht ein, sondern planten einen gewaltsamen Vorstoß zur Rettung von Bartlett. Ende Dezember brach Captain Ward Marston von der US-Marine mit der Santa Clara-Expeditionstruppe von Yerba Buena auf. Es waren 101 Männer von der Marine und der Bürgerwehr. Mit Ochsen, die mühsam eine primitive Sechspfünder-Kanone durch Regen und Schlamm zogen, bewegten sie sich über die Halbinsel in Richtung San Jose. Bei Mount Hamilton teilte man ihnen mit, daß die Kalifornier nur fünf Meilen entfernt seien, und eine Gruppe von Freiwilligen machte sich auf die Suche nach ihnen. Sánchez hatte seine Gefangenen in die Berge geschickt. Obwohl Marstons Männer behaupteten, die Kalifornier gesehen zu haben, konnten sie diese in dem unwegsamen Gelände doch nicht überholen. Am 2. Januar erfuhr Weber, daß sich die Kalifornier Santa Clara näherten, und seine Männer und Marstons Truppen bereiteten sich auf die Konfrontation vor. Es gelang Marston, die Männer von Sánchez entlang der Straße in ein Gefecht zu verwickeln, bis sie sich an eine Stelle ungefähr eine halbe Meile außerhalb von Santa Clara zurückzogen. Es ging laut zu in dem schlammigen Gelände, aber es wurde wenig Blut vergossen. Die Kalifornier verschwanden in die Santa Cruz-Berge; die Amerikaner gaben die Verfolgung auf. Einer von Webers Männern und ein Marineinfanterist waren leicht verwundet worden in einem Angriff, der losbrach, als die Kanone der Amerikaner im Schlamm steckenblieb. Trotz widersprüchlicher Angaben gab es offenbar unter den Kaliforniern keine Verletzten.

Aus seinem Versteck in den Bergen schickte Sánchez ein Waffenstillstandsangebot mit seinen Bedingungen für die Kapitulation. Die Amerikaner fanden diese unannehmbar und forderten die bedingungslose Kapitulation, die Sánchez wiederum ablehnte. Über ein anderes Angebot, das eine Amnestie einschloß, wurde mit Unterstützung von Forbes verhandelt. Als Sánchez die potentielle Macht der Vereinigten Staaten erkannte, kündigte er an, er würde die Bedingungen annehmen, vorausgesetzt, Weber würde sich mit ihm in einem Zweikampf messen. Die Antwort lautete, ein solcher Kampf sei unmöglich, da Weber ein Offizier der US-Armee sei. Endlich ergab sich Sánchez nach langem Drängen von Forbes. Ein Vertrag wurde unterzeichnet, und die Gefangenen wurden freigelassen.

Das war das Ende der berühmten Schlacht von Santa Clara. Trotz ihrer Niederlage hatten die Kalifornier gezeigt, daß ihre Revolte nicht gegen die amerikanische Regierung, sondern deren Praktiken gerichtet war. Die kalifornischen Rancher waren ihrer Tiere und ihres Getreides beraubt worden. Man garantierte ihnen, daß sich dies nicht wiederholen würde. Da sie vernünftige Leute waren, denen das Wohl ihres Landes am Herzen lag, zogen sie friedlich nach Hause.

Der Widerstand im Norden war gebrochen, und auch in Südkalifornien legte sich der Konflikt bald darauf. Am 13. Januar 1847 unterzeichneten die Kalifornier gegenüber Frémont einen Kapitulationsvertrag, der sehr großzügig in seinen Bedingungen war. Die Hauptvereinbarung war, daß diejenigen Kalifornier, die das Land nicht verlassen wollten, in Frieden nach Hause zurückkehren und nie wieder gegen die Vereinigten Staaten kämpfen sollten. Dafür wurde ihnen der Schutz ihres Lebens und ihres Eigentums garantiert. Sie erhielten außerdem die gleichen Rechte und Privilegien wie die Bürger der Vereinigten Staaten. So ging der Krieg in Kalifornien zu Ende.

Im Februar erhielt Weber den Befehl, die Freiwilligen, die sich unter seinem Kommando in San Jose aufhielten, mit Dank zu entlassen. Er selbst wurde vom aktiven Militärdienst freigestellt. Es ist offensichtlich, daß Weber für die Kalifornier ein Symbol geworden war, das sie mit Bitterkeit und Enttäuschung betrachteten. Man warf ihm nicht nur vor, daß er ihnen ihre Pferde weggenommen, sondern auch, daß er seine Wohltäter betrogen hatte, indem er seine Beförderung zum Offizier abgelehnt und sich mit dem Feind liiert hatte. Jetzt nach Kriegsende konnte Weber seine private Karriere weiter ausbauen. Doch es gab da Hindernisse, die er aus dem Weg räumen mußte. Er fühlte eine gewisse Reserviertheit bei einigen seiner alten Geschäftspartner in San Jose, und aus diesem Grund vielleicht wandte er sich mit besonderer Aufmerksamkeit einem neuen Abenteuer am Rande der Wildnis zu – der Besiedlung seiner Ranch und der Gründung von Stockton.

VI. KAPITEL

Zelte und Rohrkolbenhäuser
1847 – 1848

Weber zog 1847 aus San Jose fort, wo er ein erfolgreicher Geschäftsmann gewesen war, und ließ sich auf der unerschlossenen Ranch am San Joaquin nieder, die an feindliches indianisches Gebiet angrenzte. Dieser Entschluß war wirklich einer der kühnsten und abenteuerlichsten in seinem Leben. Das Datum ist bekannt durch seine eigene Aussage und durch die Berichte von anderen, darunter Walter Herron und Joseph Willard Buzzell. Weber machte seine Aussage am 3. April 1855 vor Gericht. Er war als Zeuge geladen in einem Prozeß, in dem es um die Ansprüche von Francisco Rico und José Antonio Castro auf eine Ranch von 99 Quadratmeilen ging, die nördlich des Stanislaus lag, wo er in den San Joaquin mündet. Die Ranch hatte dem berühmten Indianerhäuptling Estanislao gehört und nach seinem Tode einem anderen tüchtigen Häuptling, José Jesús. Das Gelände war Rico und Castro von Gouverneur Micheltorena am 29. Dezember 1843 übertragen worden. Im Herbst 1847 hatten Rico und Castro Bluford K. Thompson und James Rock mit einer Rinderherde und entsprechenden Vorräten auf das ihnen überlassene Land geschickt. Auf die in einem Prozeß üblichen Fragen nach seinem Namen, Alter und Qualifikationen gab Weber an, daß er seit August 1847 ständig auf seiner French Camp-Ranch lebte. Auf weitere Fragen fügte er hinzu, daß 1847 Thompson und Rock mit ihren Dienern das Gelände, das unter der Bezeichnung „Ranch von José de Jesús" bekannt war, besiedelt hatten. Ende des Jahres wurden die beiden Männer von feindlichen Indianern vertrieben, ihre Viehherde und sonstiges Eigentum wurden gestohlen, und sie selbst suchten Schutz auf Webers Ranch. Daraufhin führte Weber eine erfolgreiche Kampagne gegen den Feind im Landesinnern. Walter Herron, ein Bevollmächtigter des irischen Vermessungsbeamten Jasper O'Farrell, machte 1848 eine Messung auf Webers Gelände, das zunächst Tuleburg hieß. Am 31. Mai 1852 bezeugte Herron, daß er die Ranch kenne, auf der sich Weber 1847 niedergelassen hatte. Weber habe eine Herde von tausend oder noch mehr Rindern mitgebracht, er habe dort gelebt und das Gelände ständig verbessert. 1850 wurde Herron der Inspekteur des neu geschaffenen San Joaquin-Verwaltungsbezirks. Joseph Willard Buzzell hatte gehofft, sich 1844 auf dem Land niederzulassen, als es noch in Gulnacs Besitz war, aber die Angst vor Indianern hatte ihn vertrieben. 1847 kam er zurück als einer von Webers Siedlern, wie wir aus seinen Worten vom 5. September 1853 erfahren: „Im Herbst 1847 zog ich mit meiner Familie auf die Ranch. Captain Weber befand sich zu der Zeit auf seiner Ranch mit einigen Männern und Tieren und richtete das Gelände her. Es sollte eine Siedlung daraus entstehen. Wegen der Gefahr, die von den Indianern drohte, bauten wir unsere Häuser nebeneinander." Er fügte hinzu: „Seit dieser Zeit wuchs die Siedlung ziemlich schnell – 1848 war fast eine Stadt daraus geworden." Am Ende dieses Jahres gab es Buzzells Meinung nach ungefähr hundert Familien dort. Die ersten Häuser und Viehweiden drängten sich alle um „Weber Point" und den Mc Leod's See. Die ungefähr 15 oder 20 Acres Land, die sie im Frühjahr 1848 bestellten, lagen aus Sicherheitsgründen in der Nähe ihrer Häuser. James Williams, der sich 1844 auf Webers Land niederlassen wollte und durch die Ermordung seines Gefährten, Thomas Lindsay, von dort vertrieben wurde, kehrte 1848 offenbar zu einem Besuch dorthin zurück. Seine Aussage am 5. September 1853 vor der Landkommission lautete, daß sich einige seiner Verwandten auf der Ranch niedergelassen hatten und daß ihre Abmachungen mit Weber günstig waren. Er fügte hinzu: „Ich war 1848 dort und sah eine Menge Vieh. Captain Weber befand sich in Begleitung einiger anderer Männer auf der Ranch und kümmerte sich um seine Siedlung, die aus einigen Gebäuden und Viehweiden bestand."

Obwohl Weber seine Kolonie erst 1847 gründete, scheint klar zu sein, daß er die Gründung ein Jahr früher geplant hatte. Um Siedler zu finden, tat er das, was Gulnac 1844 versucht hatte: er lockte einige der Einwanderer, die damals in immer größerer Zahl über die Berge kamen, auf seine Ranch. Viele von ihnen waren auf der Suche nach einer Heimat – oft auch ohne Geld – und hatten keine Vorstellung, wie sie sich in ihrer neuen Umgebung zurechtfinden sollten. Zu diesem Zweck beauftragte Weber im Sommer 1846 Napoleon B. Smith, er möge für ihn Siedler „rekrutieren". Smith hatte der Lansford W. Hastings-Gruppe angehört, die Mitte August 1845 von Independence/Missouri nach Westen aufgebrochen war. Das Jahr war für diese lange Reise schon gefährlich fortgeschritten. Mit viel Glück erreichten sie Sutters Fort zu Weihnachten, gerade einen Tag bevor Schnee die Sierra Nevada unpassierbar machte.

Napoleon Smith blieb eine Weile in Neu Helvetia, um für Sutter zu arbeiten. Als Zeuge vor der Landkommission sagte er am 23. November 1853 aus:

„Im Juni oder Juli 1846 vereinbarte ich mit Mr. Weber in einem Gespräch, ich würde einige Familien für die Besiedlung der Ranch ausfindig machen. Im November oder Dezember desselben Jahres traf ich auf eine Emigrantengruppe, von der sich einige Familien auf der Ranch niederlassen wollten. Es waren so etwa sieben Familien sowie mein Bruder und ich und mehrere junge Männer, die alle einen Teil des Landes übernehmen und sich dort ansiedeln sollten."

Doch der Plan war zu früh in Angriff genommen worden. Nachdem Smith und die angeheuerten Leute auf das Land gezogen waren und mit dem Bau der Unterkünfte und den übrigen Vorbereitungen begonnen hatten, erhielt Smith einen Brief von Oberst John C. Frémont. Frémont setzte ihn von dem Ausbruch des Mexikanischen Krieges in Kalifornien in Kenntnis und bat ihn dringend, mit den anderen Siedlern für den Winter in Santa Clara Zuflucht zu suchen, wo sie durch seine Truppen geschützt wären. Da diese Warnung von einem angesehenen Offizier der US-Armee kam, verließ Smiths Mannschaft die Ranch. So mußte Weber die Gründung seiner Kolonie erneut verschieben. Im Sommer 1847 hatte sich die Lage in Kalifornien geklärt, der Krieg mit Mexiko war praktisch vorüber, und die Leute konnten sich wieder ihren normalen Tätigkeiten zuwenden. Weber nutzte die Gelegenheit. Er erkannte, daß es vor dem Gesetz wichtig war, das Land so schnell wie möglich zu besiedeln, und so ließ er sich im August selbst dort nieder. Gilbert berichtet, daß Weber mehrere Männer sowie 200 Pferde und 4.000 Rinder mit sich nahm.

So wurde die Siedlung gegründet. Zunächst hieß sie Tuleburg, Tuleburgh oder, nach William Robinson Grimshaws Aussagen, „Weber's Embarcadero". Weber änderte bald den Namen der Stadt in Stockton um, um Kommodore Robert F. Stockton, dem der Befehl über die amerikanischen Truppen in Kalifornien im Juli 1846 übertragen worden war, zu ehren. Er hatte mit viel Einsatz den Krieg gegen Mexiko zu Beginn des Jahres 1847 zu einem guten Ende geführt.

In der näheren Umgebung aber war die Stadt „damals als ‚Weaver's Embarcadero' bekannt, wo ich (Grimshaw) James Wadsworth das Privileg verdankte, meine Decken im Lagerzelt von Grayson & Guild ablegen zu können." Der Name dieser Firma und andere Namen deuten darauf hin, daß Grimshaw über das Jahr 1849 berichtete. Weber's Embarcadero war die Stelle in Stockton, wo die Schiffe zum Laden und Entladen anlegten.

Der Umzug auf seine Ranch bedeutete für Weber, daß er sein Geschäft in San Jose zurücklassen mußte. Er verkaufte es nicht sofort, sondern vertraute es seinem tüchtigen Manager, Francis Lightston (oder Lightstone), an. Sicher kam er gelegentlich nach San Jose, um nach dem Rechten zu sehen, Vorräte zu besorgen und Freunde zu besuchen. Jetzt, wo Webers Ziel klar gesteckt war, widmete er sich ganz seiner Siedlung am San Joaquin. Bald ereigneten sich zahlreiche außergewöhnliche Dinge, die die Entwicklung und das Wachstum der Kolonie entscheidend beeinflußten. Das bedeutsamste Ereignis, das Sutters Namen über Nacht weltbekannt machte, war die Entdeckung von Gold bei Sutters Sägemühle im Januar 1848 knapp 50 Meilen von Stockton entfernt. Im Nu wurde aus Webers „Embarcadero" eine blühende Stadt an der Siedlungsgrenze. Sie war ein strategisch wichtiger Punkt, über den der Hauptverkehr zu den südlichen Minen fließen mußte. Um sich ganz und gar Stockton widmen zu können, verkaufte Weber sein Geschäft in San Jose. 1849 überschrieb er es auf Francis Lightston, der seit vielen Jahren sein Stellvertreter war.

Berichte über Tuleburg im Jahre 1847 besagen, daß die Indianer immer noch eine Gefahr darstellten und bei den Siedlern sehr gefürchtet waren. Schon seit längerer Zeit besaßen die Indianer Pferde, mit denen sie unerwartet über die Siedlungen, Missionen oder Ranchen im Santa Clara-Tal herfallen konnten. Sie stahlen Pferde und Rinder und trieben sie zu einer sicheren Stelle in den Bergen, wohin man sie nicht oder nur unter großer Gefahr verfolgen konnte. Dort pflegten sie die Tiere zu schlachten und ein großes Fest zu feiern.

Als Weber im August 1847 auf seine Ranch zog, war ihm das Problem der Indianerüberfälle bekannt. Wie er in dem Rio Estanislao-Landprozeß aussagte, gab es auf seinem Gelände keine Indianer, aber „in der Umgebung hielten sich einige Indianerstämme auf. Ihr Charakter war in der Regel äußerst feindlich. Eine Ausnahme bildeten diejenigen, die sich durch meine Ermahnungen, Geschenke und strengen Strafen zur Freundlichkeit gezwungen sahen."

Um gute Beziehungen zu den Indianern herzustellen, schloß Weber zu dieser Zeit einen Vertrag mit dem bekannten Häuptling José Jesús, dem Häuptling des örtlichen Siyakumna-Stammes. Dieser Häuptling war auf der Mission San Jose erzogen worden und hatte – Tinkhams Angaben zufolge – dort das Amt des obersten Polizeibeamten innegehabt. Die Historiker Gilbert (1879) und Tinkham (1880), die beide Weber persönlich kannten, erzählten eine rührende Geschichte über den Abschluß dieses Vertrages, aber keiner gab das genaue Datum an, nur das Jahr 1843 wurde erwähnt. Später, im Jahre 1923, schrieb Tinkham eine ausführliche „Geschichte des San Joaquin-Bezirks", in der er einen Hinweis auf das richtige Datum gab: 1847. Er berichtete in diesem Zusammenhang von Webers Ankunft auf seiner Ranch. Über die oben genannte Episode schrieb er: „Als sich Captain Weber auf dem Campo de los Franceses niedergelassen hatte, schickte er nach José Jesús und schloß einen Vertrag mit seinem Stamm ab, der den Frieden zwischen diesen Indianern und den Weißen besiegelte. Und tatsächlich verletzte von nun an weder José Jesús noch irgendeiner von seinem Stamm diesen Vertrag."

Wie wir gesehen haben, sagte Weber aus, daß er sich im August 1847 auf seiner Ranch niedergelassen hatte. Damit wird Gilberts Bericht korrigiert, der ein früheres Datum für den Vertrag annahm. Das gleiche gilt für die Aussagen von Hammond und Morgan, nach deren Meinung der Abschluß im Herbst 1843 stattfand. Zu der Zeit war Weber erst seit einem Jahr als Geschäftsmann in San Jose tätig. Am 16. August erhielt er vom Friedensrichter in San Jose einen Paß, der ihm den Besuch von Sutter ermöglichte. Wahrscheinlich hatte Weber die Absicht, Sutter in geschäftlichen Dingen um Rat zu fragen oder sich wegen der Zahlung von Rechnungen mit ihm ins Einvernehmen zu setzen. Sutter hatte immer wenig Geld und war berüchtigt dafür, daß er sich mit seinen Zahlungen Zeit ließ. Im Sommer 1843 hatte Weber bereits den Geschäftsanteil seines Partners in San Jose aufgekauft und war dabei, seine eigenen Aktivitäten auszuweiten. Es stand viel für ihn auf dem Spiel. Obwohl sein Geschäft das Handelszentrum der Stadt war, wäre es gefährlich für ihn gewesen, sich zu übernehmen. Vielleicht wollte er diese Dinge mit einem erfahrenen Mann besprechen, den er kannte und dem er traute.

Dank Webers Paß konnten er und ein Begleiter, Ephraim P. Frawell (oder Fravel), Neu Helvetia besuchen. Über den Zweck der Reise gibt es keine Angaben. Frawell wohnte schon länger in Kalifornien. Als Schneider von Beruf hatte er 1833 sein Schiff verlassen und war mittlerweile mit dem Land gut vertraut.

Wahrscheinlich leistete er Weber Gesellschaft und Schutz auf dem Weg zu Sutters Fort, den sie ohne Führer zurücklegten.

Weber war also ganz mit seinen Geschäften beschäftigt, und es ist wenig wahrscheinlich, daß er damals überhaupt an den Abschluß eines Vertrages mit José Jesús dachte. Gulnac hatte den Gouverneur gerade um die Übertragung des „Campo de los Franceses" gebeten, doch die Antwort darauf stand noch aus. Gouverneur Micheltorena bewegte sich langsam von Los Angeles nach Monterey, und man wußte nicht, was er von solchen Landübertragungen hielt. Es war das Jahr – wir erinnern uns –, als Gulnac und Lassen eine Rinderherde nach French Camp trieben, die Indianer jedoch so bedrohlich fanden, daß sie nicht wagten, dort zu bleiben, sondern weiter zum Cosumnes-Fluß zogen. Weber wußte, daß Verträge mit Indianern nur wirksam waren, wenn militärische Stärke dahintersteckte. Sutter hatte das demonstriert, als er 1839 im heutigen Sacramento seine Siedlung gebaut hatte, und auch den Missionaren in Kalifornien war diese Tatsache seit langem bekannt. Es wurde keine Mission ohne Bewachung durch Soldaten errichtet. Die Indianer am San Joaquin waren schon immer Feinde des weißen Mannes gewesen, das wußte Weber mit Sicherheit. 1844 und 1845 gab es wiederholt feindliche Angriffe der Indianer, als Gulnacs Siedler in French Camp getötet oder von dort vertrieben wurden. José Jesús, der bekannte Häuptling der Gegend, mit dem Weber 1847 einen Freundschaftsvertrag abschloß, war der Nachfolger des berühmten Häuptlings Estanislao, nach dem der Stanislaus-Fluß und der Bezirk benannt sind. Estanislao war auf der Mission San Jose erzogen worden, war aber von dort geflohen, um wieder bei seinem Volk an der San Joaquin-Siedlungsgrenze zu sein. Sein Haß auf die Spanier war geradezu legendär, und seine Berühmtheit wuchs, als er sie ein paarmal besiegte bei ihrem Versuch, den San Joaquin zu überqueren und in das Land einzudringen, das die Indianer als das ihre betrachteten. Als Estanislao 1839 an Pocken starb, wurde José Jesús sein Nachfolger und Häuptling des Stammes. In seiner „Geschichte des San Joaquin-Bezirks" beschrieb ihn Tinkham folgendermaßen:

„... über sechs Fuß groß (1,83 m), gut gebaut, sauber in seinem Äußeren, stolz und würdevoll in seinem Benehmen... Normalerweise trug er die Galakleidung eines spanischen Grande, bestehend aus einem Baumwollhemd, Pumphosen, einer Schärpe, einem Umhang und einem Sombrero. Er gab eine erstaunliche Erscheinung ab."

Wie sein Vorgänger war José Jesús ein erbitterter Feind der Spanier. Einmal überfiel er die Mission San Jose, der er gedient hatte, und trieb über tausend Pferde von dort in die Berge, wo die Indianer die Tiere töteten und ein großes Fest feierten. Sein Haß schien sich nicht gegen die Amerikaner zu richten, und Weber gelang es, sich diesen Häuptling zum Freund zu machen. Er setzte ihm seine Pläne auseinander, daß er sich im San Joaquin-Tal niederlassen wolle und daß die Amerikaner den Wunsch hätten, seine Verbündeten und Freunde zu sein. Sie kämen nicht, um seinem Stamm Schaden zuzufügen oder seine Leute auszurauben, sondern um ihnen als Freunde beizustehen. Er möchte sich dort außerhalb des Einflußbereichs der Spanier ansiedeln im Falle einer Auseinandersetzung zwischen Amerikanern und Kaliforniern, mit denen dieser bekannte Häuptling in ständiger Fehde liege. Weber pflegte José Jesús reichlich zu beschenken und ihn als Vermittler bei Verhandlungen mit seinem Volk zu gebrauchen. „Der Captain hält den Si-yäk-um-ná-Häuptling für einen seiner verläßlichsten und geschätztesten Freunde aus den frühen Jahren", schrieb Tinkham.

Webers Nachbarn auf seiner San Joaquin-Ranch waren, abgesehen von den Indianern, John Sutter in Neu Helvetia (ungefähr 55 Meilen im Norden), der Engländer Robert Livermore (ungefähr 35 Meilen im Südwesten) und John Marsh (ungefähr 15 Meilen nördlich von Livermores Siedlung). Über Sutters Unternehmungen in Kalifornien, seinen Erfolg und sein Ansehen haben wir schon ausführlich berichtet. Livermore machte weniger von sich reden, aber auch er behauptete sich in diesem neuen Land. Weber kannte ihn sicher gut aus der Zeit, als er Kaufmann in San Jose gewesen war. Livermore wurde um 1799 in London geboren, ging mit 17 Jahren zur See, kämpfte unter Lord Cochrane während der Unabhängigkeitskriege in Chile und Peru und schloß sich dann wahrscheinlich der Besatzung eines englischen Handelsschiffes an, der „Colonel Young", auf ihrer ersten Fahrt entlang der Küste. Berichten zufolge legte das Schiff in Callao an, fuhr weiter nach San Francisco, wo es am 31. Januar 1822 ankerte, und fuhr am 20. Februar vor seiner Rückkehr nach Callao den Hafen von Monterey an. 1823 machte die „Colonel Young" eine weitere Reise nach Norden, und Livermore war möglicherweise mit dabei. 1856 schrieb John Gilroy an Larkin, daß Livermore 1823 in Monterey kalifornischen Boden betrat, er selbst habe das Schiff gesehen. Da das Logbuch nicht mehr vorhanden ist, wissen wir nicht, ob Livermore wirklich an Bord war. Newton behauptet, er sei 1822 nach Kalifornien gekommen. Livermore zog ins Santa Clara-Tal, wo er als Ausländer ohne Paß auf verschiedenen Ranchen arbeitete und Unterschlupf fand. Dort entdeckte er die Stelle, die ihm für längere Zeit zur Heimat werden sollte.

Die spärlichen Unterlagen, die wir über Livermores Werdegang besitzen und die zahlreiche Widersprüche aufweisen, besagen, daß er als Steinmetz keine Schwierigkeiten hatte, eine Anstellung zu finden. In den Papieren der Santa Clara-Mission lesen wir, daß er am 20. Juni 1823 dort getauft wurde, was darauf hinweist, daß er sich dort niederlassen und seinen festen Wohnsitz in dem Gebiet nehmen wollte. Etwas später begegnete ihm die Frau, die er zu heiraten wünschte: Josefa Higuera, Witwe des Fuentes Molina und Tochter des José Loreto Higuera von der Tularcitos Ranch bei San Francisco. Die Hochzeit fand am 5. Mai 1838 in der San Jose-Mission statt, wie wir dem dortigen Register entnehmen.

In den frühen dreißiger Jahren des vorigen Jahrhunderts ließen sich immer mehr Ausländer in Kalifornien nieder, und der Handel blühte auf. Zur gleichen Zeit verfielen die Missionszentren aus Mangel an Unterstützung durch die Regierung. Ungefähr zehn Jahre nach ihrer Gründung hielt man sie für gefestigt und unabhängig und überließ sie den örtlichen Kirchengemeinden. John Caughey faßte den grundlegenden Plan der Regierung so zusammen: „Es handelte sich im wesentlichen um ein System, das die Indianer anregte, sich in einem Pueblo oder einer Stadt zusammenzufinden, wo man ihnen unter kirchlicher Zucht die katholische Religion, die spanische Sprache und einige Grundzüge der Lebensweise der Weißen beibrachte."

Es war sehr wichtig für Mexiko, das in den ersten Jahren seiner Unabhängigkeit an chronischem Geldmangel litt, daß die Missionen auf ihren eigenen Füßen stehen konnten. Während der Säkularisierung in den dreißiger Jahren sollten die Missionare die Kontrolle über die Missionen abtreten. Die Indianer wurden der örtlichen Kirche unterstellt, der Gemeindepfarrer sollte von nun an ihr geistlicher Führer sein. Man betrachtete die Indianer jetzt als freie Menschen, die für Geld arbeiten oder auf Gemeindeland leben konnten.

Die Missionare widersetzten sich natürlich diesem neuen System, doch ohne Regierungsgelder konnten sie ihren Einfluß auf die Bekehrten nicht aufrechterhalten. Bis zum Schluß blieben sie ihren religiösen Überzeugungen treu und hielten zu ihren Schülern, aber die Ära der Missionen war vorüber. Krankheit, Austritt aus Altersgründen oder Tod dezimierten die Zahl dieser frommen Männer, und neue kamen kaum hinzu. Diejenigen, die zurückblieben, widersetzten sich den Bemühungen der Gouverneure José María Echeandía (1825 – 1833) und José Figueroa (1833 – 1835), das neue Programm der Säkularisierung durchzuführen, denn sie wußten, daß die Indianer nicht in der Lage sein würden, ihr Land und ihre Rinderherden selbst zu verwalten. Trotzdem wurde das Programm verwirklicht. Der Gouverneur Figueroa erließ am 9. August 1834 eine einstweilige Verfügung, die die Säkularisierung von zehn Missionen in diesem Jahr und weiterer in regelmäßigen Abständen vorschrieb. Die Hälfte des Besitzes sollte den Indianern zufallen, doch sie hätten nicht das Recht, ihr Eigentum weiterzugeben. Nach Gouverneur Figueroas Tod zu Beginn des Jahres 1835 wurde der Mißbrauch immer größer und das Programm schließlich vollständig abgebrochen. Die Indianer verloren bald das meiste von dem, was ihnen zugedacht war.

Ehrgeizige Verwalter und andere Amtspersonen nutzten die Situation aus, um die Ländereien der Missionen zu parzellieren. Wie wir gesehen haben, erhielt der Verwalter William Gulnac einen Teil der Mission San Jose übertragen. Am 11. Juli 1834 bat er um das Gebiet, das unter dem Namen „Los Positos del Valle de San José" bekannt war und als Weideland der Mission gehört hatte. Der Gouverneur Figueroa, der Missionar des Ortes, Bruder José María de Jesús Gonzalez, sowie der Gemeinderat stimmten dem Antrag zu. So wurde Gulnac am

18. August 1834 Besitzer der Las Positas-Ranch. Wir haben keine Beweise dafür, daß Gulnac selbst auf seinem Land wohnte. Wahrscheinlich veranlaßte er Robert Livermore, sich dort niederzulassen. Das tat dieser möglicherweise 1835. Er baute sich ein Haus aus Luftziegeln in der Nähe der berühmten Quellen „Los Pozos del Valle" (Talquellen). Der Name wurde bald abgeändert in „Las Positas", was einen besseren Klang hatte. Livermore ließ sich nicht direkt bei diesen Quellen nieder, die lange Zeit von Indianern besetzt gehalten worden waren, sondern wählte einen Platz „unter den Eichen in der Nähe der frischen Quellen, die bis zum Fluß heranreichten."

Livermores Haus wurde im Laufe der Zeit vergrößert, wie es die Bedürfnisse seiner Familie erforderten. Sein wachsender Wohlstand ermöglichte ihm diesen Ausbau. Aufgrund seiner Lage an den herrlichen Quellen wurde es ein beliebter Rastplatz für Reisende aus dem Gebiet um San Francisco und San Jose und den Tälern des San Joaquin und des Sacramento. Edwin Bryant, ein bekannter Journalist und Autor, der Kalifornien von 1846 bis 1848 bereiste, bezeichnete Livermores Heim als solide gebaut und wunderschön. Er besuchte auch Sutters Fort und Dr. Marshs Ranch. Webers Ranch oder Stadt konnte er jedoch nicht aufsuchen, da sie erst wenige Monate zuvor gegründet worden war und lediglich aus einigen Rohrkolbenhütten, Unterkünften aus Buschwerk und umzäunten Weideflächen bestand. Bryant gab kraftvolle, lebendige Beschreibungen dieser bekannten Plätze an der Siedlungsgrenze im Landesinneren. Er begann mit Neu Helvetia: „Captain Sutter empfing uns mit herzlicher Gastfreundschaft. Er ist ein Gentleman zwischen 45 und 50. In seiner Art, seiner Kleidung und seinem allgemeinen Verhalten entspricht er dem, was wir unter einem „Gentleman der alten Schule" verstehen. Zwischen ihm und der rauhen Gesellschaft, von der er umgeben ist, besteht ein himmelweiter Unterschied . . . . Er wanderte in die Vereinigten Staaten aus und wurde eingebürgert. Nach einer Reihe höchst ungewöhnlicher und unwahrscheinlicher Vorkommnisse, die Stoff für ein dickes Buch liefern würden, ließ er sich an der Stelle nieder, wo sein Fort heute steht. Damals war das eine Wildnis, umgeben von zahlreichen feindlichen Indianerstämmen. Zusammen mit den wenigen Männern, die mit ihm gekommen waren, gelang es ihm, sich gegen die Indianer zu verteidigen, bis er schließlich das erste feste Gebäude errichtete. Er erzählte mir, daß er mehrere Male von den Angreifern eingeschlossen war und einige Tage nur von Gras gelebt habe . . . Schrittweise bekam er die Indianer unter Kontrolle. Mit ihrer Hilfe errichtete er die weiträumige Festung, die er nun sein eigen nennt."

Bryant beschrieb auch Sutters Fort:
„. . . ein Parallelogramm ungefähr 500 Fuß lang und 150 Fuß breit. Die Mauern sind aus Luftziegeln oder getrockneten Ziegelsteinen. Das Hauptgebäude bzw. das Wohnhaus steht fast im Zentrum des Anwesens, der Hof wird von den Mauern umschlossen. Innen befinden sich auch entlang der Mauern eine Reihe von Geschäften, Vorratsräumen und Unterkünften. Aus den Ecken springen

Bastionen hervor, die darin in Stellung gebrachten Geschütze umgeben die Wände. Die Haupteingänge im Osten und Süden werden auch durch schwere Artillerie durch Öffnungen in den Mauern verteidigt."

Bryants besonderes Interesse galt natürlich den Indianern:

„Die Zahl der Indianer, die während der Zeit der Aussaat und der Ernte für Captain Sutter arbeiten, beläuft sich auf zwei- bis dreihundert. Einige von ihnen sind mit Hemden und Decken bekleidet, ein großer Teil ist aber vollkommen nackt. Sie werden täglich für ihre Arbeit bezahlt, indem sie sich Waren aus dem Laden aussuchen können. Am häufigsten erwerben sie Baumwollstoff und Taschentücher. Gewöhnliches braunes Tuch wird für einen Dollar pro Yard verkauft. Eine von Captain Sutter herausgegebene Blechmünze zirkuliert unter ihnen, auf ihr ist die Zahl der Tage, an denen der Besitzer gearbeitet hat, eingestanzt. Diese Stempel geben den Warenwert an, auf den der Besitzer ein Anrecht hat."

Die Naturschätze des Gebietes beeindruckten Bryant, und er beschrieb die Fruchtbarkeit des Landes. 1841 hatte Weber bei seinem ersten Besuch auf Sutters primitiver Siedlung diese Gegebenheiten bemerkt. Nur jemand, der ein Unternehmen wie das von Sutter gesehen hatte, konnte davon träumen, ihm nachzueifern. Weber hatte seine eigene Vorstellung von dem, was zu erreichen war.

Nach mehreren angenehmen Tagen in Sutters Fort setzten Bryant, drei andere Männer und ein Diener ihre Reise fort. Sie zogen 18 Meilen südwärts und übernachteten in Martin Murphy Juniors Haus am Cosumnes. Am nächsten Tag erreichten sie ein Gebiet dicht bewachsen mit Rohrkolben. Sie hielten am Ostufer des San Joaquin an, nachdem sie die Stelle passiert hatten, wo einmal Webers Stockton sein sollte. Sie legten an diesem Tag 35 Meilen zurück.

„Zu dieser Jahreszeit", schrieb Bryant am 16. September 1848, „hat das Wasser seinen niedrigsten Stand. An der Furt (Pescadero) ist der Fluß vielleicht hundert Yards breit; unsere Tiere durchquerten ihn ohne große Schwierigkeiten. Das Wasser reichte bis zur Hälfte ihrer Körper." Ihr nächstes Ziel war Dr. Marshs Ranch. Dabei kamen sie durch mehrere Rohrkolbensümpfe, die wie „riesige reife Kornfelder" aussahen. Da die Sümpfe zu der Zeit fast ausgetrocknet waren, konnten sie einige überqueren. „Einen Monat früher", bemerkte Bryant, „wäre dies nicht möglich gewesen." Die großen Herden von Wildpferden und Elchen faszinierten die Reisenden. Einige der Elchherden bestanden aus mindestens zweitausend Tieren, die mit ihren riesigen Geweihsprossen beim Rennen ein sehr seltsames und malerisches Bild boten. „Einige dieser Elche sind so groß wie ein mittelgroßes mexikanisches Maultier," fügte Bryant hinzu.

Völlig erschöpft von der Tagesreise kamen Bryant und seine Leute gegen 5 Uhr auf Marshs Ranch an. Die Landschaft war herrlich. „Dr. Marshs Anwesen liegt romantisch am Fuße einer der höchsten Erhebungen der Gebirgskette, die das

Tal des San Joaquin von der Ebene um die Bucht von San Francisco trennt. Der Berg heißt „Mount Diablo" und ist bei klarem Wetter von weitem zu sehen." Marshs Lebensweise war primitiv. Er wohnte in einem „kleinen einstöckigen Haus, das aus einfachen Luftziegeln gebaut und in zwei oder drei Räume unterteilt ist. Die Fußböden und die Wände bestehen aus Erde. Ein oder zwei Tische, einige Bänke und ein Bett sind das gesamte Mobiliar." Bryant fügte hinzu, daß Dr. Marsh ein Harvardabsolvent war, der vor sechs oder sieben Jahren nach Kalifornien ausgewandert war, fließend und fehlerfrei spanisch sprach und über die mexikanischen Institutionen, Gesetze und Gebräuche genauestens informiert war. Seine Ranch war ungefähr zehn bis zwölf Quadratmeilen groß. Obwohl er immer wieder durch wilde Indianer gestört worden war, die ihm mehrmals all seine Pferde und Rinder gestohlen hatten, hatte er es geschafft, dort ein Heim zu gründen. Er besaß damals ungefähr zweitausend Rinder, jährlich wuchs die Herde um ca. 500 an.

Bryant berichtete, Dr. Marsh habe einen Gemüsegarten und lege sich gerade einen ausgedehnten Weinberg an. Er war beeindruckt von der Würze der Trauben, die zu der Zeit (16. September) genau die richtige Reife hatten. Bevor sein Gast wieder abreiste, nahm ihn Dr. Marsh mit auf einen Hügel ungefähr eine Meile von seinem Haus entfernt. Von dort konnte man das umliegende Land betrachten: nach drei Seiten dehnten sich Ebenen aus, nur im Westen war das Land uneben und gebirgig. In einer Entfernung von ca. zehn Meilen floß der San Joaquin, der von „dichten Eichen- und Bergahornwäldern sowie niedrigerem Gehölz und Sträuchern umsäumt wurde."

Die Entfernung von Dr. Marshs Ranch zu der von Robert Livermore betrug ungefähr 15 Meilen, dazwischen lag ein hügeliges, fruchtbares Land, das mit wildem Hafer bedeckt war. Bryant und seine Gefährten kamen kurz vor Einbruch der Dunkelheit auf Livermores Ranch an und wurden von den Livermores freundlich empfangen und bewirtet. Das Haus „setzte sich aus einer Anzahl kleiner Luftziegelbauten zusammen, die offensichtlich zu verschiedenen Zeiten errichtet und zusammengefügt worden waren. Hier fanden wir Stühle und sahen zum erstenmal in Kalifornien ein Sidebord mit Gläsern und Porzellan. Man stellte eine Karaffe mit Branntwein, eine Schale mit Würfelzucker und einen Krug mit kühlem Quellwasser vor uns hin. Wir bedienten uns freizügig und spürten bald den belebenden Einfluß auf Geist und Körper."

Bryant war tief beeindruckt von der Aufnahme, die er und seine Leute bei den Livermores fanden, ebenso von der Familie und der Ranch. Mrs. Livermore war die erste kalifornische Frau, die er getroffen hatte. Er schilderte sie so:

„Señora Livermore ist die erste Hispano-Amerikanerin, die ich seit meiner Ankunft in diesem Land gesehen habe. Sie trug ein weißes Batistkleid, das locker um ihre Taille gebunden war. Einige Ringe an ihren kleinen, zarten Fingern waren ihr einziger Schmuck. Ihre Hautfarbe war bräunlich, aber heller und reiner als die der meisten kalifornischen Frauen. Von dem Augenblick unserer Begrüßung an wußte sie ihre dunklen, strahlenden Augen, ihr langes, glänzendes Haar, ihre natürliche Anmut und ihre lebhafte Art und Unterhaltung in einer für spanische Frauen typischen Weise zur Geltung zu bringen . . . .“

Sie schliefen in den bequemen Betten der Livermores, während die Gastgeber ihr Lager auf der Veranda aufgeschlagen hatten. Bryant berichtete, daß er zum erstenmal in vier Monaten „den Luxus von sauberen Bettlaken, einer Matratze und eines weichen Kopfkissens zu schätzen wußte.“ Aber seine Freude war nicht ungetrübt bei dem Gedanken, daß einige Familienmitglieder im Freien schlafen mußten.

Nachdem Bryant und die anderen von dem Haus der Livermores in seiner herrlichen Umgebung zur Mission San Jose aufgebrochen waren, durchquerten sie zunächst eine Ebene mit riesigen Rinderherden. Dann kamen sie in ein Hügelland, das bis zu den Bergkuppen mit wildem Hafer und Gras bedeckt war. Am Nachmittag überquerten sie einen Fluß und „stießen schließlich auf einen künstlichen Pfad, der ausgehoben und befestigt worden war, um Fahrzeugen an dem steilen Hügel die Durchfahrt zu ermöglichen.“ Sie erreichten die Mission Pass an der Straße zur Mission San Jose, zwei oder drei Meilen südlich des heutigen Highway Nr. 84. Etwas weiter fanden sie eine sehr primitiv gebaute Brücke, das erste Beispiel von Straßenbau, das ihnen in dem Land begegnet war. Als Walter Colton 1848 auf dem Weg zu den Goldfeldern in diesem Gebirgsjoch sein Lager aufgeschlagen hatte, fand er sich am nächsten Morgen am Fuße des Abhangs wieder, obwohl er einen Felsen an sein Fußende gelegt hatte, der ihn vor dem Abrutschen schützen sollte. Die Schauplätze, die Bryant so lebhaft beschrieb, waren Weber aus eigener Anschauung bekannt. Als einer von Sutters Aufsehern hatte er von Dezember 1841 bis Juni 1842 zu dessen Unternehmen gehört, bevor die Siedlung ihre spätere Berühmtheit erlangte. Dort hatte er beobachten können, wie das Fort verwaltet wurde – wie die Indianer in ihre tägliche Pflichten des Wachestehens, der Haus- und der Feldarbeit und des Pferde- und Rinderhütens eingewiesen wurden, in eine Vielfalt wichtiger Tätigkeiten. Während der Zeit, als Weber in seinem Dienst stand, war Sutter sehr damit beschäftigt, die Indianerstämme unter Kontrolle zu halten, und Weber hat die Lektionen sicher aufmerksam verfolgt. Am Ende konnten sich seine Erfolge mit denen seines früheren Herrn durchaus messen.

Wenn Weber die Begabung und den Willen zum Schreiben gehabt hätte, hätte er dies ebenso wie Bryant tun können. Er hätte seiner Familie und seinen Freunden in Deutschland von seinen Reisen und Alltagserlebnissen berichten können – von seinen Begegnungen mit den Indianern, den Männern in den Bergen, den Händlern und anderen Abenteurern, mit den Kaliforniern und ihren Regierungsvertretern und den Mexikanern. Aber Weber konnte nicht gut mit Worten umgehen, seine Begabung lag auf anderen Gebieten. In seinen späteren Jahren zeigte er sich als Unternehmer, energisch und auf spontane Art großzügig, aber er blieb selbst seinen engsten Vertrauten ein Rätsel. Er ging seine eigenen Wege. Lange Zeit hatte er jeglichen Kontakt zu seiner Familie in Deutschland abgebrochen. Das lag vielleicht in einer körperlichen Schwäche oder einem unbekannten Groll, den er hegte, begründet. Möglicherweise sagte ihm einfach sein Verstand, daß seine Art zu leben, die ihm in Kalifornien Erfolg bescherte, seiner Familie vollkommen fremd sein mußte. Ihr Leben war geprägt von jahrhundertealten Traditionen, in denen sie fest verwurzelt waren. Im Jahre 1847 war Weber Herr über ein riesiges Gebiet feindlicher Wildnis und eine Ansammlung von Rohrkolbenhütten, mehr war es damals nicht, aber er war immerhin unabhängig. Wir können von Glück reden, daß der begabte Bryant seine Beobachtungen während seiner Kalifornienreise 1846 – 1848 zu Papier brachte. Es war die Zeit, als Weber Stockton gründete. Bryants Geschichte, die mehrere Male gedruckt wurde, ist eines der wertvollsten Dokumente der Geschichte Kaliforniens in den späten vierziger Jahren des vorigen Jahrhunderts.

Während des heißen Sommers von 1847 trafen Weber und seine Freunde die letzten Vorbereitungen zum Bau der ersten primitiven Häuser an der gefährlichen San Joaquin-Siedlungsgrenze. In der Vergangenheit hatten weder die Spanier noch deren Nachfolger, die Mexikaner, die dortigen Indianerstämme in Schach zu halten vermocht. Die Indianer fühlten sich jenseits des San Joaquin in Sicherheit. Sie betrachteten diesen Fluß als Grenze ihres Gebietes und die Truppen, die diese Linie überschritten, als feindliche Eindringlinge. Am meisten waren ihnen die Männer aus San Jose und der Mission verhaßt, an der einige von ihnen ausgebildet worden waren. Sie hegten immer noch Groll gegen ihre früheren Herren.

Die Spanier und Mexikaner hatten es nicht geschafft, in Frieden mit ihnen zu leben. Weber dagegen hatte Erfolg. Er orientierte sich an Sutters Taktik: er freundete sich mit den friedfertigen Stämmen an und dachte sich harte Strafen für die feindlichen aus. Es blieb nicht bei leeren Drohungen. Wenn die Indianer angriffen, Rinder oder Pferde stahlen oder die Hütten und Zelte der Weißen plünderten, rächte er sich sofort an dem Feind. Mit Hilfe seiner Freunde rief er Männer aus den benachbarten Siedlungen zusammen und stellte eine schlagkräftige Kompanie auf. In der Regel zogen die Indianer mit den gestohlenen Tieren in eine „sichere", entlegene Gegend, z.B. die Vorberge der Sierra Nevada, wo sie die Tiere töteten und dabei ein Fest feierten. Diese Gewohnheit trieb ihnen Weber mit seiner starken bewaffneten Truppe aus. Er machte die Plünderer ausfindig und dachte sich eine Strafe für sie aus, die sie nicht so schnell vergessen würden.

Typisch für Webers Problem mit feindlichen Indianern im Herbst 1847 waren ihre Überfälle auf Ranchen in den Tälern der Livermores, San Ramons, Martinez' und Pachecos. Sie stahlen fast alle Pferde und trieben sie fort. Als dieses Vergehen bekannt wurde, erhielten die Siedler die Erlaubnis von James Weeks, dem Ortsrichter von San Jose, die Diebe festzunehmen und, wenn nötig, dabei von ihren Waffen Gebrauch zu machen. Weber hatten sie als ihren militärischen Führer gewählt. Ende Januar 1848 sammelte Weber ungefähr 200 Männer um sich, zumeist freundlich gesinnte Indianer, und zog an der Spitze seiner Truppe in die Berge des Landesinnern, um die Übeltäter zu verfolgen. Da gerade Regenzeit war, kamen sie auf dem schlammigen Boden nur langsam und mühsam voran. Schließlich erreichten Weber und seine Leute die Schneegrenze, wo sie die Hütten der diebischen Indianer fanden. Leider konnten sie die Pferde nicht mehr retten, die meisten waren schon getötet und verzehrt worden.

Weber und seine Männer hatten erfahren, daß die gefährlichsten der plündernden Indianer die Polos und die Chowchillas waren, da sie genügend Gewehre besaßen, die sie aus den Siedlungen mitgenommen hatten. Sie stellten auch für Sutter eine Bedrohung dar und hatten bisher alle Friedensangebote abgelehnt, so daß Weber und Sutter ein gemeinsames Vorgehen gegen diese Stämme geplant hatten. Dieses Schicksal blieb ihnen jedoch erspart durch das bedeutendste Geschehnis des Jahrhunderts, die Entdeckung von Gold. Weiße und Indianer gleichermaßen waren von nun an nur noch auf diese goldenen Schätze aus.

Die ursprünglichen Einwohner von Stockton und seiner Umgebung hatten wenig Anziehendes an sich. Hubert Howe Bancroft versuchte vergebens, irgendeine Ordnung oder ein System in der Lebensweise dieser ersten Bewohner zu finden. Er schrieb: „Je mehr ich mich mit dem Thema befasse, um so überzeugter bin ich, daß, abgesehen von den primitiven Eigenschaften, spezifisch menschliche Eigenheiten bei ihnen nur reine Vermutung sind." Über die Indianer in Zentralkalifornien schrieb er folgendes:

„Sie sind selten größer als fünf Fuß und acht Inches (ca. 1,72 m), oft sind es auch nur fünf Fuß und vier bis fünf Inches (ca. 1,62 – 1,65 m). Ihr kräftiger Körper ist selten symmetrisch gebaut. Ihre vorherrschenden Merkmale sind eine niedrige, fliehende Stirn; schwarze, tiefliegende Augen; dicke, buschige Augenbrauen; hervorspringende Backenknochen; eine an der Wurzel eingedrückte Nase, die im unteren Teil breit wird; ein großer Mund mit wulstigen Lippen; große, weiße, jedoch nicht immer regelmäßige Zähne; ziemlich große Ohren. Ihre Haut ist viel dunkler als die der Indianer weiter im Norden, manchmal ist sie fast schwarz. Mit ihrem buschigen, verfilzten Haar, das sie oft kurz geschnitten haben, geben sie eine sehr ungepflegte Erscheinung ab."

Tinkham berichtet, daß sie im Sommer im Schatten von Büschen und Bäumen lagerten; im Winter gruben sie Löcher in den Erdboden und bedeckten sie mit Buschwerk und Schlamm. Nach den Maßstäben der Weißen schienen sie sehr faul zu sein. Sie ernährten sich von Eicheln, Wurzeln, Gras, Beeren und ähnlichen Dingen. Grashüpfer waren ein Leckerbissen auf ihrem Speiseplan. In ihren persönlichen Lebensgewohnheiten waren sie äußerst unsauber.

Aufgrund ihres niedrigen Lebensstandards überrascht es nicht, daß viele von ihnen Krankheiten zum Opfer fielen, vor allem den Pocken, die in den vierziger Jahren wüteten. Tinkham berichtet von einer Epidemie im Jahre 1845. Zwei Jahre später wurde die Familie Kelsey auf dem Campo de los Franceses von der Krankheit betroffen; Kelsey selbst starb daran. Um dieser verheerenden Seuche zu entkommen, flohen die angehenden Siedler, und das Land blieb unbewohnt, bis sich Weber persönlich darum kümmerte.

Durch Krankheit und Flucht der Eingeborenen verlor das Gebiet von Stockton bald den größten Teil seiner Bevölkerung. Eine kurze Zeit lang tauschten der Häuptling José Jesús und Captain Weber jährlich Geschenke aus. „Im Frühling des Jahres 1852 erschienen ein paar Familien zum letztenmal vor Captain Webers Haus, die Letzten eines Stammes, den der spanische Forscher Captain José Joaquín Moraga vierzig Jahre zuvor als zahlreich und furchterregend beschrieben hatte." Einige vereinzelte Indianer blieben ein paar Jahre in der Gegend, aber auch sie wurden von dem Goldrausch vertrieben. Kein einziger Besucher des Goldgebietes, auf den wir im Rahmen dieser Studie gestoßen sind – z.B. McCrackan und Osborn, die ihre Berichte 1850 und 1851 abfaßten, – gibt irgendeinen Hinweis auf José Jesús oder sein Volk.

Webers Taktik, die Indianer sofort hart zu bestrafen, trug dazu bei, ihren Überfällen ein Ende zu setzen. Andere entscheidende Faktoren waren die Entdeckung von Gold im Jahre 1848 und das damit verbundene Eindringen eines vollkommen neuen Lebensstils in dieses Indianergebiet, das im Nu von Goldsuchern überschwemmt war. Die Indianer waren den Weißen einfach nicht gewachsen. Diese brachten den Alkohol mit, machten rücksichtslos von ihren Waffen Gebrauch und nahmen Indianerland in Besitz. Es kamen Ströme von Leuten von überall her, die keine Vorstellung von der Lebensweise der Indianer und keinen Respekt vor ihren Gewohnheiten und Eigentumsrechten hatten.

VII. KAPITEL

GOLD
1846 – 1848

Während sich Carl Weber bemühte, sein Land zu roden, eine gewisse Kontrolle über die Indianer auszuüben und Siedler für sein French Camp-Gelände zu finden, breitete sich unter den Amerikanern das Interesse an Kalifornien weiter aus. Infolge des kurzen Krieges mit Mexiko waren immer mehr Leute nach Westen gezogen, denn Präsident Polk hatte die Bildung von Truppen zur Unterstützung der Amerikaner im Westen genehmigt. Oberst Jonathan D. Stevenson, ein bekannter New Yorker Politiker, war berechtigt, ein Regiment von fast 900 Männern zum Einsatz in Kalifornien aufzustellen. Es wurde bekannt unter dem Namen „Erstes Regiment von New Yorker Freiwilligen". Die meisten Mitglieder, die aus allen sozialen Schichten kamen, waren ziemlich jung und nicht an Disziplin gewöhnt und gingen frohen Herzens in dieses Abenteuer. Ihre drei Schiffe, die „Thomas H. Perkins", die „Loo Choo" und die „Susan Drew", machten sich im September 1846 auf die Reise um Kap Horn und erreichten San Francisco im März oder April 1847, zu spät für die Teilnahme der Männer an den Kampfeshandlungen. Sie vergrößerten jedoch beträchtlich die Zahl der Amerikaner in diesem Gebiet. Bis Ende September 1847 waren alle aus dem Militärdienst entlassen worden. Nur wenige Monate später sah man viele von ihnen auf den Goldfeldern.

Im Frühjahr 1846 war der Präsident auch dazu überredet worden, das sogenannte Mormonenbataillon zu bilden. Diese außergewöhnliche Gruppe setzte sich aus Mitgliedern der verfolgten Mormonensekte zusammen, die nach ihrer Gründung in New York in den zwanziger Jahren des 19. Jahrhunderts unter Schwierigkeiten nach Westen gezogen war. Ungefähr zwanzig Jahre später fand man sie hungernd und mittellos in einer Behelfsunterkunft an den Ufern des Missouri gegenüber von Council Bluffs/Iowa. Nachdem Polk bedrängt worden war, er möge diesen Auswanderern unter die Arme greifen, genehmigte er die Aufstellung eines 500 Mann starken Bataillons, das der US-Armee unterstellt wurde zur Teilnahme am amerikanisch/mexikanischen Krieg in Kalifornien.

Diese Männer wurden im Juni 1846 eingezogen und am 16. Juli für die Dauer von zwölf Monaten in den Militärdienst aufgenommen mit dem Sold und der Verpflegung von Freiwilligen der Infanterie. Sie zogen über Santa Fe nach San Diego. Ihre Kranken ließen sie in Pueblo/Colorado und Santa Fe/Neu Mexiko zurück. Die körperlich Kräftigen marschierten weiter, nahmen am Kampf von San Pasqual teil und kamen im Januar 1847 in San Diego an. Zu der Zeit war der Krieg in Kalifornien bereits vorüber, und sie verrichteten Aushilfsarbeiten an verschiedenen Stellen im südlichen Teil der Provinz. Einer schrieb in sein Tagebuch:

„Ich glaube, ich habe ganz San Diego angestrichen. Wir machten Schmiedearbeiten, bauten eine Bäckerei auf, stellten Wagen her und reparierten sie und taten alles, um uns und den Bewohnern Nutzen zu bringen. Wir hatten nie Schwierigkeiten mit Kaliforniern oder Indianern und sie nicht mit uns."

Die Leute des Bataillons, die sich nach Ablauf des Jahres nicht weiterverpflichteten, wurden am 16. Juli 1847 entlassen. Einige davon blieben in Kalifornien, um von den guten Verdienstmöglichkeiten zu profitieren, aber die meisten Männer kehrten nach Utah zu ihren Familien zurück. Auf ihrem langen Weg nach Osten hielten sie am 27. August auf Sutters Fort an und besorgten sich Vorräte und Ausrüstungsgegenstände. Nur wenige Tage später, am 6. September, trafen sie Samuel Brannan, der auf dem Rückweg vom Salt Lake war, wo er einen erfolglosen Versuch unternommen hatte, Präsident Young und die Führer der Kirche zu überreden, Kalifornien zu ihrer neuen Heimat zu machen. Den Mormonen in Utah ging es sehr schlecht, denn es fehlte ihnen an Vorräten. Folglich bat ihr Führer die Mitglieder des Bataillons, bis zum Frühjahr an der Küste zu bleiben und sich dort Arbeit zu suchen. Ungefähr die Hälfte von ihnen war dazu bereit.

Brannan brachte eine andere Gruppe Mormonen per Schiff über Kap Horn nach Kalifornien. Sie waren zu arm, um Wagen und Gespanne für den Zug durch die Prärie zu kaufen, oder fürchteten den weiten Fußmarsch zum Pazifik. Er charterte ein Schiff, die „Brooklyn", die am 4. Februar 1846 mit 238 Passagieren an Bord aus New York auslief. Ebenfalls an Bord befand sich eine große Menge an Geräten und Apparaturen, darunter drei Getreidemühlen und eine Druckerpresse. Als die Passagiere am 31. Juli 1847 in San Francisco an Land gingen, waren sie überrascht, daß Kalifornien nun unter amerikanischer Flagge stand. Die meisten von Brannans Einwanderern blieben in San Francisco und um die Bucht herum, einige gründeten New Hope am Zusammenfluß des Stanislaus und des San Joaquin, eine Landwirtschaftskommune, der jedoch nur ein kurzes Leben beschieden war. Durch die Zuwanderung so vieler Amerikaner in kurzer Zeit stieg die Zahl der Amerikaner im Verhältnis zu der Gesamtbevölkerung gewaltig in die Höhe, und ihr Einfluß auf die Provinzregierung wuchs. So wurde ein Trend ausgelöst, der eine sofort spürbare Auswirkung auf die Indianer hatte und der den Interessen und Vorstellungen der einheimischen Kalifornier zuwiderlief.

Das Frühjahr 1848 war eine Zeit bedeutsamer Veränderungen in Kalifornien. Die Entdeckung von Gold in Coloma am 24. Januar desselben Jahres sorgte für allgemeine Aufregung und stellte alles übrige in den Schatten. Dieses außergewöhnliche Ereignis war ganz unerwartet beim Bau von Sutters Sägemühle eingetreten, die damals von James W. Marshall am südlichen Zufluß des American River errichtet wurde. Schon lange hätte Sutter eine Getreide- und eine Sägemühle gebraucht. Bis jetzt hatte er wie die übrigen Kalifornier den Weizen mit den althergebrachten Mühlsteinen gemahlen, die von vier Maultieren gedreht wurden. „Von morgens bis abends und manchmal die ganze Nacht hindurch war das monotone Quietschen der Mühle zu hören. Das Mehl war sehr grob gemahlen, und das Brot war in Farbe und Festigkeit kaum zu unterscheiden von den Luftziegelsteinen." So schrieb sein Biograph. Aber es war das beste Mehl, das es damals gab, und einige fanden es sogar „süß und bekömmlich . . ." Um die altmodische Getreidemühle zu ersetzen, begann Sutter mit dem Bau einer von Wasserkraft getriebenen Mühle an einer Stelle einige Meilen vom Fort entfernt den American River aufwärts. Die Maidu Indianer nannten sie Natomo, jetzt heißt sie Brighton. Leider wurde die Mühle in dem allgemeinen Goldfieber nie vollendet.

Genauso wichtig für Sutter war eine Sägemühle, die das Bauholz beschaffen sollte, das er für den Ausbau seiner Siedlung und für den Bedarf seiner Gemeinde brauchte. Dieser Bedarf vergrößerte sich mit der ständig wachsenden Zahl der Einwanderer von der anderen Seite der Berge. Die meisten von ihnen machten zunächst Halt auf Sutters Fort, wo sie mit Herzlichkeit aufgenommen und großartig untergebracht wurden – so schien es ihnen jedenfalls nach den Strapazen beim Durchqueren der Wüste von Nevada und beim Überwinden der Bergkette, die Kalifornien so unzugänglich machte. Sutter war gezwungen, seine Niederlassung auszuweiten, einmal, um seinen Leuten die Errungenschaften der Zivilisation zu bieten, und zweitens, um die Neuankömmlinge unterzubringen. Holz wurde für alles benötigt: für Gebäude, Fässer, Flöße und Boote, Wagen, Spinnräder und Webstühle, Zäune und Pumpen sowie für die Holzkohle der Schmiede. Wenn er einen praktikablen Weg fände, Bäume in den Bergen zu fällen, sie flußabwärts treiben zu lassen und sein eigenes Bauholz zu produzieren, könnte er auf die Schiffsladungen aus San Francisco verzichten. Sie waren teuer und kosteten viel Zeit und Arbeit, so daß sie für die meisten Leute unerschwinglich waren. Nicht nur Sutter, sondern alle Siedler würden von einer besseren Quelle von Baumaterial profitieren.

Die Sägemühle war ein kompliziertes Unternehmen. Ein erfahrener Ingenieur mußte die richtige Stelle bestimmen und die verschiedenen Phasen beim Planen und Bauen einteilen. Daß Sutter genau einen solchen Mann zur Verfügung hatte, war reines Glück. Es war der exzentrische James Wilson Marshall, ein junger Mann aus New Jersey, der als Wagen- und Mühlenbauer ausgebildet worden war. Als Junge hatte Marshall bei seinem Vater gearbeitet und von ihm das Wagenbauen gelernt. Ihr Haus am Delaware lag in der Nähe eines Zentrums der Holzverarbeitung. Er hatte das Fällen der Bäume, den Transport der Baumstämme zu den Mühlen und das Sägen beobachtet und auf diese Weise bestimmte Vorstellungen von den verschiedenen Arbeitsabläufen bekommen. Dieses Wissen war von unschätzbarem Wert in Kalifornien.

Marshall war ein rastloser junger Mann, vielleicht gerade wegen der strengen Disziplin seines Vaters und der begrenzten Möglichkeiten zu Hause. Die Aussagen über die Wunder des Westens hatten ihn sehr gefesselt. Im Alter von ungefähr 24 Jahren – er wurde 1810 geboren – verließ er seine Heimat, um sich für einige Zeit in Missouri als Farmer niederzulassen, aber Fieber und Malaria trieben ihn weiter. In der damaligen Zeit erschien Oregon vielen als das Gelobte Land. 1844 schloß sich Marshall einer von drei Gruppen an, die in dieses sagenhafte Gebiet ziehen wollten. Die Lebensbedingungen, die er in Oregon vorfand, sagten ihm jedoch nicht zu. Die Nachrichten über Kalifornien dagegen klangen vielversprechend, und so zog er im folgenden Jahr, 1845, in dieses Land, für das so viel Reklame gemacht wurde. Bei Sutter bekam er eine Anstellung. Er wurde vertraut mit den zahlreichen Aktivitäten in Neu Helvetia, und Sutter profitierte von seiner Sachkenntnis.

1847 – Kalifornien war inzwischen in amerikanischer Hand – war Sutter bereit, sein Sägemühlenprojekt anzugehen. Zunächst galt es, eine Stelle zu finden, die die notwendigen Bedingungen erfüllte: es müßten Wasser, Holz und ein Weg zum Fort vorhanden sein. Dies erwies sich als schwierig. Sutter hatte schon mehrere Gruppen von Männern in die Vorberge der Sierra Nevada geschickt, die das Gelände erkunden sollten, und zweimal hatte er sich ihnen selbst angeschlossen, aber sie hatten keinen geeigneten Platz gefunden. Interessant ist, daß eine der Gruppen einen Nebenfluß des südlichen Armes des American River untersucht hatte, der von den Einheimischen Pul-Pul-Mull genannt wurde. Im April 1848 war er bekannt unter dem Namen „Weber Creek" aufgrund von Webers Goldfunden. Weber entschloß sich, die Ausgrabungen zu kommerzialisieren, denn die Goldvorkommen waren einfach fantastisch.

In den letzten Augusttagen des Jahres 1847 beschloß Sutter, Marshalls Empfehlungen zu folgen und die Sägemühle in Coloma zu bauen. Die beiden wurden Geschäftspartner. Die Indianer nannten das kleine Tal „Culuma", „Cullomah" oder „Coloma", was „wunderschönes Tal" bedeutet. Seine Ausdehnung betrug ungefähr vier Meilen. Lange Zeit hatten sich die Indianer dort eingefunden, um sich auszuruhen und zu erholen und ihre Stammeshandlungen zu vollführen.

Der Bau der Mühle würde starke Maschinen und regelmäßige Lebensmittel- und Materiallieferungen für die an dem Projekt arbeitenden Männer erfordern, das alles müßte von Sutters Fort kommen. Um eine Straße abzustecken, machte sich Marshall auf die Suche nach einem alten Indianerpfad und markierte ihn. Er führte von Neu Helvetia in das Coloma-Tal, eine Entfernung von ungefähr 50 Meilen. Sutter ließ seine Indianer den Weg roden, um ihn für Wagen und Schwerverkehr passierbar zu machen, und bald darauf arbeiteten Marshall und einige Männer an der Mühle selbst.

Obwohl fähige Arbeiter schwer zu finden waren, gelang es Sutter doch, durch zähe Anstrengungen und glückliche Umstände die benötigten Männer aufzutreiben. Viele kamen von den verschiedenen Mormonengruppen, die 1847 in Kalifornien eingetroffen waren. Sie wurden Zeugen der Goldfunde in Coloma, standen aber trotzdem treu zu ihrem Arbeitgeber und vollendeten die Sägemühle, bevor sie ihre eigenen Wege gingen. Einige von ihnen entdeckten Mormon Island mit seinen reichen Goldlagern ein paar Meilen unterhalb von Coloma.

Sutters Sägemühle am American River

Unter Marshalls Leitung machte die Arbeit an der Sägemühle so gute Fortschritte, daß Ende Januar 1848 bereits ein erster Testversuch unternommen werden konnte. Der Mühlbach bereitete ihnen größere Schwierigkeiten, denn sein Granitboden mußte gesenkt werden, um das Wasser abzuleiten. Jede Nacht öffnete Marshall das Haupttor, um das Flußbett auswaschen zu lassen, und jeden Morgen begutachtete er die Arbeit des vorigen Tages. Am Morgen des 24. Januar 1848, als er das Tor wieder schloß und seiner üblichen Beschäftigung nachgehen wollte, bemerkte er etwas Gelbes im Flußbett. Neugierig hob er ein paar Späne und Körner auf. Er war ganz aufgeregt bei dem Gedanken, daß dies Gold sein könnte, und erzählte seinen Kollegen, er glaube, er habe eine Goldmine entdeckt. Alle waren über diese Nachricht erfreut. Falls es sich wirklich um Gold handelte, war es nur ein einzelner Fund, oder war man auf ein ausgedehntes Goldgebiet gestoßen? Die Arbeiter untersuchten die kleinen Brocken, bearbeiteten sie mit dem Hammer und fanden, daß sie formbar waren. Mrs. Peter Wimmer, die Lagerköchin, wusch und scheuerte die Stücke und legte sie zur Prüfung in ihren Laugentopf. Sie hielten allen Proben stand. Am 28. Januar kämpfte sich Marshall bei starkem Sturm und Regen zu Sutters Fort durch, um ihm die Goldstücke zu zeigen. All dies mußte natürlich ganz heimlich geschehen. Nachdem Sutter den Artikel über dieses kostbare Metall in seiner „Encyclopaedia Americana" studiert hatte, testete er die Späne mit Salpetersäure und war nun ganz sicher. Er wandte sich Marshall zu und sagte: „Ich glaube, dies ist die beste Art von Gold."

Wann erfuhren Weber und seine Leute von diesem Ereignis in Coloma, und wie reagierten sie darauf? Irgendwie war die Nachricht von dem Goldfund nach Stockton gelangt. Der Historiker Gilbert berichtet, daß Ende März ein Mann auftauchte, der einige Probestücke Gold aus Sutters Mühle mitbrachte.

Was wir ebenfalls wissen, ist, daß Weber Anfang März, fünf Wochen nach Marshalls Entdeckung, zu Sutters Fort fuhr. Ob dies schon eine Reaktion auf die im Umlauf befindlichen Gerüchte oder nur eine der üblichen Reisen war, um neue Vorräte und Nachrichten zu beschaffen, bleibt dahingestellt. Sutter notierte am 2. März 1848 in seinem „Neu Helvetia Tagebuch": „Daylor war hier und ist wieder weg. Chs. M. Weber war in meinem Geschäft und ist zur ‚Rancho del Paso' weitergefahren . . ." Am nächsten Tag schrieb er: „Chs. Weber war wieder im Geschäft."

Die „Rancho del Paso", Webers Ziel in der Nacht des 2. März, lag jenseits des American River drei Meilen stromaufwärts von Sutters Fort entfernt. Wie der Name schon sagt, lag sie an einer Furt über den Fluß. Sie gehörte Eliab Grimes, einem Kaufmann aus San Francisco und Honolulu. Während des Krieges von 1812 hatte sich Grimes der Seefahrt zugewandt. 1820 hatte er eine Reise nach Honolulu unternommen, um später dann Handel in Kalifornien zu betreiben. Einige Jahre lang war er für verschiedene Schiffe verantwortlich, die er schließlich aufkaufte und für seine Geschäfte einsetzte. 1840 wurden er und sein Neffe, Hiram Grimes, unter dem Namen E. & H. Grimes Geschäftspartner. Es war der Beginn dieser bekannten kalifornischen Handelsfirma.

Als Kaufmann hatte Grimes geschäftliche Verbindungen mit Sutter, er war auch über seine Aktivitäten am Sacramento im Bilde, aber erst 1842 stattete er Sutters großem Fort einen Besuch ab. Der leutselige Sutter hieß ihn herzlich willkommen, denn es machte ihm Spaß, bedeutende Besucher zu empfangen und sie mit seinen Errungenschaften zu beeindrucken. Während seines Aufenthaltes dort suchte sich Grimes für seine eigene Ranch ein schönes Stück Land jenseits des American River aus, wo John Sinclair sein Verwalter wurde. Bald nach diesem Besuch beantragte Grimes die mexikanische Staatsbürgerschaft, die er am 5. Oktober 1843 erhielt. Im folgenden Jahr, am 16. Dezember 1844, bat er die Regierung offiziell um die Übertragung des El Paso-Geländes. Am 24. Dezember 1844 unterzeichnete der Gouverneur Micheltorena, der immer bereit war, Sutters Freunden zu helfen oder einen Gefallen zu tun, die Übertragungsurkunde.

Grimes hatte bestimmt nie die Absicht, das Land selbst zu besiedeln. Er hatte bereits John Sinclair als seinen Verwalter eingesetzt. Dieser identifizierte sich so vollständig mit der Ranch, daß Reisende und Siedler sie normalerweise „Sinclairs Wohnsitz" nannten. Grimes blieb in San Francisco und bewirtete seine alten Freunde großzügig, vor allem mit Bourbon. Auch während der aufregenden Tage des Goldrausches verließ er die Stadt nicht, bis er im Oktober 1848 starb.

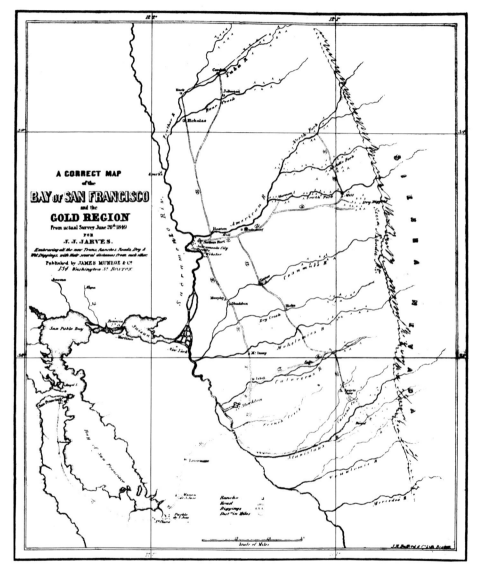

Karte der Goldregion aus dem Jahre 1849

Sinclair hatte viele Erfahrungen im Westen gesammelt. Einige Jahre lang hatte er für die Hudson Bay Company in Oregon gearbeitet. Später gab er in Honolulu eine Zeitung heraus. Im Dezember 1839 besuchte er den Gouverneur Juan B. Alvarado in Monterey und bat ihn um einen Paß, der ihm den Aufenthalt in dem Land ermöglichen würde. Er wollte sich also in Kalifornien niederlassen. Im nächsten Jahr, 1840, suchte er Sutter in Neu Helvetia auf, als die Siedlung noch im Entstehen war. Sutter, eifrig wie immer, beauftragte Sinclair sofort, die Inseln zu besuchen, um eine Handelsgenehmigung für sich zu erhalten. Diese Verhandlungen verliefen nicht erfolgreich. Aber Sinclair traf damals Eliab Grimes und vereinbarte mit ihm, er würde die Ranch am American River für ihn in Besitz nehmen. Im Dezember 1841 wurde Sinclair eingebürgert und ließ sich 1842 auf der „Rancho del Paso" nieder, wo er blieb, bis der Sturm auf die Goldfelder die meisten alten Siedler und Farmer mit sich riß.

Weber begab sich in der Nacht des 2. März also zu Sinclairs Wohnsitz, nachdem er Sutters Fort verlassen hatte. Sicherlich hat er mit Sinclair über das aufregendste Ereignis des Tages gesprochen – die Entdeckung des Goldes. Sinclair, der erfahrene Rancher und Geschäftsmann, war genau die Person, mit der man diese neuen Entwicklungen besprechen konnte. Weber blieb nur eine Nacht bei ihm. Am nächsten Tag reiste er wieder nach Süden und hatte bei dem Gedanken, was die Zukunft wohl bringen würde, sicher gemischte Gefühle. Er folgte dem ausgetretenen Pfad nach Stockton und San Jose und machte am Cosumnes, ungefähr 18 oder 20 Meilen entfernt, Halt. Dort hatten sich in den vierziger Jahren mehrere Pioniere als Farmer niedergelassen und Häuser gebaut. Am Nordufer des Flusses bewirtschafteten Jared (Joaquín) Sheldon und sein guter Freund, William Daylor, gemeinsam die Omochumnes-Ranch. Etwas unterhalb von ihnen wohnte Martin Murphy Jr., der das Los Cazadores-Gelände von Ernest Rufus am 14. Mai 1845 gekauft hatte. Daran schlossen sich die mit Rohrkolben bewachsenen Sümpfe an.

Auf der gegenüberliegenden Seite des Flusses hatte William Edward Hartnell am 24. Januar 1844 54 Quadratmeilen erworben. Seine Ranch war bekannt unter den Namen „Rancho de Hartnell" und „Rancho Cosumnes". Es handelte sich ganz offensichtlich um Landspekulation, denn Hartnells Interesse galt hauptsächlich Monterey, dem Regierungssitz. Hinter Hartnells Ranch lag die von Don Anastacio Chaboya; sie erstreckte sich zum Rio de las Uvas, der meistens Dry Creek genannt wurde. Weber kannte alle diese Siedler gut, und da sie auf dem Weg zwischen Sutters Fort und Stockton wohnten, war es nur allzu natürlich, daß er seine alten Freunde aufsuchte.

William Daylor war der Pionier am Cosumnes. Er war Engländer, 1810 geboren und zur See gegangen. 1835 verließ er sein Schiff in Monterey. Dort machte er die Bekanntschaft von Jared Sheldon, der allgemein Joaquín Sheldon genannt wurde (welcher Mexikaner konnte schon den Namen Jared korrekt aussprechen?). Dieser nahm ihn bei sich auf, und die beiden wurden Freunde fürs Leben.

Sheldon war von Beruf Lehrer, hatte aber auch Kenntnisse als Tischler und Maurer, und Daylor konnte viel von ihm lernen. 1840 schloß sich Daylor Sutters Kolonie in Neu Helvetia an, die wie ein Magnet die Leute anzog. Dort arbeitete er eine Zeitlang als Koch. Sein Freund, Perry McCoon, folgte ihm bald nach und wurde der Aufseher von Sutters Herden.

Jared Sheldon wurde 1813 in Vermont geboren, wanderte 1833 nach Ohio und ein Jahr später nach Iowa aus, wo er ein Jahr lang seinen Lehrberuf ausübte. Er heiratete, doch seine Frau starb bald darauf. Er zog weiter nach Westen: nach St. Louis, New Mexico und 1834 nach Kalifornien, wo er sich schließlich in Monterey niederließ. Sheldon war ein vielseitiger Mann; er war Farmer, Feldmesser, Tischler und Maurer. Mit solchen Fähigkeiten fand er ohne Schwierigkeiten Arbeit und blieb mehrere Jahre in Monterey. Kurze Zeit nachdem sein Freund Daylor zu Sutters Fort gezogen war, folgte er ihm nach und wurde als Tischler angestellt. Was diese Männer wirklich suchten, war eigenes Land. Daylor fand eine Stelle, die ihnen beiden sehr gefiel, das Cosumnes-Tal. Man erzählte, daß sie auf der Suche nach Sutters Pferden waren, die sich von ihren ausgetrockneten Weideplätzen entfernt hatten. Daylor entdeckte sie in den Händen der Omochumnes-Indianer in einer kleinen geschützten Bucht am Cosumnes. Er kehrte zu Sutters Fort zurück, um Hilfe zu holen, und überredete seinen Freund Sheldon, mit ihm zu kommen. Sheldon war in einigen Indianersprachen bewandert. Mit Geschenken konnten sie die Indianer veranlassen, die Pferde herauszugeben. Sie brachten die Herde sicher zum Fort zurück. Wichtiger noch für Daylor und Sheldon war die Entdeckung des wunderschönen Cosumnes-Tals, wo sie sich niederlassen wollten.

Um Land zu bekommen, mußte man mexikanischer Staatsbürger sein. Sheldon, der schon lange in Kalifornien war, wurde am 5. Oktober 1843 naturalisiert. Im gleichen Jahr noch beantragte er eine Landzuweisung von 45 Quadratmeilen (ca. 11.520 ha) am Nordufer des Cosumnes. William Hartnell unterstützte ihn dabei als sein Rechtsanwalt. Am 8. Januar 1844 billigte der Gouverneur seinen Antrag. Das Land, um das es ging, war das ehemalige Siedlungsgebiet der Omochumnes-Indianer, und deshalb wurde seine Ranch nach ihnen benannt. Sie lag am oberen Teil des Flusses in der Nähe des Vorgebirges. Bei diesen Landtransaktionen waren Sheldon und Daylor Partner, auch wenn die Landübertragung nur auf Sheldons Namen lautete, da nur er eingebürgert worden war. Zunächst lebten die beiden zusammen, doch später baute sich jeder sein eigenes Haus ungefähr eine halbe Meile voneinander entfernt. Beide heirateten 1847; Daylor heiratete am 4. März die 17-jährige Sarah Rhoads und Sheldon am 14. März ihre Schwester Catherine, die erst 14 Jahre alt war. Der Vater der Mädchen war Thomas Rhoads (oft Rhoades geschrieben), ein Mormone aus Kentucky, der eine Frau und zwölf Kinder hatte. Erst vor kurzem war er in Kalifornien eingetroffen (1846) und hatte sich am Cosumnes niedergelassen.

Ernest Rufus gehörte ebenfalls zu denjenigen, die Land am Cosumnes erwarben. Er kam aus Deutschland. Wie er seinen Weg nach Kalifornien fand, ist nicht bekannt. Wir wissen jedoch, daß er nach seiner Einbürgerung im März 1844 in Sutters Armee während der Micheltorena-Kampagne gedient hat. Am 20. Juli 1844 erbat er von Gouverneur Micheltorena ein 12 Meilen breites Stück Land am Cosumnes, das unter dem Namen „Los Cazadores" (Die Jäger) bekannt und unterhalb von Sheldons Land gelegen war. Die Leute nannten das Gebiet aber normalerweise „Rancho de Ernesto". Am 14. Mai 1845 verkaufte es Rufus an Martin Murphy Jr.

Diese Pioniere waren alle mit Charles Weber befreundet oder gut bekannt. Vor der Entdeckung des Goldes waren diese Landbesitzer mit ihren Gärten und Feldern und der Rinder- und Pferdezucht beschäftigt. Alle außer Marsh, Livermore und Weber wohnten im Umkreis von Sutters Fort und befanden sich unter seinem Schutz, denn Sutter war die oberste zivile und militärische Autorität an der Sacramento-Siedlungsgrenze. Er behielt diese Machtbefugnis bis zum Ende der mexikanischen Herrschaft.

Als das Gold in Coloma entdeckt wurde, versuchte jeder, von dieser unerwarteten Chance auf seine Weise zu profitieren. Sheldon z.B. betrieb weiterhin seine Getreidemühle, die jetzt wichtiger als je zuvor war, und seine Ranch und schürfte Gold im Cosumnes-Tal. Daylor grub nach Gold, wahrscheinlich in Coloma, um zu schnellem Reichtum zu gelangen. Etwas später ging er zum „Weber Creek" und traf dort auf Weber und seine Leute. Martin Murphy und sein Bruder John kamen, wie man in Sutters Tagebuch nachlesen kann, ziemlich häufig im Jahre 1848 nach Neu Helvetia und beteiligten sich auch an der Jagd auf das Gold. Vielleicht arbeiteten sie mit Weber zusammen. Sutters Fort war zur damaligen Zeit der Haupteingang zu den Goldfeldern. Dort erhielt man auch Informationen über neue Goldlager, die Aktivitäten der anderen und Proviantquellen. Im Verlauf des Jahres 1848 hörte man jeden Tag von neuen Goldfunden, und die Glücksucher folgten den jeweils neuesten Gerüchten in der Hoffnung, ein Vermögen zu machen.

Sutters Tagebuch enthält einige interessante Einzelheiten über diese Ereignisse. Am 26. Januar kam Martin Murphy zu seinem Fort und fuhr am nächsten Tag wieder ab. Am 29. Februar schickte Sutter zwei Wagen zu Sheldons Mühle, um Mehl zu holen. Außerdem kam Martin Murphy und reiste am 1. März wieder ab. Am 2. März fanden sich Daylor und Weber dort ein, wie wir schon gehört haben. Und die Wagen kehrten mit Mehl vom „Cosumney" zurück. Dieser Hinweis zeigt, daß Sutter dringend Nahrungsmittel brauchte für die zahlreichen Leute, die sich im Fort zusammengefunden hatten. Sutter versorgte seine Kolonie mit Mehl und anderen notwendigen Dingen. Er hatte auch Arbeiter, meistens Indianer, die die Felder fürs Pflügen, Eggen und Säen vorbereiteten. Sutter war tatsächlich ein besserer Farmer als Geschäftsmann. Er wußte, wie wichtig es war, die Frühjahrsernte in den Boden zu bekommen, denn nur so konnte man hoffen zu überleben. Er vernachlässigte nie diese wichtige Tätigkeit. Während des Frühjahrs 1848 bestand eine rege Verbindung zwischen Sutters Fort, der Sägemühle in Coloma, den Siedlungen am Cosumnes und der Bucht von San Francisco. Sutter besaß mehrere Schiffe, die „Sacramento", die „Londressa" und die „Dice mi Nana", die regelmäßig nach San Francisco fuhren und Passagiere und Vorräte beförderten. Viele andere legten den Weg auch zu Fuß, zu Pferde oder mit privaten Booten zurück, wenn sie sich diesen Luxus leisten und außerdem die Strapazen ertragen konnten. Die Siedler am Cosumnes lebten in der Nähe, so daß sie natürlich über die Ereignisse in Neu Helvetia und Coloma auf dem laufenden waren.

Trotz des Goldfundes lag Sutter die Sägemühle sehr am Herzen, und er hielt seine Männer ständig zum Arbeiten an. Er sah, wie aufgeregt sie waren bei dem Gedanken an schnellen Reichtum, und fühlte, daß sie ihn jeden Moment im Stich lassen könnten. Er verlangte von den Mormonen unter seinen Arbeitern das Versprechen, daß sie bis zur Vollendung seiner Sägemühle bei ihm bleiben würden, und die meisten hielten dieses Versprechen auch ein, so daß Marshall am 11. März 1848 die Mühle fertigstellen konnte. An diesem Tag wurden die ersten Bretter geschnitten. Aus der ganzen Umgebung fanden sich Indianer ein, um das „Ungeheuer" zu betrachten, das Baumstämme ohne menschliche Arbeitskraft zersägte. Dabei ging es in ihren Augen nicht mit rechten Dingen zu. Einer der Indianer, der eine solche Sache für ausgeschlossen gehalten hatte, lag nun zwei Stunden lang auf dem Bauch am Rande des Mühlgrabens, von wo aus er die Säge in Aktion gut beobachten konnte. Er brachte nur „Bueno, bueno" hervor und erklärte, er wolle nun ein Holzsäger werden.

Pflichtbewußt wie Sutters Arbeiter waren, konnten sie doch der Versuchung nicht widerstehen, in ihrer Freizeit nach Gold zu graben, und einige erlebten geradezu fantastische Abenteuer. Am 6. Februar 1848 verließen Henry Bigler und ein anderer das Sägewerk, um unter dem Vorwand, Enten zu jagen, auf Goldsuche zu gehen. Sie überquerten den Fluß und fanden an einem blanken Felsen gegenüber der Mühle Gold im Werte von zehn Dollar, das sie mit ihren Taschenmessern abkratzten. Am folgenden Samstag ging Bigler allein eine halbe Meile flußabwärts. Einige Felsen auf der anderen Seite erregten seine Aufmerksamkeit. Er schwamm hinüber und kam mit einer Unze Gold zurück. Einige Tage später ging er noch einmal zu der Stelle und fand anderthalb Unzen. Biglers Gefährten fragten sich, was er an den Wochenenden und Regentagen eigentlich immer machte. Er gab zu, daß er nicht auf Enten-, sondern auf Goldjagd gewesen war. Mehrere seiner Freunde schlossen sich ihm nun an. Sie gingen flußauf- und flußabwärts und stießen überall auf Gold.

Zunächst bemühte sich Sutter, die Nachricht von der Entdeckung des Goldes geheim zu halten. Aber bald wußte jedermann Bescheid. Die Arbeiter in Coloma waren natürlich von Anfang an unterrichtet. Als der Fuhrmann Jacob Wittmer am 14. Februar mit zwei Wagen aus den Bergen nach Neu Helvetia zurückkehrte, „erzählte er allen von den Goldminen dort und brachte einige Proben mit", wie Sutter in seinem Tagebuch schrieb. Sutter selbst vertraute sich seinen Freunden an. Dem General Vallejo in Sonoma teilte er am 10. Februar mit: „Ich habe eine Goldmine entdeckt, die aufgrund unserer Untersuchungen außergewöhnlich reich an Gold ist."

Die Nachricht breitete sich weiter aus, als Mitte Februar Charles Bennett von Sutter den Auftrag bekam, von Colonel Richard B. Mason, dem damaligen Gouverneur in Monterey, die Bestätigung von Sutters Anrecht auf das Indianergebiet um Coloma einzuholen. Bennett hatte eine Wildledertasche mit sechs Unzen Gold bei sich, und diese Tasche sollte eine wichtige Rolle in der Geschichte Kaliforniens spielen. Nach Bancrofts Aufzeichnungen „wurde sie ihm bald zu schwer." Unterwegs hielt er bei Von Pfisters Laden in Benicia an. Dort hörte er, wie jemand mit der Entdeckung einer Kohlengrube am Mt. Diablo prahlte. Da konnte sich Bennett nicht länger zurückhalten. „Kohle", rief er aus, „ich habe hier etwas, das viel mehr wert ist als Kohle und unser Land zum reichsten Land der Erde machen wird." Dabei zeigte er den Leuten seine Tasche mit Gold.

Die zwei Wochenzeitungen in San Francisco erwähnten die Entdeckung des Goldes zunächst nicht. Erst am 15. März brachte der „Californian" einen unauffälligen Artikel mit der Überschrift „Goldmine gefunden":

„In dem neu angelegten Mühlbach des kürzlich von Captain Sutter am American Fork erbauten Sägewerkes sind beträchtliche Mengen Gold gefunden worden. Jemand hat Gold im Werte von 30 Dollar nach Neu Helvetia gebracht, das er in kurzer Zeit dort gesammelt hatte."

Einige Tage später berichtete der „California Star", daß 40 Meilen oberhalb von Sutters Fort Gold gefunden worden sei. Die Meldung schien in der Öffentlichkeit kein besonderes Echo zu erzeugen. Erst als Sam Brennan, der populäre und lebhafte Mormonenführer, von einem Besuch von Coloma nach San Francisco zurückkehrte, wo er klugerweise ein Geschäft eröffnet hatte, breitete sich das Goldfieber wie eine ansteckende Krankheit aus. Um den 12. Mai herum zeigten sich Brannans Führereigenschaften und sein Talent für Werbung. Er schlenderte die Montgomery Straße entlang mit einer Flasche voll Gold in einer Hand. Mit der anderen Hand schwenkte er seinen Hut und rief: „Gold, Gold, Gold vom American River!"

Brannans Begeisterung und sein Talent für Show trugen ganz erheblich dazu bei, die Zweifler umzustimmen. Anstatt sich heimlich von daheim fortzustehlen, um die Goldlager zu erkunden, zogen nun ganze Massen aus den Städten heraus. Ehrenwerte Bürger ließen alles zurück und strömten in das Vorgebirge. Am 10. Juni 1848 beschrieb Moerenhout, der französische Konsul in Monterey, in einem Brief an seinen Gesandten die Situation. In einem Brief vom 15. Mai hatte er von der Entdeckung des Goldes berichtet; nun fügte er hinzu, daß die jetzige Situation alles Vergangene in den Schatten stelle. Als er am 20. Mai in San Jose eintraf, „hatten mehr als zwei Drittel der Amerikaner und der anderen Ausländer, die in der Hafenstadt Yerba Buena wohnten, die Stadt verlassen und waren zum Sacramento aufgebrochen . . ." Die Unruhe, so erklärte er, war von Sonoma und Yerba Buena ausgegangen, denn diese Plätze waren nicht weit vom Sacramento entfernt. Aber jetzt breitete sie sich wie eine Epidemie über das ganze Land aus. Alle Ausländer in San Jose bereiteten sich auf ihren Aufbruch vor. Aus Santa Cruz waren bereits alle abgezogen. Moerenhout war erstaunt darüber, daß sich bisher kaum ein Mexikaner oder Kalifornier auf den Weg gemacht hatte. Der Handel in diesem Land, so schrieb er, „ist vollkommen gelähmt".

Die ersten Goldjäger gruben das kostbare Metall mit Taschenmessern und anderen behelfsmäßigen Werkzeugen aus Felsadern aus. Erst von Isaac Humphrey, den Bennett in San Francisco getroffen und dem er seine Tasche mit dem Gold gezeigt hatte, bekamen die Leute während seines Besuches in Sutters Fort fachkundige Ratschläge über die Goldwäscherei. Am 7. März 1848 kam er im Fort an, und bereits am nächsten Tag war er mit einer Pfanne unterwegs. Am folgenden Tag benutzte er einen Hebel. Diese Neuerung bedeutete den ersten Einsatz maschineller Methoden beim Goldgraben in Kalifornien und gab ihm neuen Auftrieb.

Diese Arbeitsweise konnte Colonel Richard B. Mason von der US-Armee im Sommer 1848 beobachten. Als Militärgouverneur von Kalifornien inspizierte er die Goldfelder, um zu überprüfen, ob tatsächlich Gold gefunden wurde, und wenn ja, wie umfangreich die Vorkommen waren. Man überreichte ihm einige besonders schöne Goldproben, und er unterhielt sich mit vielen Goldgräbern wie z.B. Marshall, Sutter, Weber, Sinclair und Dye. In einem Schreiben an den Kriegsminister entschuldigte er sich für seinen verspäteten Bericht. „Der Grund", so schrieb er, „ist, daß ich den Berichten über den Reichtum im Goldgebiet erst Glauben schenken konnte, nachdem ich mich bei einem Besuch mit eigenen Augen überzeugt hatte."

Mason war Ende Juni von San Francisco aufgebrochen und erreichte Sutters Fort am 2. Juli 1848. „Auf dringendes Bitten vieler Herren, hielt ich mich etwas länger dort auf, um an der ersten öffentlichen Feier unseres Nationalfeiertages in dem Fort teilzunehmen." Danach reiste er weiter. Ungefähr 25 Meilen flußaufwärts von dem Fort, bei den Lower Mines oder Mormon Diggings, sah er etwa 200 Männer in der blendenden, heißen Sonne arbeiten:

„. . . mit Blechpfannen, andere mit enggeflochtenen Indianerkörben, die meisten jedoch hatten eine einfache Maschine, die „Wiege" genannt wurde. Sie steht auf Kufen, die sechs bis acht Fuß lang sind. Am Fußende ist sie offen, und am Kopfende ist ein grobes Gitter oder ein Sieb angebracht; der Boden ist abgerundet und mit kleinen Latten quer zusammengenagelt. Man benötigt vier Männer für die Arbeit an dieser Maschine: einer gräbt die Erde am Flußufer um, ein zweiter trägt sie zu der „Wiege" und leert sie über dem Gitter aus, ein dritter versetzt die Maschine in heftige Schaukelbewegungen, und ein vierter schließlich gießt Wasser aus dem Fluß darauf. Das Sieb verhindert, daß die groben Steine in die „Wiege" fallen; der Wasserstrahl wäscht die Erde ab, und der Kies wird langsam am Fußende abgeleitet. Das mit schwerem, feinem, schwarzem Sand vermischte Gold bleibt an den ersten Querlatten hängen. Das Sand-/Goldgemisch wird dann durch Bohrlöcher in die darunter befindliche Pfanne abgeleitet, in der Sonne getrocknet und schließlich durch das Wegblasen des Sandes getrennt."

Mason gab außerdem an, daß vier Leute im Durchschnitt auf ungefähr hundert Dollar pro Tag kämen. Er fuhr fort: „Ich scheue mich nicht zu behaupten, daß in dem Land am Sacramento und San Joaquin hundertmal mehr Gold vorhanden ist als der gegenwärtige Krieg mit Mexiko kostet." Über die Kosten der Ausrüstung eines Goldgräbers sagte er: „Man braucht kein Kapital, um an dieses Gold heranzukommen. Alles, was der Arbeiter braucht, sind eine Spitzhacke, eine Schaufel und eine Blechpfanne zum Graben und zum Kieswaschen. Viele schneiden das Gold einfach mit ihren Messern aus den Felsritzen. Die Stücke, die sie herausbrechen, wiegen zwischen einer und sechs Unzen."

Das waren wirklich aufregende Neuigkeiten! Mason führte auch Beispiele an, wieviel Gold ein einzelner sammeln konnte. „Ich kenne keinen Arbeiter, der nicht mindestens zwei, drei oder vier Pfund Gold vorweisen kann." Er erzählte dann von einem Soldaten, der von einem 20-tägigen Urlaub mit 1500 Dollar zurückkam, einer größeren Summe als der, die er „in einer fünfjährigen Militärdienstzeit an Sold, Bekleidung und Essen bekommen hätte".

Mason erwähnte darüberhinaus eine komische, aber dennoch typische Begebenheit: „. . . ein unbedeutendes Ereignis, das in meinem Beisein in Webers Laden am Weber Creek passierte. Dieser Laden war nichts anderes als eine Laube aus Büschen, in der Weber Waren und Lebensmittel für seine Kunden zum Kauf anbot. Ein Mann kam herein, nahm eine Schachtel Seidlitzpulver in die Hand, das als mildes Abführmittel benutzt wurde, und erkundigte sich nach dem Preis. Captain Weber erwiderte, daß dies nicht zum Verkauf bestimmt sei. Der Mann bot ihm eine Unze Gold, aber Weber sagte ihm, die Schachtel koste nur 50 Cent, er wolle sie jedoch nicht verkaufen. Schließlich bot der Mann anderthalb Unzen an, die Weber nicht ausschlagen konnte."

Über einen Monat vor Masons Inspektionsreise, am 1. Juni, hatte Thomas O. Larkin, der US-Konsul in Kalifornien, den Minister James Buchanan über die Entdeckung des Goldes unterrichtet. „Ich muß dem Außenministerium von einer der erstaunlichsten und aufregendsten Angelegenheiten, die es je in unserem Land gegeben hat und die der Regierung gemeldet wurden, Mitteilung machen." Und dann beschrieb er die Stelle, wo das erste Gold gefunden worden war: „ein weites Gebiet, das Gold in kleinen Teilchen enthält von der Oberfläche bis in eine Tiefe von 18 Inches. Man nimmt an, daß das Gold noch weiter in die Tiefe reicht und sich über das Land erstreckt. Die Fundstelle liegt am American River."

In seinem Bericht fügte Larkin hinzu, er habe einen Hinweis auf die Arbeit eines Mannes gelesen, „die ihm im Durchschnitt 25 Dollar pro Tag einbrachte. Andere haben an einem Tag mit einer Schaufel und einer Pfanne oder einer Holzschale Gold im Wert von 10 bis über 50 Dollar herausgewaschen." Er erzählte, wie einfach es sei, an das Gold heranzukommen, und was für eine Wirkung dieses außergewöhnliche Ereignis auf die Leute in Kalifornien habe. In Strömen verließen sie ihr Zuhause, um ihr Glück zu machen. Es gab Männer, die mit „20 bis 30 Unzen Gold im Wert von 300 Dollar" nach San Francisco zurückgekommen waren. Die Folge war, daß mindestens die Hälfte der Wohnungen in der Stadt leer standen. Die Wohnungsinhaber waren alle zum Sacramento aufgebrochen. Wie schon Moerenhout, so stellte Larkin fest, daß sich nur wenige Kalifornier diesem Exodus angeschlossen hatten. „Sie fürchten, die Amerikaner werden bald miteinander in Streit geraten und die ganze Umgebung in Unruhe versetzen." In einem weiteren Schreiben an Minister Buchanan vom 20. Juli teilte er ihm folgendes mit: „Die Kalifornier verlassen nun in Eile die Städte und Farmen, um nach Gold zu graben. Im allgemeinen nehmen sie im Gegensatz zu vielen Amerikanern ihre Familien nicht mit."

Goldgräber in Kalifornien

In seinem ersten Bericht, dem vom 1. Juni, schrieb Larkin, daß die Aufregung noch nicht bis Monterey vorgedrungen sei. Abweichend davon stellte James H. Carson aus Monterey zehn Tage früher fest, er sei am 10. Mai überwältigt gewesen von dem Goldfieber in der Stadt, als einer seiner Freunde mit einem Sack voll Gold auf dem Rücken zurückgekehrt sei. Larkins Brief erreichte das Außenministerium am 13. September, und Masons Bericht vom 7. Juli traf wahrscheinlich Ende November 1848 ein, gerade rechtzeitig, um in Präsident Polks Ansprache an den Kongreß am 5. Dezember einzufließen. Larkins Briefe an den Minister wurden sehr bekannt. Sein Schwager Ebenezer Childs teilte ihm mit: „Deine Briefe und die von anderen sind im ganzen Land in den Zeitungen erschienen." Childs äußerte die Befürchtung, „das Kalifornien-Fieber könnte sich in den gesamten Vereinigten Staaten ausbreiten . . ." Tatsächlich begann der Exodus nach Kalifornien im Herbst 1848.

VIII. KAPITEL

Kaufmann und Goldgräber
1848 – 1849

Obwohl die Entdeckung des Goldes Weber und seinen Freunden Glück brachte, wurden sie doch mit einer schweren Entscheidung konfrontiert – sollten sie Goldsucher und -händler werden oder in Stockton bleiben und die Stadt weiter aufbauen? Würde das Gold bald vergessen sein oder aber bleibende Folgen haben? Mit der für ihn charakteristischen Entschlossenheit ergriff Charles Weber die sich ihm bietenden Möglichkeiten und sicherte sich auf beiden Fronten ab – als Geschäftsmann und als Goldsucher. Während einige seiner Männer in Stockton blieben, um sich um das Geschäft zu kümmern und die Verbindungen aufrechtzuerhalten, verbrachte Weber mit den anderen die Sommermonate 1848 auf der Suche nach Gold. Von Anfang an galt jedoch sein Hauptinteresse dem Handel und nicht dem Goldschürfen. Dank seiner Erfahrung als Kaufmann und seiner zahlreichen Freunde unter Weißen und Indianern konnte er weitere Vorräte beschaffen und Waren per Schiff besorgen. Er war also in der beneidenswerten Lage, die Goldgräber mit Nahrungsmitteln, Kleidung, Werkzeugen und anderen dringend benötigten Gegenständen zu versorgen.

Ein sehr wichtiger Grund für Webers Erfolg war seine Freundschaft mit dem Häuptling José Jesús, die ihm das Vertrauen der Indianer eingebracht hatte. Deshalb konnte er viele von ihnen zur Goldsuche in den Felsschluchten einsetzen. Dieser Dienst verdiente eine Belohnung, und Weber gab ihnen im Austausch gegen Goldstücke die Dinge, auf die sie Appetit hatten oder die ihre Eitelkeit befriedigten – gutes Essen in reichlichen Mengen, Kleidungsstücke, Schmuck und jede Art von Krimskrams zur Zierde. Webers Goldgräbertruppe stürzte sich wahrscheinlich im April 1848 ins Abenteuer. Nach einer ersten vergeblichen Suche am Stanislaus zogen sie weiter nach Norden. Das Blatt wendete sich, als sie den Mokelumne erreichten. Sie gruben das Flußbett weiter aus bis zu einer festen Lehmschicht. Dort machten sie einen reichen Fund in der Höhlung eines indianischen Mörsers. Die Indianer hatten an dieser Stelle nämlich Eicheln und Samen zerstampft. Von da an stießen sie in allen Bergbächen auf das kostbare Metall. Schon bald entdeckten sie das Geheimnis der Goldvorkommen; im Laufe von Jahrhunderten hatte sich das Gold auf dem felsigen Untergrund von alten Bächen und Flüssen abgelagert. Den ganzen Sommer über gruben Weber und seine Leute an den Stellen, die am leichtesten zugänglich waren. Diejenigen, die später kamen, mußten die harte Arbeit auf sich nehmen, die Flußbetten auszuheben.

Der Historiker Gilbert gibt 1879 den folgenden Bericht über die Entdeckung des Goldes:

„Ende März 1848 kam ein Mann nach ‚Tuleburgh‘, der Proben von Schuppengold aus Sutters Sägemühle mitbrachte. Er informierte die Leute über die jüngsten Goldfunde am American River, wobei seine Proben als Beweisstücke dienten. Weber war sofort Feuer und Flamme und rüstete einen Goldgräbertrupp aus, der aus einigen seiner Siedler, Fremden und einer Gruppe Si-yak-um-na-Indianern bestand. Sie begannen, das Land östlich des San Joaquin zu erforschen, und arbeiteten sich vom Stanislaus nach Norden vor . . .“

Gilbert notierte, daß sie zunächst kein Glück hatten, bis sie zum Mokelumne gelangten. Wahrscheinlich ist sein Bericht dieser ersten Goldtour teilweise falsch, denn, wie wir gehört haben, war Weber am 2. und 3. März 1848 in Sutters Fort gewesen und hatte zweimal mit Sutter und John Sinclair gesprochen. Einem so gewitzten Manne wie Charles Weber wäre die Bedeutung der Ereignisse vom 24. Januar 1848 in Coloma niemals entgangen.

Vom Mokelumne zogen Weber und seine Leute weiter in Richtung Coloma und suchten überall nach Gold. Insbesondere erforschten sie einen schmalen Fluß, der etwas oberhalb von Coloma in den American River floß und riesige Goldmengen enthielt. Da Weber und seine Männer das Flüßchen ausfindig gemacht hatten, wurde es „Weber Creek“ genannt. Auch dort richtete Weber einen Laden ein. Es war nur ein einfacher Holzschuppen, in dem er seinen Kunden die Dinge und Lebensmittel zum Kauf anbot, die er vorrätig hatte. Dies tat er den ganzen Sommer über in der gesamten Goldregion.

Zum Glück besitzen wir einen zeitgenössischen Bericht, wie Weber und seine Leute diesen kleinen goldhaltigen Fluß entdeckten. Er stammt von E. Gould Buffum, einem Journalisten, der 1847 mit dem Ersten Regiment der New Yorker Freiwilligen unter Colonel Stevenson nach Kalifornien gekommen war. Vor seiner Entlassung aus der Armee am 18. September 1848 war er in La Paz in Niederkalifornien, in Monterey und in Los Angeles stationiert gewesen und hatte Land und Leute etwas kennengelernt. Er konnte der Versuchung nicht widerstehen, die Goldfelder mit eigenen Augen zu sehen. Mit einigen Begleitern brach er am 25. Oktober 1848 auf und zog den Sacramento flußaufwärts bis zum Yuba. Hier erhielten sie einige grundlegende Lektionen im Goldsuchen und fanden auch das erste reine Gold. Wie die meisten Abenteurer wurden sie bald ruhelos und entschlossen sich, ihr Glück in einer anderen Gegend zu suchen. Die Goldgräber waren von Natur aus ein ständig umherziehendes, mobiles Völkchen, das bei jedem Gerücht über einen neuen Goldfund zum Aufbruch drängte. So kamen Buffum und seine Gefährten schließlich zum Weber Creek, der schon sehr bekannt war.

In seinem Buch gibt Buffum eine ausgezeichnete Schilderung der dortigen Ereignisse: „Die ersten Ausgrabungen am „Weaver's Creek“ wurden von einem Deutschen, Charles M. Weber, einem Siedler am San Joaquin, durchgeführt, der sich Anfang Juni 1848 dorthin begeben hatte.“ Er fügte hinzu, daß Weber Handelsware mit sich führte „und bald an die tausend Indianer um sich scharte, die im Austausch gegen die zum Leben notwendigen Dinge und kleinen Flitterkram, mit dem man das Herz eines Indianers erfreuen kann, für ihn arbeiteten." Diese Schätzung der Zahl der für Weber tätigen Indianer zeigt seine Popularität bei der einheimischen Bevölkerung. Offensichtlich sagten seine Waren den Indianern zu, außerdem behandelte er die Indianer freundlich.

Unter „kleinem Flitterkram" verstand Buffum wahrscheinlich die Silbermünzen, Glasperlen, bunten Schleifen und Taschentücher und dergleichen Dinge, die bei den Indianern sehr beliebt waren. Weber kannte diese Vorliebe der Indianer aus seiner eigenen Erfahrung als Kaufmann und hatte deshalb ein großes Angebot an Münzen und Perlen mit auf die Goldfelder gebracht. Am 8. Juli 1848 schrieb Lyman in sein Tagebuch: „John Murphy trieb mit den Indianern am Weber Creek Handel. Er verkaufte ihnen Glasperlen, indem er ihr Gewicht in Gold aufwog . . ." Wie wir wissen, hatte Murphy früher in Webers Geschäft in San Jose gearbeitet.

Buffum berichtet auch, daß sich William Dalor (Daylor), „ein Siedler in der Nähe von Sutters Fort, zu Weber an den Fluß gesellte und daß die beiden mit Hilfe der Indianer in kurzer Zeit mindestens 50.000 Dollar einnahmen". Colonel Mason schrieb einen möglicherweise genaueren Bericht: „Man zeigte mir ein kleines Rinnsal, nicht länger als hundert Yard, vier Fuß breit und zwei Fuß tief. Dort hatten vor kurzem zwei Männer – Wm. Daly (Daylor) und Perry McCoon – Gold im Werte von 17.000 Dollar gefunden. Captain Weber teilte mir mit, daß diese beiden Männer vier Weiße und ungefähr hundert Indianer angestellt und nach einer Woche Arbeit ausbezahlt hätten. Ihnen blieb noch Gold im Werte von 10.000 Dollar übrig."

Der Gewinn aus dem Handel war vielleicht noch größer als der aus dem Goldschürfen, und Weber als erfahrener Kaufmann unterschätzte die Bedeutung des Handels auf den Goldfeldern keineswegs. Die meisten der goldsuchenden Abenteurer waren nur unzulänglich ausgestattet mit Nahrungsmitteln, Werkzeugen, Kleidern und Medikamenten. Sie hatten nur ungenaue Vorstellungen von dem entbehrungsreichen Leben, das vor ihnen lag: sie mußten in Flußläufen arbeiten und bei jedem Wetter im Freien kampieren. In der Nähe gab es keinen Laden, wo sie Arzneimittel oder Vorräte kaufen konnten. Am Anfang waren Coloma und Sutters Fort die einzigen Plätze, wo Vorräte erhältlich waren. Weber erkannte, daß ein Kaufmann in den Bergen fehlte, der die Goldgräber mit den notwendigsten Dingen versorgen könnte. Deshalb richtete er eine mobile Lebensmittel- und Medikamentenversorgung auf dem Goldgelände ein.

Da seine Aktivitäten nun so vielfältig waren und er die Arbeit offensichtlich nicht allein bewältigen konnte, gründete Weber die „Stockton Mining and Trading Company", die erste Gesellschaft dieser Art in Kalifornien. So bekam sein Geschäft einen Namen und einige Aktionäre. Unter ihnen waren Andy

Baker, Joseph Buzzell, George Fraezer (Fraezher), Dr. James C. Isbel (er hatte sich mit seinem Bruder James am Calaveras ungefähr acht Meilen oberhalb von Stockton angesiedelt), John M. Murphy, Edward Pyle und andere.

Der Bestand an Waren und Rindern, den Webers Leute von ihrem Hauptquartier mitgebracht hatten, war bald aufgebraucht. Weber ließ einige Männer zurück und reiste eilig nach Stockton, San Jose und San Francisco, um Nachschub zu holen, z.B. Perlen, Kattun, Kleider, Schuhe, Lebensmittel, Medikamente, Werkzeuge und ähnliche Dinge, die auf den Goldfeldern sehr gefragt waren. Diese Waren wurden per Schiff zu Sutters Landungssteg am Sacramento und von dort in Wagen zum Weber Creek gebracht. Weber besorgte auch Schlachtvieh, um das Verlangen der Goldgräber nach Fleisch zu stillen – die Tiere konnten lebend transportiert werden. Es ist klar, daß Weber als Kaufmann inmitten all dieses Treibens auf den Goldfeldern guten Profit machte. Die mühsame Arbeit, an Flußufern oder im Wasser nach Gold zu suchen, überließ er schlauerweise den anderen.

Um diese Zeit, vielleicht auch schon etwas früher, bat Weber José Jesús, er möge ihm einige Indianer besorgen, die für ihn als Goldgräber arbeiten sollten. Laut Bancroft kamen 25. Nachdem sie die Technik des Goldschürfens kennengelernt hatten, gaben sie gute Arbeiter ab. Sie erfuhren bald, daß sie für einige wenige dieser glänzenden Flocken bunte Kleider, Decken, unechte Schmuckstücke oder ein gutes Stück Rindfleisch bekommen konnten, das sie gierig herunterschlangen. „Als das erste Gold gefunden wurde," schrieb Buffum 1850 in seinem Buch, „hatten sie keine Vorstellung von seinem Wert. Sie waren immer bereit, eine Handvoll Gold gegen eine heißersehnte Speise oder irgendein altes Gewand einzutauschen, das in seiner auffälligen Art ihrer Verspieltheit Rechnung trug." Mit der Zeit lernten auch sie den Wert des edlen Metalles kennen und feilschten hartnäckig.

Die Indianer arbeiteten für Weber wahrscheinlich an dem neu entdeckten Weber Creek, der viel Gold enthielt. Doch schon bald schickte er sie an den Stanislaus und den Tuolumne, wo sie zu Hause waren. In diesen Flüssen sollten sie graben und Weber mitteilen, ob sie fündig geworden waren. Zunächst fanden sie grobes Gold, manchmal in großen Klumpen, am Stanislaus, und Weber wurde darüber ordnungsgemäß informiert. Das Gold, das man bisher entdeckt hatte, waren Flocken oder Stücke gewesen, kleiner als eine Erbse.

Als die Goldgräber in der Gegend die gute Nachricht vernahmen, setzte ein Sturm auf die neuen Schluchten und Klammen ein, wie man sich leicht vorstellen kann. Diese Felder gaben große Mengen des gelben Metalles her und zählten schließlich zu den ergiebigsten und bekanntesten der ganzen Goldregion. Da diese Goldlager erst im Spätherbst 1848 entdeckt worden waren, als die kalte und regnerische Jahreszeit begann und das ansteigende Wasser die Goldsuche erschwerte, kehrten die meisten Goldgräber über den Winter in ihre Unterkünfte zurück. Dort wollten sie sich um ihre Gesundheit kümmern und Vorbereitungen für das nächste Jahr treffen.

Es gibt einige wenige zeitgenössische Berichte über die Entwicklung der Goldgräberei im Jahre 1848. Zu den besten gehören die von Buffum, Carson, Coronel und Ryan. Als einziger gab Ryan eine ganz persönliche Schilderung von Webers Geschäft in San Jose in diesem Jahr.

William Redford Ryan war 1847 als Soldat in Stevensons Regiment der New Yorker Freiwilligen nach Kalifornien gekommen. Nach seiner Entlassung aus der Armee im Oktober desselben Jahres blieb er in Kalifornien und bereitete sich auf seinen Aufbruch zu den Goldfeldern im Sommer 1848 vor. Seinem eigenen Bericht können wir entnehmen, daß er und einige Freunde in Monterey ein paar Leute um sich scharten, die das Goldgebiet erkunden wollten. Unzureichend ausgerüstet und auf Pferden mit wundem Rücken machten sie sich auf den Weg nach San Jose. Dort angekommen, wollten Ryan und einige seiner Leute noch ein paar weitere Dinge kaufen, darunter ein Paar Schuhe für einen der Männer. Sie „gingen in das Geschäft eines Deutschen namens Weaver, der von dem Goldrausch schon mehr profitiert hatte als irgend jemand sonst in der ganzen Umgebung. Vor der Entdeckung des Goldes waren seine Geschäfte nicht besonders erfolgreich gewesen, und er hatte in finanziellen Schwierigkeiten gesteckt. Danach hatte er sich auf umfangreiche Spekulationen im Handel mit Proviant und Manufakturwaren eingelassen und damit in nur wenigen Monaten ein Vermögen gemacht." Dies ist eine der wenigen zeitgenössischen Aussagen über Weber, seinen Erfolg als Kaufmann sowie seine Stellung in der Gesellschaft.

Ryan fügte hinzu, daß einer von Webers Angestellten, ein früherer Armeekamerad, nun „eher wie ein New Yorker Dandy als wie ein Verkäufer gekleidet" war. Diesen Stil konnte er sich jetzt leisten, denn er arbeitete für Mr. Weaver für hundert Dollar pro Monat. Weber „brauchte in seinem Geschäft jemanden, der Englisch sprechen konnte, wegen der gewaltigen Zunahme an Yankee-Kundschaft."

Ein anderer sehr interessanter Bericht über die Goldfelder im Jahre 1848 ist der von James H. Carson, dessen „Early Recollections of the Mines" (Erinnerungen an die erste Zeit der Goldgräberei) zunächst 1852 im „Stockton Republican" veröffentlicht wurden. Er hatte die Goldmanie anfangs als „Humbug" abgetan, war aber schließlich doch in ihren Bann gezogen worden. Die Geschichte seiner Verwandlung vom Skeptiker zum begeisterten Teilnehmer ist mehrere Male veröffentlicht worden und stellt eine der „Rosinen" in der Berichterstattung über „Kalifornien im Goldrausch" dar. In der Zeit, als Marshall das Gold entdeckte, lebte Carson mit sich und der Welt zufrieden in der aufblühenden Stadt Monterey. Carson berichtete, daß im April und Mai viele Einwohner zu den Goldfeldern aufbrachen, er jedoch glücklich zu Hause blieb. Eines Tages sah er eine Gestalt, die „gebückt und dreckig" auf ihn zukam. Es war ein alter Bekannter, den Carson zunächst gar nicht erkannte, denn „sein Haar hing aus seinem Hut heraus, sein bärtiges Kinn war schwarz, seine Wildlederhosen reichten bis zu den Knien, und sein altes Flanellhemd war zerrissen." Diese Gestalt trug einen großen Sack auf dem Rücken. „Da erzählte er mir, es sei Gold, das er innerhalb von fünf Wochen auf Kelseys Land und auf den ‚Dry Diggings' (dem heutigen Placerville) gefunden habe."

Carson erschien das Ganze unglaublich, und er wollte als Beweis das Gold im Sack sehen. Der Mann war einverstanden, „und da fiel das Metall heraus, nicht in Form von Staub oder Schuppen, sondern in Stücken, die die Größe einer Erbse bis zu der eines Hühnereis hatten..." Der Kerl fügte noch hinzu: „Das ist nur das, was ich mit einem Messer abgeschürft habe." Seine Erregung schilderte Carson folgendermaßen:

„Ich machte einige Polkaschritte – ich konnte nicht länger im Haus bleiben. Im Nu war ich auf der Straße auf der Suche nach der notwendigen Ausrüstung. Berge von Gold erschienen vor meinem Auge bei jedem Schritt; Marmorschlösser mit ihrer üppigen Ausstattung blendeten mich; Tausende von Sklaven tanzten nach meiner Pfeife; unzählige hübsche junge Mädchen wetteiferten miteinander um meine Liebe. Das waren die Bilder, die meiner fieberhaften Phantasie entsprangen,... kurzum, das Goldfieber hatte mich ganz heftig gepackt.

Eine Stunde nach diesem ersten Anfall saß ich auf einem alten Maultier, bewaffnet mit einem Handwaschbecken, einer Schaufel, einem quadratischen Stück Eisen, das an einer Seite spitz zulief, einer Decke, einem Gewehr, einigen Yards gedörrten Rindfleisches sowie einem Sack gerösteten Maismehls, und begab mich mit höchster Maultiergeschwindigkeit zu den Goldfeldern."

Carsons Route führte über Stockton. „Wo heute die hübsche und aufblühende Stadt Stockton ist, war damals alles noch in seiner Ursprünglichkeit", schrieb er. „Kein Dampfschiffpfeifen scheuchte den erschreckten Elch auf, auch der Ruf des Zeitungsverkäufers und Glockengeläut wurden nicht vernommen. Es gab allerdings noch ein bißchen Schlamm...." Ungeachtet der Schwierigkeiten zog Carson eilig nach Mormon Island weiter, wo er die Erfahrung machte, daß das Goldsuchen in knietiefem Wasser harte Arbeit bedeutet. Da Kelseys Gebiet und die „Old Dry Diggings" (Placerville) gerade von den Goldgräbern entdeckt worden waren, wandte er sich diesen Zielen zu.

„Ein Ritt von einigen Stunden brachte mich zu Captain Webers Handelsposten am Weber Creek, der von Indianern betrieben wurde. Dort sah ich so viel Gold, daß mein Fieber wieder anstieg. Es gab da Indianer, die für ein Baumwolltaschentuch oder ein Hemd mehrere Handvoll Gold abtraten – Webers Handelsgesellschaft nahm so viel ein, daß er jeden Tag goldbeladene Maultiere zu den Ansiedlungen schickte."

Carson war offensichtlich der Meinung, daß Weber seinen Wohlstand verdient hatte, denn er schrieb: „Er hatte seine Zeit und sein Geld der amerikanischen

Sache geopfert, und er war immer, wenn Gefahr drohte, in unseren Reihen." Dem fügte er eine interessante Bemerkung über die Entdeckung neuer Goldgebiete hinzu. „Die Indianer, die für Sutter und Weber tätig waren, gaben ihnen wertvolle Tips über mögliche neue Goldfelder." Zum Vergnügen seiner Leser benutzte Carson einen besonderen Stil. Viele Angaben in seinem Bericht stützen die Aussagen von Buffum und anderen, deren zeitgenössische Schilderungen dieser außergewöhnlichen Epoche uns erhalten geblieben sind. Was er über Weber berichtete, ist besonders bedeutsam.

Ebenso bemerkenswert waren die Erfahrungen von Antonio Franco Coronel aus Los Angeles, einem der wenigen Hispano-Kalifornier, die ihr ruhiges, friedliches Zuhause gegen die Aufregungen und den Profit der Goldgräberei vertauschten. Mit ungefähr 30 Leuten machte er sich im August 1848 auf den Weg und gelangte auf der Küstenstraße nach San Jose und zum San Joaquin. Am Fluß trafen sie auf Pater José María Suárez del Real, den Priester der Mission Santa Clara, „der eine Menge Gold bei sich hatte" auf dem Rückweg von den Goldfeldern. (Bancroft stellte fest, daß „sowohl Priester als auch Wirte in jenen Tagen offensichtlich von dem Dämon besessen waren.") Da der Priester vom Lager am Stanislaus gekommen war, steuerten Coronel und seine Männer ebenfalls dieses Ziel an, denn die Goldvorkommen hatten sich als außerordentlich ergiebig erwiesen. Bald darauf erhielten sie Besuch von sieben Indianern. Coronel erinnerte sich, daß „jeder von ihnen kleine Säckchen voll Gold hatte, die wie zehn bis zwölf Inches lange Würste geformt waren." Coronel stand an seinen Sattel gelehnt. Auf den Satteltaschen lagen einige gewöhnliche Decken, die als Sattel dienten. Obwohl die Decken gebraucht und schmutzig waren, waren die Indianer ganz versessen darauf. Als er sie neu gekauft hatte, hatten sie nur zwei Pesos pro Stück gekostet. „Einer der Indianer nahm eine Decke und deutete auf den goldgefüllten Sack. Er zeigte auf eine bestimmte Stelle und gab so die Goldmenge an, die er für die Decke anbot." Dann erhöhte er sein Angebot, indem er den Daumen an dem Gold hinuntergleiten ließ. Als Coronel den Handel immer noch ausschlug, erhöhte er sein Angebot, bis Coronel schließlich einwilligte. Die Goldmenge wog 7¼ Unzen. Sofort machte ein anderer Indianer das gleiche Angebot. Auch in diesem Fall weigerte sich Coronel mehrmals, doch der Indianer vergrößerte das Daumenmaß, bis er ebenfalls die Decke bekam. Diesmal steckte Coronel „etwas über neun Unzen" ein. Außer diesen Satteldecken hatte Coronel einen bunten Umhang, den er als Schlafdecke benutzte. Für vier Säckchen Gold war Coronel schließlich bereit, den Umhang zu verkaufen. Das Gold wog „ungefähr 3½ Pfund".

Die Goldmengen in den Händen der Indianer machten Coronel und seine Leute neugierig, und sie bestimmten zwei Späher, die die Eingeborenen zu ihrem Sammelplatz verfolgen sollten. Die Schlucht, bekannt unter dem Namen „Cañada del Barro", war ungefähr tausend Yard lang und reich an Gold. Am 7. Oktober 1848 begann Coronel, ein Stück Land zu bearbeiten, das er abgesteckt hatte, und fand gleich am ersten Tag 45 Unzen grobkörniges Gold. Alle seine Gefährten „erzielten glänzende Resultate", darunter ein gewisser Lorenzo Soto, der in ungefähr acht Tagen etwa 52 Pfund sammelte.

Derjenige, der heute an der Echtheit von Coronels Geschichte zweifelt, weil er annimmt, daß sie seiner Phantasie entsprungen ist, hat möglicherweise recht. Er erzählte sie jedenfalls Bancrofts Assistenten im Jahre 1877. Erwiesen ist, daß im ersten Jahr der Goldentdeckung, 1848, einige der reichsten Funde gemacht wurden und daß Geschichten über plötzlichen Reichtum kursierten, wie man sie besser in keinem Buch hätte finden können. Ein 25 Pfund schweres Goldstück wurde im September 1848 in einer Schlucht in der Nähe des Stanislaus und ein 27½ Unzen schweres Stück auf Kelseys Gelände gefunden. Jeder hoffte auf ein solches Glück, was ja auch verständlich war.

Weber Creek erwies sich als ungeheuer reich an Gold, doch rastlose Goldgräber zogen in verschiedene Richtungen aus und machten überraschende Entdeckungen. Laut Buffum brach einer von Daylors Männern auf der Suche nach neuen Goldquellen vom Weber Creek in das Hügelland auf. Er stieß auf eine ganz erstaunliche Goldstelle – die „Old Dry Diggings" (später hieß das Gebiet Placerville), „die bisher Tausende von Dollar an Gold abgeworfen haben." Nach Carsons Ansicht zählten Dr. Isbel und Daniel und John Murphy, „die mit Capt. Webers Handelsniederlassungen in Verbindung standen", zu den dortigen Pionieren. Weber hielt sich ebenfalls eine Zeitlang in dem Gebiet auf. Die Gesamtbevölkerung betrug in diesem ersten Jahr (1848) nur ungefähr 300, „alte Pioniere, einheimische Kalifornier, Deserteure aus der Armee, der Marine und von Colonel Stevensons Freiwilligen ... die glücklichsten Männer auf Erden. Jeder von ihnen hatte genügend Gold. Das Tageseinkommen der Arbeiter belief sich auf drei Unzen bis fünf Pfund Gold." Geschichten dieser Art zeigen, wie reich man in diesen außergewöhnlichen Tagen, die jedoch einmal zu Ende gehen mußten, werden konnte.

Auf den Goldfeldern, wo es anstelle von Straßen nur Pfade gab, so daß man oft zu Fuß gehen mußte, waren viele Dinge rar oder gar nicht erhältlich. Auch der Goldpreis variierte, teilweise wegen der Nachfrage der Spieler nach Hartgeld oder der Bereitschaft der Goldgräber – Weiße oder Indianer – jeden Preis zu bezahlen, den der Verkäufer verlangte. Das kostbare Metall konnte also in jeder Menge für vier oder fünf Dollar pro Unze auf den Feldern und für sechs bis acht Dollar in den Küstenstädten gekauft werden. Das war eine besondere Situation, die zeitlich begrenzt war und von der vor allem die Händler profitierten.

Im August 1848 wurde Weber Creek für „ausgeschöpft" erklärt, worauf die rastlosen Goldgräber nach Süden zum Stanislaus und zum Tuolumne eilten. Dort hatten Webers Späher und sicherlich auch andere reiche Goldvorkommen entdeckt, und er errichtete an der Stelle einen Handelsposten. Weber selbst zog sich im September 1848 von den Goldfeldern zurück und löste seine Handelsgesellschaft auf. Chester S. Lyman, der damals auf den kalifornischen Goldfeldern unterwegs und später als Professor an der Yale Universität tätig war, notierte am 23. August in seinem Tagebuch, daß Weber „seinen Handelsstützpunkt zu den Feldern weiter im Süden verlegt" habe.

Ende 1848 wurde offensichtlich, daß der Ansturm der Leute auf die Goldfelder in dem zu Ende gehenden Jahr nur ein Anfang gewesen war. Ungeheuer ergiebige Goldfelder wurden am Stanislaus in Jamestown, Sonora, Murphy's, Woods' Creek und anderswo entdeckt. Weber erkannte, daß Stockton das natürliche Eingangstor zu diesem neuen Goldgebiet war, ebenso wie Sacramento die Pforte zu den Regionen weiter im Norden. Weber überließ deshalb seinen Mitarbeitern das Geschäft in den Goldgräberlagern und widmete sich von nun an der Entwicklung von Stockton. Buffum lobte seinen Erfolg. „Der Mann, der auf den Goldfeldern am erfolgreichsten war, ist wahrscheinlich Charles M. Weber . . .", der, bevor er sein Leben als Goldgräber und Händler aufgab, „einen Gewinn von 400.000 bis 500.000 Dollar gemacht hatte".

Weber war nun bereit, seine Energie und sein Vermögen in den Bau einer Stadt zu stecken. Stocktons Zukunft erstrahlte wie im Glanze eines Goldstückes.

Als Charles Weber im September 1848 nach einem arbeitsreichen Sommer auf den Feldern in das Dorf Stockton zurückkehrte, fand er noch die gleiche bescheidene Siedlung vor, die er im Frühjahr verlassen hatte. Joe Buzzells Blockhaus mit seinem Rohrkolbendach war das einzige richtige Haus am Ort. Alle übrigen Bewohner, darunter auch Weber, besaßen nur ganz bescheidene Rohrkolbenhütten oder Zelte. Zu Beginn des Jahres 1849 war die Ruhe dahin. Goldgräber strömten durch die Stadt auf dem Weg zum oberen Stanislaus, zum Tuolumne und zu anderen Flüssen mit reichem Goldvorkommen. Der Ansturm war eine Folge der weltweiten Aufmerksamkeit, mit der Präsident Polks Botschaft an den Kongreß am 5. Dezember 1848 verfolgt wurde, und von Briefen aus Kalifornien, die überall in den örtlichen Zeitungen mit überschwenglichen Berichten über Goldfunde in den westlichen Bergen erschienen. Die Auswirkungen auf Kalifornien im nächsten Jahr waren einmalig.

Tausende von Goldgräbern kamen zu Schiff nach Stockton, was der einfachste Weg von San Francisco war. Diejenigen, die keinen Schiffsplatz bekommen konnten oder lieber zu Fuß gingen, schnallten ihre Habe und ihre Werkzeuge auf den Rücken und marschierten über Land oder kauften sich, vorausgesetzt sie konnten sich diesen Luxus leisten, ein Pferd oder Maultier für das Gepäck. Die normale Route führte über den Livermore-Paß (beim heutigen Altamont) und den Pescadero-Übergang des San Joaquin nach French Camp und Stockton.

Die Schiffsreisenden fanden die Strecke ziemlich langweilig. „Der Fluß windet sich zum größten Teil wie ein Bandwurm durch das flache Marschland, wo die Rohrkolben eine enorme Höhe erreichen und uns oft die Sicht versperren. Nur wenn wir auf die Takelage klettern, können wir die Gegend überblicken." Wenn sich die Schiffe dem San Joaquin näherten, mußten sie nachts oft anlegen, um nicht im Labyrinth der Kanäle die Orientierung zu verlieren. Das Delta bestand aus vielen solchen Kanälen. In den Rohrkolbensümpfen wurden alle von Riesenstechmücken belästigt. William McCollum klagte wie alle anderen, daß die Moskitos „unsere dicken Indianerdecken durchbohrten, als wären sie so dünn wie Gaze! Ganze Schwärme kamen aus den hohen Rohrkolben und griffen uns in schlafendem oder wachem Zustand an ....."

Trotz all dieser Schwierigkeiten trafen Scharen von Reisenden in Stockton ein. Captain Weber und seine Nachbarn wurden von dieser Invasion völlig überrascht. Der Zustrom, den sie im Frühjahr 1849 beobachteten, kam für sie ganz unerwartet. „Der Zauberstab aus Gold," schrieb James Carson, „war über eine öde Stelle gehalten worden, wo dann eine große Zeltstadt entstand...." Als er am 1. Mai 1849 auf dem Weg zu den Goldfeldern dort ankam, beschrieb er die folgende Szene: „Die hohen Masten der Dreimaster, Segelschiffe und Schoner zeichneten sich gegen das blaue Himmelsgewölbe ab – während das fröhliche „Yo ho!" der Seeleute zu hören war, als sie Kisten, Bündel und Fässer an den morastigen Ufern abluden."

Stockton 1849

Ähnlich war auch Edward Gould Buffums Bericht von seinem Besuch in Stockton Ende 1848. Die Stadt Stockton, so schrieb er, „ist der große Handelsplatz, durch den der gesamte Verkehr zu den Goldfeldern am Stanislaus, Mokelumne, Mariposa, Tuolumne und an den Kings Rivers sowie den verschiedenen Trockengeländen dazwischen fließt ... Die Stadt liegt an einer sumpfigen Stelle.

Die Sümpfe nehmen das Stauwasser des Sacramento und des San Joaquin auf
. . ." Schiffe mit einem Tiefgang von neun bis zehn Fuß, so beobachtete er,
konnten den San Joaquin auf der Strecke von ca. 100 Meilen zwischen San Francisco und Stockton befahren „und ihre Ladungen am Ufer löschen."

McCollum, ein Zeitgenosse von Buffum und Carson, gab folgende Schilderung:
„Das erste Zeichen, daß wir uns der neuen Stadt in der Wildnis näherten, waren
die Masten von ungefähr 30 Segelschiffen und Schonern, die durch die Bäume
und über ihnen sichtbar wurden. Der Hafen ist eine tiefe Einbuchtung oder ein
Flußarm, vier Meilen lang und etwa 300 Yard breit . . ." Die Lage war günstig. Die
Stadt war nicht nur zum „Handelszentrum der südlichen Goldfelder" geworden,
sondern sollte sich auch zu einer der größeren Städte im Innern Kaliforniens entwickeln. Sie hatte im Juli 1849 ungefähr 2.000 Einwohner; als McCollum einige
Monate später von den Goldfeldern zurückkam, war die Bevölkerung auf mindestens 5.000 Personen angewachsen. Die aufgeregte Stimmung war mit der in
San Francisco zu vergleichen. Es gab dort viele Leute ohne eigenes Haus, die in
unfertigen Häusern, ärmlichen Hütten und Zelten zusammengepfercht waren,
und dieselbe Geschäftigkeit und Aufregung und die „Auf zu den Goldfeldern!"-
Rufe wie in San Francisco.

Um dieses schnelle Wachstum zu fördern, ließ Weber vom 14. Juni bis zum
27. September 1849 eine Anzeige in der „Alta California" von San Francisco erscheinen, in der er den Geschäftsleuten und der allgemeinen Öffentlichkeit die
Vorteile von Stockton als Hafenstadt darlegte. Der Hafen konnte von Schiffen
jeden Tiefganges angelaufen werden, die Handelsware ins Landesinnere transportierten. In der damaligen Zeit waren 13 seetüchtige Schiffe – darunter der
Dreimaster „San Jose", der Schoner „Invincible", zwei Segelschiffe (die „Progreso" und die „Susana") und zwischen 40 und 50 andere Schiffe der verschiedensten Größen – ständig mit Passagieren und Fracht unterwegs. „Stockton", so
hieß es in der Anzeige weiter, „ist jetzt (und war in der Vergangenheit) das Lager,
aus dem die verschiedenen Goldfelder am Mokelumne, Calaveras, Stanislaus
und Mercedes mit Waren versorgt werden".

Dieses außergewöhnliche Anwachsen seiner Stadt muß Weber fast unverständlich vorgekommen sein. Der Preis der Grundstücke, die er 1847 für wenig Geld
verkauft oder den zukünftigen Siedlern sogar gratis überlassen hatte, um sie
zum Verbleib dort zu ermutigen, stieg sprunghaft in die Höhe. Buffum berichtet,
daß „Parzellen, die man früher für 300 Dollar kaufen konnte, nun 3.000 bis 6.000
Dollar wert waren". John McCrackan war beeindruckt von dem, was er 1851
während seines Besuchs gesehen hatte. Er schrieb, daß die Zuwanderung und
die Nachfrage nach Land Weber ungeheuer reich gemacht hatten. Carson berichtet, der Aufstieg von Stockton sei mit dem von San Francisco zu vergleichen,
wo „Grundstücke und Gebäude zu Preisen, die in den Annalen des Handels
noch nie vorgekommen waren, den Eigentümer wechselten." Schon im Herbst
1848 hatte Charles Weber die Notwendigkeit einer besseren Verbindung nach

San Francisco und der übrigen Welt erkannt. Sofort setzte er sein Programm in Gang, indem er zunächst ein 13-Tonnen-Schiff, die „Maria", zum Preis von 4.000 Dollar kaufte, um zur Deckung seines eigenen Bedarfs den Transport von Waren zu sichern. Der Zweimaster war 38½ Fuß lang und hatte einen Deckbalken von 10 Fuß. Die „Maria" wurde das erste regelmäßige Postschiff nach San Francisco.

Im folgenden Jahr stockte Weber seinen Vorrat an Versorgungsgütern auf, indem er das Segelschiff „Emil" mit seiner ganzen Ladung erwarb. Es war kurz zuvor aus Hamburg/Deutschland eingetroffen. Es hatte Kap Horn umfahren und dann in Valparaiso/Chile angelegt, wo der Kapitän die aufregende Neuigkeit von der Goldentdeckung in Kalifornien erfahren hatte. Daraufhin segelte er sofort nach San Francisco. Weber kaufte das Schiff mitsamt Ladung und ließ es nach Stockton bringen und abwracken. Er konnte das Schiffsholz offenbar gut für seine Bauvorhaben gebrauchen. Er suchte sich die Dinge aus, mit denen er sein neues stattliches Haus einrichten wollte, und verkaufte den Rest wahrscheinlich in seinem Geschäft. Andere unternehmungslustige Kaufleute erkannten sofort die günstige Gelegenheit, die sich ihnen bot, Waren nach Stockton zu schicken und den Leuten auf dem Weg zu den Goldfeldern Schiffe zur Verfügung zu stellen.

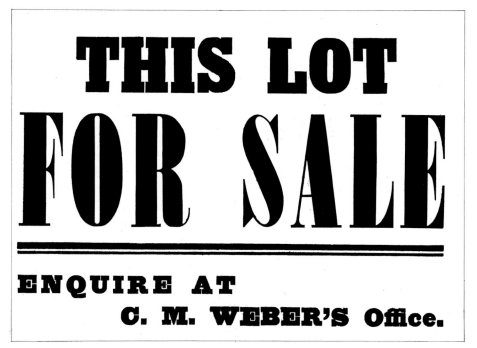

Mit diesem Plakat bot Charles Weber eines seiner Grundstücke zum Kauf an

Die ersten Schiffe zu diesem Zweck waren Segelschiffe, aber die Reise war unangenehm und dauerte lange, oft 10 – 15 Tage von San Francisco nach Stockton. 1850 wurden sie deshalb durch Dampfschiffe ersetzt. Timothy C. Osborn, der ein guter Tagebuchschreiber war, kam in Juni 1850 per Schiff nach Stockton. Die „Captain Sutter" war offensichtlich ein Dampfer.

Um den ordnungsgemäßen Aufbau von Stockton zu gewährleisten, hatte Weber das Land im Herbst 1848 von Jasper O'Farrell und Walter Herron vermessen lassen. O'Farrell war 1847 durch die Vermessung von San Francisco bekannt geworden. Ihre Arbeit in Stockton betraf das Gelände, das nun zwischen Main Street, Center Street, dem Kai und Commerce Street südlich des Stocktoner Kanals liegt. Da sich dieses Gelände als zu klein erwies, beauftragte Weber Major Richard P. Hammond, einen ehemaligen Offizier im Krieg mit Mexiko und einen Überlebenden der Donner Party, die Stadt im kommenden Frühjahr erneut zu vermessen. Diese Vermessung schloß ein größeres Gelände ein und wurde die Grundlage für die zukünftige Stadt.

Diese neue kartographische Darstellung der Stadt kam gerade rechtzeitig, wie die große Wanderwelle zu den südlichen Goldfeldern bald zeigte. Der sprunghafte Bevölkerungsanstieg brachte eine Nachfrage nach Straßen mit sich, die damals noch reine Schlammlöcher waren, und besonders nach Geschäften, Hotels, Restaurants und ähnlichen Einrichtungen. Zunächst beschränkte sich die Bautätigkeit in der Regel auf Zelte oder Rohrkolbenhütten wegen des Mangels an Bauholz, das damals so knapp war, daß es einen Dollar pro Fuß kostete, und wegen der teuren Arbeitskraft, die „16 Dollar pro Tag für alles außer für die gewöhnlichsten Arbeiten betrug". Die Frachtkosten von San Francisco nach Stockton waren ebenfalls hoch, zwischen 30 und 40 Dollar pro tausend Fuß. Bauholz blieb teuer bis Mitte 1849, als der Preis plötzlich auf drei oder vier Cent pro Fuß im Großhandel fiel. In den besiedelten Gebieten Kaliforniens schien das Angebot langsam die Nachfrage zu übersteigen.

IX. KAPITEL

Familienbande
1846 – 1850

Bis jetzt haben wir unser Hauptaugenmerk auf Charles Webers frühe wirtschaftliche Aktivitäten zum Aufbau der jungen Stadt Stockton gerichtet. Im Dezember 1844, während Webers Unternehmungen noch auf San Jose beschränkt waren, traf eine Gruppe von Einwanderern aus dem Staate Missouri unerwartet in Kalifornien ein. Diese Leute sollten eine bedeutende Rolle in Webers Leben spielen. Es handelte sich um die Murphy-Sippe, eine eng verflochtene Gemeinschaft innerhalb der Stevens-Murphy-Gruppe. Sie waren aus dem von Malaria befallenen Missouri geflohen und hatten die Route über Land nach Fort Hall, zur Humboldtsenke, zum Truckee und von dort in die Sierra Nevada eingeschlagen. Sie erreichten die Gebirgskette Mitte November, schon gefährlich spät für eine sichere Überquerung.

Martin Murphy Senior, der Vater der Sippe, war am 12. November 1785 in Irland geboren, wo er als junger Mann Mary Foley heiratete und eine große Familie gründete. Später wanderten sie nach Kanada und von dort nach Missouri aus, das damals als ein wundervolles Land galt. Aber die Murphys fühlten sich dort nicht wohl. Mehrere Familienangehörige, darunter Mrs. Murphy, starben an Malaria. Als ein reisender Missionar, Pater Christian Hoecken, bei ihnen zu Besuch weilte und begeistert über Kalifornien erzählte, hörten sie aufmerksam zu. Das Klima in Kalifornien sei hervorragend, der Boden fruchtbar und der Katholizismus die Staatsreligion. Der Vorteil, ihre Kinder und Enkelkinder in einem katholischen Land aufwachsen zu sehen, schien ihnen einleuchtend. So verkauften sie im Sommer 1844 ihren Besitz in Missouri und zogen in ein weiteres ihnen unbekanntes Land.

Um Weihnachten 1844 war Charles Weber nach Neu Helvetia gekommen, um mit John Sutter geschäftliche Dinge zu besprechen. Er hoffte außerdem, ihm seine Teilnahme am kalifornischen Bürgerkrieg auszureden. Wie wir wissen, hielt Sutter Weber bis Kriegsende in Neu Helvetia fest. Er handelte als offizieller Vertreter der mexikanischen Regierung an der indianischen Siedlungsgrenze am Sacramento.

Es ist nicht bekannt, wie gut Weber die Murphys in dieser chaotischen Zeit kennenlernte. Nachdem die Murphys von Sutter überzeugt worden waren, daß ihre Interessen mit seinen eigenen übereinstimmten, brachen alle kräftigen Männer der Sippe am Neujahrstag 1845 auf, um für Micheltorena zu kämpfen. Aber ihre Kontakte in den Monaten nach diesem kurzen Krieg deuten darauf hin, daß sich bald Vertrauen und Freundschaft zwischen Weber und den Murphys entwickelten. Zuvor hatte Weber in Sutters Fort die Gelegenheit,

Helen Murphy und Mrs. Townsend kennenzulernen, die beiden Frauen, die mit der ersten Gruppe zu Pferde angekommen waren. Auch sie waren Gefangene auf ihre Art, denn sie mußten die Rückkehr der Männer aus dem Krieg abwarten. Während der langen Winterwochen suchten sie Beschäftigung und Abwechslung und waren sicher froh über die Gesellschaft von Weber und Pierson Reading, Sutters höchstem Angestellten, beim Whist oder im Gespräch. Trotz des relativen Komforts müssen die beiden Frauen das Fort als primitiven Ort angesehen haben und kaum als den christlichen Zufluchtsort, den sie im katholischen Kalifornien zu finden gehofft hatten. Nur durch das ausgezeichnete Klima unterschied er sich vorteilhaft von den weniger angenehmen Gegenden, wo sie früher gelebt hatten. Sutter selbst sagte, daß in seiner Niederlassung „die Religion von niemandem beachtet wurde". Zuvor hatte er geschrieben:

„Ich hatte weder Geistliche noch eine Kirche. Bei Beerdigungen und Hochzeiten amtierte ich selbst als Priester. Die Indianer aber wurden von mir nicht verheiratet oder begraben. Ich war zugleich Patriarch, Priester, Vater und Richter. Die Kirchenglocken kamen von Fort Ross, sie wurden bei Begräbnissen geläutet und auch von der Nachtwache wie auf Schiffen auf See."

Irgendwann Ende Februar kamen die Männer der Murphy-Gruppe nach ihrer Entlassung aus der Armee für kurze Zeit zu Sutters Fort zurück, um Vorräte zu sammeln, mit denen sie der restlichen, im Schnee gefangenen Gruppe am südlichen Yuba zu Hilfe eilten. Wir dürfen vermuten, daß sie mit Weber und Reading über die Möglichkeiten sprachen, wo sie sich niederlassen könnten. Nur wenige Männer wären so geeignete Ratgeber gewesen wie Weber. Als freundliche Geste empfahl er den Murphys wahrscheinlich, das Land von Ernest Rufus am Cosumnes zu kaufen, das diesem deutschen Siedler am 20. Juli 1844 von Gouverneur Micheltorena übertragen worden war. Martin Murphy Jr. ergriff diese günstige Gelegenheit und kaufte die Ranch. So war er der erste in der Familie, der ein eigenes Heim in Kalifornien hatte. Er gesellte sich einer kleinen Gruppe von Pionieren hinzu, die sich in den vierziger Jahren im Cosumnes-Tal niederließen. Sie waren nur 18 Meilen von Neu Helvetia entfernt, dem Stützpunkt, von dem alle Vorräte, Nachrichten und militärischer Schutz kamen.

Fast über Nacht wurden aus diesen Siedlern bekannte Weizenfarmer. Mit dem ständig anwachsenden Einwandererstrom kam eine kaum zu stillende Nachfrage nach Mehl aus Sutters Mühle, – und jemand mußte schließlich den Weizen anbauen. Da waren die Murphys in ihrem Element. Infolge der Goldentdeckung im Jahre 1848 und der gewaltigen Einwanderungswelle im darauffolgenden Jahr wuchs die Nachfrage nach Mehl im gleichen Verhältnis wie die Zahl der kalifornischen Goldsucher. Die Murphys stellten sogleich ihren Fleiß und ihre Gewissenhaftigkeit unter Beweis, Eigenschaften, die Weber sehr geschätzt haben muß, denn auch er hatte sich zu Beginn seiner geschäftlichen Unternehmungen auf nicht viel mehr als auf seinen Ehrgeiz verlassen können.

Als Weber endlich Mitte März 1845 nach San Jose zurückkehrte, kaufte er eine Ranch im Santa-Clara-Tal. Sie lag zwischen Morgan Hill und Llagas Creek und wurde „Ojo de Agua de la Cochí" genannt. Er erwarb sie am 27. Mai 1845 von José María Hernández für 1.500 Dollar. Wahrscheinlich wollte er den Murphys unter die Arme greifen, die ihm bald in das Santa-Clara-Tal nachfolgten, wo sie reichlich Gelegenheit zum Landerwerb fanden. Vielleicht hatte Weber auch eine Absprache mit den Murphys und vertrat sie bei solchen Landkäufen. In der Tat verkaufte Weber am 7. Dezember 1846 das Land an Bernard Murphy für denselben Preis, den er dafür bezahlt hatte.

Daraufhin kauften die Murphys ein Gelände, das unter dem Namen „Rancho de Las Uvas" bekannt war. Als Käufer wurde wieder Bernard Murphy eingetragen. Es war ein hügeliges, siebeneinhalb Meilen langes Gebiet, das drei Meilen westlich von Morgan Hill an die Ojo de Agua-Ranch angrenzte. Der Gouverneur Juan B. Alvarado hatte es am 14. Juni 1842 Lorenzo Pineda übertragen. Bernard erwarb es „für 300 Dollar, d.h. 200 Dollar in Waren und 100 in Geld". Vielleicht handelte es sich um einen Konkurs oder einen Verkauf aus steuerlichen Gründen, von dem Weber durch Freunde in San Jose erfahren hatte. Der Vertrag wurde am 28. August 1846 unterzeichnet.

Auch James Murphy und sein Bruder Daniel beschritten den gleichen Weg: sie kauften eine 36 Quadratmeilen große Ranch mit Namen „San Francisco de Las Llagas". Sie lag an der Straße von San Jose nach Monterey unmittelbar südlich der Ojo de Agua-Ranch und nordwestlich des Las Uvas-Geländes, d.h. zwischen Morgan Hill und Gilroy.

Dieses Land hatte seit 1827 oder 1828 Carlos Castro gehört. Castros Herden hatten sich vermehrt, bis er schließlich 2.000 Rinder und mindestens 200 Pferde besaß. Er hatte zwei Häuser gebaut, wahrscheinlich aus Luftziegeln, eins für sich und eins für seinen Gehilfen. Er hatte einen Obstgarten angelegt und einen Teil des Landes kultiviert. Nach seinem Tode im Jahre 1845 erbte sein Sohn Guillermo das Anwesen. Er verkaufte es frei von Hypotheken an James und Daniel Murphy für 6.000 Dollar. In diesem Preis waren auch die Rinder enthalten. Zeugen dieses Geschäftes waren u.a. Charles White, der oberste Richter des San Jose-Bezirks, und Charles M. Weber.

Dann erwarb die Familie Murphy eine kleine Ranch namens „La Polka", die früher zu der Ortega- oder San Ysidro-Ranch gehört hatte. Diese war in den Chroniken des Santa-Clara-Tals bekannt gewesen. Das kleine Stück Land, das von Bernard Murphy gekauft wurde, lag nordöstlich von Gilroy und grenzte im Osten an das Las Llagas-Gelände. Der Coyote Creek entsprang in diesem Gebiet und floß von dort nach Norden in das Tal. Südlich lagen John Gilroys San Ysidro-Ländereien.

Das Ergebnis dieser Landkäufe war, daß die Farmen der Murphys aneinandergrenzten und eine Einheit bildeten, die sich ungefähr zehn Meilen vom

Südosten in Richtung San Jose und sechs oder sieben Meilen jenseits des Tales erstreckte. Früher einmal hatten die Brüder Castro, Carlos und Mariano, fast alle diese Ländereien besessen, die ihnen 1834 und 1835 von Gouverneur José Figueroa übertragen worden waren. 1849 war von all dem nur noch die Rancho Solis in ihrem Besitz. Sie war ungefähr neun Quadratmeilen (ca. 2.300 ha) groß und lag südlich von Las Llagas und westlich der Stadt Gilroy. Der Verkauf von „La Polka" war ein Beispiel dafür, wie das Land der Kalifornier in die Hände ehrgeiziger amerikanischer Einwanderer gelangte.

Mittlerweile führte Martin Murphy Jr. ein angenehmes und erfolgreiches Leben am Cosumnes, aber die Seinen vermißten ihre Verwandten im Santa-Clara-Tal. Deshalb beschloß Murphy, eine neue Heimat für sich in der Gegend von San Jose zu suchen. Er verkaufte „Los Cazadores" zusammen mit etwa 3.000 Rindern für 50.000 Dollar und behielt nur ein Grundstück von 640 Acres für sich zurück. Es gelang ihm, geeignetes Gelände in der Nähe von San Jose zu finden, die Rancho del Refugio oder La Pastoría de las Borregas.

Murphys Sohn Bernhard erinnerte sich später, wie sein Vater diese Ranch gekauft hatte. Von seiner Niederlassung im Sacramento-Tal aus betrieb er einen lukrativen Handel mit den Goldgräbern, die er mit Rindern und Pferden versorgte. Auf den Goldfeldern betrug der Standardpreis für Rindfleisch 1 Dollar pro Pfund. Einer der Plätze, wo Murphy seinen Vorrat an Rindern wieder auffüllen konnte, war der besiedelte Teil des Santa-Clara-Tals. Auf der „Rancho del Refugio" verhandelte er mit Mariano Castro, dem Eigentümer einer riesigen Fläche von Weideland nordwestlich von San Jose. Es ging um den Verkauf eines Geländes, das fast ausschließlich für die Rinder- und Schafzucht genutzt wurde. Zunächst kaufte er ungefähr 3.000 Acres für 12.000 Dollar. Drei Monate später erwarb er, ebenfalls von Castro, ein benachbartes Stück Land von fast 1.700 Acres für 5.000 Dollar. Der Gesamtpreis betrug also 17.000 Dollar. Einige der „alten Hasen" waren über diese Transaktionen und Preise überrascht, aber Murphy war zufrieden. Bernard schrieb: „Wir alle zogen mit Sack und Pack dorthin", nachdem das Geschäft 1849 abgeschlossen war. Dort blieb Martin Murphy Jr. bis zum Ende seines Lebens. Er machte weitere Landkäufe, bis er einen großen Teil des Gebiets zwischen San Jose und Sunnyvale besaß. Das Heim, das er für seine Familie auf der Ranch in der heutigen Stadt Sunnyvale baute, trug den Namen „Bay View" und fiel jedem sofort ins Auge. Es war vollständig aus Holz, das in Boston bearbeitet und zusammengefügt worden war. Dann wurde es in Teilstücken nach San Francisco verschifft. Bancroft schrieb, es sei das erste Gebäude aus Holz in dem Gebiet um San Jose gewesen, denn bis dahin war alles aus Luftziegeln gemacht worden. Das Haus wurde bald der gesellschaftliche Mittelpunkt der ganzen Gegend.

Die gesamte Familie Murphy war nun im Santa-Clara-Tal zu Hause. Diese Tatsache erleichterte es Charles Weber, mit ihnen in Verbindung zu bleiben und um

Helen Murphy zu werben. Neben anderen Gefälligkeiten, die er der Familie zugute kommen ließ, stellte er 1845 ihren Bruder John in seinem Geschäft in San Jose ein.

Die Murphys hatten offensichtlich die Absicht gehabt, mexikanische Staatsbürger zu werden, denn am 28. Januar 1846 beantragte Martin Murphy Sr. die Einbürgerung. Bevor sein Antrag jedoch bearbeitet werden konnte, brachen die Feindseligkeiten zwischen Mexiko und den Vereinigten Staaten aus. Durch den Vertrag von Guadalupe Hidalgo am 2. Februar 1848 wurden Kalifornien und andere Gebiete westlich der Rocky Mountains offiziell Teile der Vereinigten Staaten.

Die Murphys waren in einer Zeit großer Veränderungen nach Kalifornien gekommen. Die alten Rinderfarmen erlebten eine letzte Blüte, das System der Missionen brach zusammen, und die Indianer waren am Aussterben. Ihre neue, unabhängige Lebensweise hatte sich als jämmerlicher Fehlschlag erwiesen. Die Murphys als traditionsbewußte Bauern irischer Abstammung hatten den Wunsch, den Boden zu pflügen, Häuser zu bauen und Wurzeln zu schlagen, um in eine amerikanische Gesellschaft hineinzuwachsen, die der Gesellschaft, die sie zurückgelassen hatten, ähnelte.

Martin Murphy Sr. errichtete ein Heim für sich und seine Tochter Helen, die die Rolle der Hausfrau übernahm. Er zog es vor, kein eigenes Land zu erwerben; seine Kinder sollten diese Verantwortung auf sich nehmen. Wahrscheinlich wohnte er auf der Ojo de Agua-Ranch seines Sohnes Bernard. In Dankbarkeit für die gute Aufnahme, die seine Familie in Kalifornien gefunden hatte, baute er eine Kapelle, die er zu Ehren seines Namenspatrons San Martin nannte. Heute erinnert die Stadt San Martin an den Namen.

Von bekannten Kalifornienbesuchern erfahren wir, daß Martin Murphys Haus den Reisenden von nah und fern offenstand, auch denjenigen, die nur übernachten wollten. Da es in der Gegend keine Gasthäuser gab, waren die Reisenden über die ihnen zuteil werdende Gastfreundschaft in diesem Grenzland hoch erfreut. Aber auch die Gastgeber kamen auf ihre Kosten, denn sie hörten gern Neuigkeiten aus anderen Teilen des Landes.

Ein solcher Gast, der seine Erfahrungen festhielt, war Chester S. Lyman, der ein Studium der Philosophie und Theologie an der Yale-Universität abgeschlossen hatte. Er verbrachte einige Jahre als Missionar in Hawaii, bevor er nach Kalifornien kam, wo er sich als Vermessungsbeamter betätigte. Er reiste viel herum, und auf einer Reise durch das Santa-Clara-Tal im Sommer 1847 kehrte er im Haus des alten Murphy ein. Am 10. August notierte er in seinem Tagebuch: „Wir wurden hauptsächlich von Miss Ellen Murphy betreut, einem Mädchen von gesundem Menschenverstand . . . Sie sind seit zwei Jahren im Lande und besitzen eine schöne Farm."

Ein anderer bekannter Reisender war Bayard Taylor. 1849 hatte ihn die „New York Tribune" nach Kalifornien geschickt, damit er über die Goldentdeckung berichte. Am 18. August kam er in San Francisco an. Da die erste verfassungsmäßige Versammlung im September des Jahres 1849 in Monterey stattfinden sollte, wollte er dabei sein. Denn dies war eine ausgezeichnete Möglichkeit, die politische Lage zu beobachten. Um Geld zu sparen und die Landschaft aus nächster Nähe zu sehen, legte er den Weg zu Fuß zurück und übernachtete auf einigen gastfreundlichen Farmen.

Den ersten Halt machte Taylor einige Meilen südlich von San Jose auf der Rancho Laguna Seca, die um 1845 von Captain William Fisher erstanden worden war. Fisher kam aus Massachusets, ging zur See und wandte sich dann dem Handel zu. Schon 1829 lebte er in Cape San Lucas in Nieder-Kalifornien. Land und Leute gefielen ihm dort so gut, daß er sich niederließ, sich katholisch taufen ließ und nach seinem Schwiegervater den Namen José Guillermo Ceseña annahm. Seine Frau, Liberata Ceseña, entstammte einer bekannten Familie; sie hatten mehrere Kinder. 1843 oder 1844 zogen sie nach Ober-Kalifornien und kauften 1845 ein Grundstück in San Francisco. Kurz darauf legte sich die Familie die neue Ranch unterhalb von San Jose zu.

Um die Grenzen seines Landes festzulegen, bat Fisher Lyman, den Vermessungsbeamten des mittleren Departments von Kalifornien, um Hilfe. Zusammen brachen sie von San Jose auf, und obwohl es schon ein Uhr Mittag war, hatten sie an diesem Tag genug Zeit, „einen großen Teil der Grenze von Laguna Seca zu erkunden". Sie erreichten Murphys Haus im Südosten der Ranch, wo sie die Nacht verbrachten. Lyman schrieb: „Die Familie nahm uns freundlich auf. Der alte Mann ist ein kluger, großzügiger Ire. Man bot uns Eier, Brot und Milch zum Abendessen an. Um 10 Uhr zogen wir uns zurück; eins der drei Betten im Raum wurde Capt. Fisher und mir zugewiesen."

In den Jahren 1845 – 1850 unterhielt Charles Weber freundschaftliche Beziehungen zu den Murphys. Über seine Werbung um Helen Murphy ist nur wenig bekannt. Da sie bei ihrem Vater lebte und ihm den Haushalt besorgte, und zwar in der Nähe von San Jose, Webers Heimat bis zum Jahre 1847, dürfen wir wohl annehmen, daß er bei passender Gelegenheit sein Pony sattelte und einen Besuch bei ihnen machte. Ihr Bruder Bernard, den Weber ebenfalls bei seinen Grundstückskäufen unterstützt hatte, lebte auch in der Nähe. Außerdem hatte Weber Helens Bruder John 1845 in sein Geschäft aufgenommen; dieser war dann im Goldjahr 1848 mit Webers Team auf die Goldfelder gegangen. Diese Unternehmung hatte sich als außerordentlich gewinnbringend erwiesen. Schon vor Webers Heirat bestand also ein gutes Einvernehmen zwischen ihnen, das durch gleiche Ziele verstärkt wurde.

Im Laufe der Zeit wurde klar, daß Charles Webers Werben um Helen Murphy ernstgemeint war und daß sowohl die junge Dame als auch ihre Familie nichts

Charles M. Weber

Helen Weber geb. Murphy
1850

dagegen hatten. Ihrer Heirat stand jedoch ein wesentliches Hindernis im Wege: er war als Protestant erzogen worden, während Helen und ihre Familie katholisch waren. Webers Ansichten hatten sich offensichtlich in den vergangenen Jahren geändert, und er bereitete sich auf die Annahme des katholischen Glaubens vor. Es gibt nur wenige Hinweise auf diese Konvertierung. Unter den Familiendokumenten der Webers befindet sich ein kleines Buch mit dem Titel „Catecismo de la Doctrina Cristiana". Es gehörte Weber persönlich, denn auf dem Vorsatzblatt steht in Webers Handschrift „Carlos M. Weber, Cristiano Catholico, Apostolico Romano, por la Gracia de Dios, Febrero de 1850". Er war also zum katholischen Glauben übergetreten, eine Voraussetzung für seine Einheirat in die Familie Murphy.

Wir besitzen kein zeitgenössisches Dokument, das uns über den Ort der Trauung Auskunft gibt. Sie fand wahrscheinlich in der Pfarrkirche von San Jose statt. Die Gebäude der Santa-Clara-Mission waren seit dem Wegzug der Franziskanermissionare und der „Invasion" der amerikanischen Einwanderer in den vierziger Jahren ein Trümmerfeld. Die Heirat war am 29. November 1850. Pater John Nobili, S.J., der die Trauung vollzog, schrieb auf die Heiratsurkunde, daß sie im Ehestand vereint wurden „durch mich, den unterzeichnenden katholischen Gemeindepriester des Pueblo von San Jose". Er benutzte auch den offiziellen Namen der Braut, Helen Murphy, anstatt Ellen. Drei ihrer Brüder, Martin, Bernard und Daniel, sowie ein Schwager, Thomas Kell, der ihre ältere Schwester Margaret geheiratet hatte, waren bei der Trauung anwesend.

Die Jungvermählten verbrachten ihre Flitterwochen in Webers Haus in Stockton, einem stattlichen Bau auf der Halbinsel, den Weber für seine Braut eingerichtet hatte. Dank seiner Erinnerung an europäisches Leben und dank seines Reichtums hatte er an nichts gespart. Das Haus verkörperte Schönheit und Luxus.

Das Heim der Webers lag auf der Spitze der Halbinsel. Von seiner Kuppel hatte man einen freien Blick den San Joaquin hinunter mit seinem lebhaften Treiben bis zum Mount Diablo in der Ferne. Auf einem hohen Fahnenmast hatte Weber stolz die amerikanische Flagge gehißt. Auf diesem herrlichen, ruhigen Fleckchen Erde konnte sich Weber von den Anstrengungen des Geschäftslebens und der Politik erholen. Außerdem konnte er den Besuchern die wunderschöne Landschaft zeigen – die mit Eichen übersäte Ebene und die zahlreichen Wasserläufe.

Schöne Möbel und andere Luxusartikel waren in Kalifornien erhältlich, vor allem in San Francisco. Am 15. Februar 1850 erhielt Weber von seinem Freund und Agenten aus San Francisco, Henry Kirchner, die Mitteilung, daß „Mitte nächster Woche hier eine große Möbelauktion stattfinden wird. Es stehen sehr gute Garnituren aus Samt und auch aus Seidendamast dem privaten Käufer zur Auswahl. Wenn ich für Dich Möbel kaufen soll, so laß es mich umgehend wissen und gib mir die Preisobergrenze an". Wahrscheinlich profitierte Weber von solchen Auktionen, um sein Haus einzurichten. Sicherlich wählte er nur das Beste, denn das Ergebnis übertraf alles an Eleganz. Für Helen war der Einzug in dieses große, eindrucksvolle Herrenhaus ein aufregendes Ereignis. Es war herrlich, dort zu leben und eine Familie zu gründen. Ihr erstes Kind, ein Sohn, kam am 22. September 1851 zur Welt, sie nannten ihn Charles M. Weber II.

Das Haus von Captain Weber (1850)

X. KAPITEL

Eine blühende Stadt
1849 – 1851

In den Jahren 1849 und 1850 wuchs Stockton in rasantem Tempo. Mehr und bessere Gebäude traten an die Stelle der Rohrkolbenhütten, Zelte und schäbigen Holzunterkünfte. In den frühen fünfziger Jahren gab es bereits Theater, Kirchen und ein immer größer werdendes Geschäftszentrum mit mehreren Hotels und zahlreichen Läden. Wie in den meisten anderen Gemeinden, die infolge der Goldgräberei entstanden waren, brach auch in Stockton innerhalb von drei Jahren zweimal Feuer aus, das jedoch das Wachstum der Stadt eher beschleunigte als eindämmte.

Zunächst hatte Charles Weber allein über die Anlage der Stadt und die Einteilung des Grund und Bodens zu bestimmen. Er konnte das Land verkaufen oder es einfach verschenken, und tatsächlich überließ er den frühen Siedlern Grundstücke und Landflächen der verschiedensten Größen. Seine ursprüngliche Absicht war offenbar, Stocktons Zentrum in der Nähe seines Hauses auf der Halbinsel entstehen zu lassen. Major Richard P. Hammonds Plan von 1849 zeigt das Gebiet, das durch die in West/Ostrichtung verlaufende Merchant Street in zwei Teile geteilt und parzelliert war. Die einzelnen Parzellen sind mit Nummern versehen. Auf der Nord- und der Südseite der Halbinsel gab es einen Commodore's Levee, einen Kai. Webers Adresse lautete: 25 Commodore Avenue, South.

Um der Öffentlichkeit besser dienen zu können, vergrößerte Weber die Firma Charles Weber & Co., indem er im Oktober 1848 Henry Kirchner als Partner hinzuzog. Nach Auflösung dieser Geschäftsverbindung am 30. März 1850 schloß er ein neues Bündnis mit Major Hammond, das bis zum 9. Oktober 1855 bestand. Zusammen finanzierten und bauten sie das Ziegelsteingebäude, das sogenannte Korinthische Gebäude, auf dem Zugang zu Weber Point. Es wurde in dieser ersten Zeit als Gerichts- und allgemeines Bürogebäude sowie als Post und Theater benutzt. Vielleicht führten die beiden noch andere gemeinsame Projekte durch.

Zur Zeit von Webers Heirat war aus der Stadt ein geschäftiges Zentrum an der Siedlungsgrenze geworden. Die Stadt breitete sich damals auf der Südseite des Stockton-Kanals (Stockton Channel) aus, wo Weber 1848 auf dem Kai (Weber Avenue) westlich der Center Street und südlich des heutigen Holiday Inn sein Geschäft eröffnet hatte.

Schon innerhalb des ersten Jahres erwies sich Webers kleiner Laden als ungeeignet, die Bedürfnisse der Leute, die in Scharen in die Stadt strömten, zu befriedigen. Als Kaufmann konnte sich Weber nichts Besseres wünschen; Weber mußte also seine geschäftlichen Möglichkeiten schnellstens erweitern. Dafür brauchte er Bauholz, das damals äußerst rar und teuer war. Es gelang ihm, wahrscheinlich durch seine Verbindungen in das Santa-Clara-Tal und nach San Francisco, eine Schiffsladung Mammutbaumholz aus der Gegend von Santa Cruz und etwas von der Marin-Küste aufzutreiben. Das Holz wurde auf dem San Joaquin nach Stockton transportiert. Weber hatte das Glück, Holz für die Erweiterung seines Geschäfts und zum Teil auch für die Vergrößerung seines Privathauses zur Verfügung zu haben. Für letzteres hatte er eine Mischung aus Holz und Luftziegeln benutzt, aber der Schornstein war aus Ziegelsteinen, die 1849 zu dem damals hohen Preis von 60 Dollar pro 1000 Stück aus Plymouth/ Massachusetts nach Stockton gebracht worden waren. Bald nahmen einige Ziegeleien ihren Betrieb in der Stadt auf. Ziegelsteingebäude waren zwar teurer, hielten aber Feuer besser stand. Im großen und ganzen war jedoch Stockton damals wegen des Mangels an Bauholz noch eine Zeltstadt. Ein einfaches Zelthaus war in einer Stunde aufgestellt. Die ganze Arbeit bestand darin, vier Eckpfähle in den Boden zu rammen, eine Plane darüber zu breiten, einige Rohrkolben für das Dach zu schneiden, und – siehe da! – das Haus war fertig. So sah die Stadt aus, als am 23. Dezember 1849 der Ruf „Feuer!" ertönte und nach einer Stunde das gesamte Geschäftsviertel in Schutt und Asche lag. Der älteste Teil der Stadt auf der Halbinsel blieb von dem Unglück verschont. Die Kaufleute und die übrigen Bewohner der Stadt ließen sich jedoch von der Brandkatastrophe, die schätzungsweise 200.000 Dollar verschlang, nicht entmutigen, sondern machten sich sofort an die Aufräumungsarbeiten. Zwei Tage später, am Weihnachtstag, entstanden schon wieder neue Gebäude an den alten Stellen. Diesmal benutzten alle, die es sich leisten und das benötigte Material beschaffen konnten, Holz. Immer mehr Menschen siedelten sich in Stockton an, einige von ihnen ließen sich jenseits der alten Stadtgrenze nieder. Schon zu Beginn der Besiedlung Stocktons ließ Weber zum Nutzen der Kaufleute und Siedler an der gegenüberliegenden Küste eine Brücke über den Stockton Channel errichten. Diese private Initiative war jedoch nicht ausreichend, und bald wurden Stimmen laut, die nach einer besseren Lösung verlangten. 1850 wurde eine neue Brücke von der staatlichen gesetzgebenden Versammlung genehmigt, die dann von dem neugegründeten Stadtrat mit einem Aufwand von 60.000 Dollar in Höhe der El Dorado Street gebaut wurde.

Ein typisches Problem, das die Stadt zu lösen hatte, war die Frage, wie man die alten Versorgungsschiffe, die im Kanal ankerten, loswerden könnte. Nachdem Händler, Kaufleute und Spekulanten ihre Ladungen gelöscht und verkauft hatten, ließen sie diese Schiffe zurück und machten sich aus dem Staube. Monatelang versperrten diese herrenlosen Schiffe den Hauptwasserweg, den Stockton Channel. Alle waren der Meinung, daß die Schiffsrümpfe verschwinden müßten, aber niemand wollte die Verantwortung für die Beseitigung des Privateigentums übernehmen. Im Februar 1850, fünf Monate vor der Gründung des

CITY OF STOCKTON.

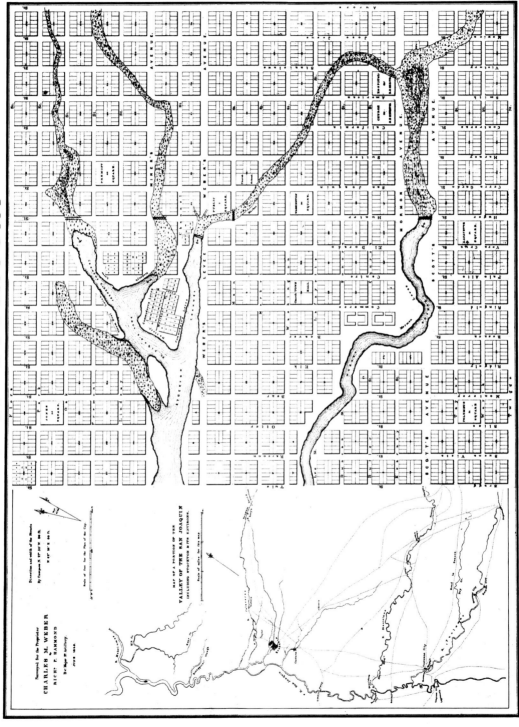

Plan von Stockton aus dem Jahre 1849. Webers Haus lag auf der Halbinsel nördlich von Weber's Levee und Stockton Channel.

Stadtrates, erging an Weber, der allgemein als Führer angesehen wurde, die Bitte, er möge sich um die Beseitigung der im Kanal vor Anker liegenden Schiffe bemühen. Das Schreiben war von 107 Bürgern unterzeichnet. Von den Eigentümern, die längst zu den Goldfeldern gezogen und nicht wieder aufgetaucht waren, konnte keine Zustimmung eingeholt werden. Unter Webers Leitung wurden die Schiffe nach Mormon Slough gebracht und dort verbrannt.

Noch vor Ablauf des Jahres 1850 wurde Weber klar, daß Stockton zu groß geworden war, um von einem einzigen Mann verwaltet oder regiert zu werden. Auch andere spürten die Notwendigkeit einer geregelten städtischen Verwaltung. Am 15. März 1850 kamen einige an öffentlichen Dingen interessierte Bürger im Geschäft von George G. Belt zusammen, einem der ersten Siedler und tüchtigen Kaufmann. Sie sprachen sich für die Bildung eines Stadtrates und für die Abfassung einer Stadtgründungsurkunde aus. Im April durften die Einwohner über die Grenzen der neuen Stadt abstimmen. Kurz darauf, am 23. Juli 1850, genehmigte das Bezirksgericht die offizielle Gründung der Stadt Stockton und die Wahl von städtischen Beamten. Die Wahl fand am 1. August 1850 statt; damals wurden die ersten Männer bestimmt, die die Geschicke Stocktons lenken sollten: Samuel Purdy, Bürgermeister; C.M. Leak, Friedensrichter; Henry C. Crabb, Staatsanwalt; George D. Brush, Kämmerer; C. Edmonson, oberster Steuerbeamter; William M. Willoughby, Polizeichef. Die Zahl der Wählerstimmen betrug ungefähr 700, die Gesamtbevölkerung wurde damals auf 2.500 geschätzt. Es fällt auf, daß Captain Weber nicht zum Kreis dieser Beamten gehörte. Wahrscheinlich hatte er den Wunsch geäußert, nicht weiter in die Einzelheiten der Stadtverwaltung einbezogen zu werden. Er hatte jedoch zwei Jahre lang das Amt des Beigeordneten in der ersten Stadtverwaltung inne.

Die Goldfelder lockten Männer aus den verschiedensten Verhältnissen und sozialen Schichten an. Der Ausdruck „Goldfieber" traf tatsächlich auf einige zu, deren Jagd nach sagenhaftem Reichtum nicht nur als Abenteuer, sondern auch als Krankheit anzusehen war. Aber gebildete und vorausschauende Männer fanden bald zur Vernunft zurück und entdeckten neue Herausforderungen für sich bei den unbegrenzten Möglichkeiten, auch ohne viel Geld in der Tasche erfolgreich zu sein.

Einer dieser Männer war Timothy C. Osborn aus Martha's Vineyard/Massachusetts, ein Absolvent des Amherst College. Mit zwei Cousins, James und William, hatte er sich im September 1849 an Bord des Schiffes „Splendid" begeben und war im Januar 1850 in San Francisco angekommen. Es existieren keine Angaben darüber, wie die Osborns die nächsten fünf Monate verbrachten. Vielleicht arbeiteten sie in San Francisco, lasen begierig die Zeitungen und bereiteten sich auf ihren Aufbruch zu den Goldfeldern vor. Plötzlich am 15. Juni 1850 begann Timothy Osborn mit dem Tagebuchschreiben. An dem Tag betrat er in Begleitung einiger Freunde den Schoner „Annie" und reiste nach Stockton. Am 17. Juni, an seinem Ankunftstag, schrieb er:

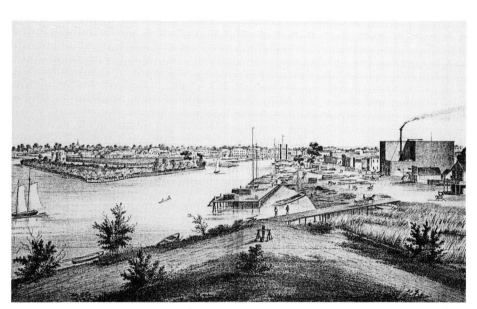

Der Stockton-Kanal im Jahre 1855, Blick nach Osten
Auf der linken Seite ist Webers Anwesen zu sehen

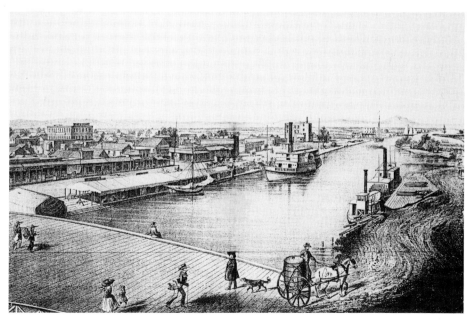

Der Stockton-Kanal im Jahre 1858, Blick nach Westen

„Meine ersten Eindrücke von dieser schönsten Kleinstadt in Kalifornien waren eindeutig positiv, und ich bemerkte mit viel Vergnügen die allgemeine Geschäftigkeit, die in den Hauptstraßen herrschte. Der Pier, an dem der Dampfer anlegte, war eine Art Ufermauer von ca. 50 Fuß Länge, die parallel zum Fluß verlief… Die breiten Straßen werden von Bäumen beschattet. Das Klima ist eines der mildesten in der ganzen Welt."

Osborn machte die Beobachtung, daß überall eine rege Bautätigkeit herrschte. „Auf der Halbinsel fiel mir besonders das C.M. Weber gehörende große Gebäude auf, in dem Läden, Büros, Zimmer für unverheiratete Männer und ein Theater untergebracht werden sollen." In der Nähe des Stadtzentrums sah er auch „eine hübsche kleine Kirche und Akademie" umgeben von einem Platz mit schattenspendenden Bäumen. Das war möglicherweise die katholische Kirche, die am 25. Oktober 1850 in Navarro y Ocampos Tagebuch Erwähnung findet. Navarro war ein argentinischer Goldsucher, der kurze Zeit zuvor nach Stockton gekommen war. Dort machte er die Bekanntschaft eines französischen Jesuitenpriesters, der weder Englisch noch Spanisch sprach und auch keine Gemeinde besaß. Navarro hatte Mitleid mit ihm und bot sich an, sich bei Mr. Weber, der als außerordentlich großzügiger Mann bekannt war, für ihn zu verwenden. Weber ging auf die Bitte ein, indem er ihm ein Grundstück überließ und sogar noch die Kirche stiftete. Zwei Monate später, am 25. Dezember 1850, öffnete die neue katholische Kirche ihre Tore. Es wurden drei Messen gefeiert. Nach Navarros Aufzeichnungen besuchte auch Mrs. Weber am 29. Dezember den Gottesdienst.

Am 18. Juni mieteten Osborn und seine Leute einige Ochsen, die ihr Gepäck in die Gegend von Mariposa am Merced River bringen sollten, das damals der Hauptanziehungspunkt für Goldsucher war. Trotz der sommerlichen Hitze wollten die Männer den Weg zu Fuß zurücklegen. Vor dem Aufbruch streifte Timothy Osborn in der Stadt umher und kaufte noch einige Dinge ein, u.a. „ein paar über drei Monate alte Zeitungen aus den Staaten für einen Dollar pro Stück". Außerdem trank er „ein Glas Bier an Captain Spragues Imbißstand an der Dampferanlegestelle unter einem schattenspendenden Baum."

Um drei Uhr brachen die Goldhungrigen „von Underhill, an der Ecke von El Dorado und Main Street, auf, überquerten eine Brücke und hatten bald die laute Geschäftigkeit von Stockton hinter sich gelassen". Die Erfahrungen, die Osborn während der Goldsuche machte, waren typisch für viele andere junge Männer, die ahnungslos und abenteuerlustig nach Kalifornien gekommen waren. Von Ende Juni bis Ende Oktober 1850 schürfte die Gruppe mit sehr bescheidenem Erfolg am Merced River. Im August versuchte Timothy Osborn, Kontakt mit einem alten Freund, J.M. Scofield, aufzunehmen, der damals Handel trieb in Horse Shoe Bend auf der anderen Seite des Flusses. Er traf Scofield jedoch nicht an, denn dieser war zu der Zeit in San Francisco. Dafür verbrachte er einen netten Abend mit dessen Partner, einem Mann namens Jackson, den Osborn aus dem Osten kannte. Gegen Ende Oktober zogen Osborn und seine Leute unter hohen Bäumen zum Tuolumne weiter und schlugen schließlich ihre Zelte am Big Creek auf. Dort erging es ihnen nicht viel besser. Die Regenzeit setzte dem Abenteuer dann ein Ende. Vor ihrem Aufbruch machten Timothy und sein Freund Parker noch einen Besuch in Garotte, ungefähr sechs Meilen entfernt, wo sie „mehrere Señoritas" anzutreffen hofften, die angeblich dort zu Gast sein sollten. Enttäuscht kehrten sie jedoch ins Lager zurück. Dort fand Osborn zu seiner Überraschung seinen „alten Freund Mr. Jackson vor, der gerade aus Stockton gekommen war und mich um meine Hilfe bei der Eröffnung eines Handelshauses in Stockton bat". Osborn sagte sofort zu, verbrachte jedoch die Weihnachtszeit noch mit seinen alten Freunden. Nach den Feiertagen packte er seine Decken und seine „besten Klamotten" zusammen und machte sich am 27. Dezember auf den Weg nach Stockton. Er folgte dem rechten Ufer des Tuolumne.

Als der Reisende in Jacksonville ankam, war es fast dunkel. Er war müde und hungrig. Nach dem Abendessen im „besten Hotel" machte er vor dem Schlafengehen noch einen Rundgang durch die Stadt, denn es war ein wunderschöner Abend. Am nächsten Tag wanderte er nach Knight's Ferry, das ihm sehr gut gefiel und das seiner Meinung nach einmal ein bedeutender Ort werden würde. In Dent's Place aß er zu Abend. Das Laufen hatte ihn ermüdet, und so opferte er einen Teil seiner Einnahmen, um für drei Dollar die letzten 25 Meilen auf einem Maultier nach Stockton zu gelangen. Er übernachtete im Gault House und kehrte im French Restaurant auf der Centre Street ein. Der erschöpfte Reisende hatte endlich seine neue Heimat erreicht.

In der Stadt fühlte er sich irgendwie erleichtert. „Ich atmete auf", so vertraute Osborn seinem Tagebuch an, „als ich wieder zivilisiertes Leben um mich sah – gut gekleidete Herren mit Biberhüten, die mir merkwürdig vorkamen! Ich fühlte mich in meiner Goldgräberkluft wie einer, der sogar zu schmutzig war, um auf dem Bürgersteig zu stehen und die „feinbetuchten Herrschaften" zu streifen, die ständig hin- und herpromenierten. Aber auch mir stand eine wunderbare Veränderung bevor." Diese Veränderung war wahrscheinlich der Kauf neuer Kleider, der für ihn den Beginn einer erfolgreichen geschäftlichen Karriere bedeutete.

Am Sonntag, dem 29. Dezember 1850, streifte Osborn in Stockton umher und sah sich das Geschäft in der El Dorado Street an, das er und Scofield führen sollten. Zu seiner Überraschung waren die größten Läden geöffnet, und er wurde den anderen Geschäftsleuten vorgestellt. Er erfuhr, daß sie keinen Unterschied „zwischen dem Sabbat und einem Wochentag machten, wenn es um Geschäfte oder Arbeit ging. Leute waren mit dem Aufladen von Waren beschäftigt, und Arbeiter waren so fleißig, als gäbe es das vierte Gebot in der Heiligen Schrift nicht. Wenn auch mein Zuhause in den Bergen nicht so fein war, so ging es dennoch moralischer zu als in dieser Stadt." Auf den Goldfeldern hatten Osborn und seine Kameraden den Sabbat genauso geheiligt wie in Neu England. Sie hatten ihre Werkzeuge und ihre Arbeitspläne beiseite gelegt und bedauert, daß kein Pfarrer den Tag mit einer Predigt krönte.

Während seines Rundgangs durch das Stocktoner Geschäftsviertel fielen Osborn riesige Veränderungen seit seinem kurzen Besuch vor sechs Monaten auf. „Zu den größten Geschäftshäusern zählen im Moment Davis & Smith, Hugg & Shannon, Capen & Co., Underhill & Bro., Paige sowie Webster. Diese befinden sich alle in einem Gebiet, das von Centre, Hunter, Main und Levee Streets begrenzt wird." Er fügte noch einen Satz über den Hafendamm bei: „Die Landestelle ist mit einem Dach versehen, um Passagiere und Fracht vor Regen zu schützen." Er teilte noch weitere informative Einzelheiten mit:

„Das Stockton House, mit einem Aufwand von 100.000 Dollar erbaut, ist das größte Hotel, und der Pensionspreis von 25 Dollar pro Woche wird als angemessen betrachtet. In der Centre Street südlich der Main Street sind Fandango-Häuser, spanische Gasthäuser und Häuser von allgemein schlechtem Ruf angesiedelt. Östlich der Hunter Street stehen nur wenige Gebäude, und im nördlichen Teil der Stadt jenseits der Channel Street befindet sich ein einziges Gebäude, ein presbyterianisches Pfarrhaus."

Auf seinem Rundgang besuchte Osborn auch das Büro des Stockton Journal, wo er dem Herausgeber, Mr. John S. Robb, vorgestellt wurde. Einige Jahre später übernahm Osborn ähnliche Aufgaben für eine andere Zeitung, den Stockton Argus.

Das Stockton House, später unter dem Namen „St. Charles Hotel" bekannt geworden, wurde am 23. März 1850 eröffnet. Das erste Fest in größerem Rahmen fand an Washingtons Geburtstag im Jahre 1851 dort statt. Die Gäste wurden von E.M. Howison und H. Taber Boorman empfangen. Um zwei Uhr morgens „setzten sich alle und nahmen ein hervorragendes Essen ein, dann wurde bis zum Morgen getanzt." Unter den anwesenden Damen befanden sich Mrs. Charles M. Weber, Mrs. Charles Murphy, Mrs. John Murphy, Mrs. Daniel Murphy und Miss Wilson, alle aus San Jose. Offensichtlich hatte Mrs. Weber Verwandte und Freunde aus dem Santa Clara-Tal eingeladen, denen sie ihr neues großartiges Heim und etwas von Stocktons Glanz präsentieren wollte. Dies war wahrscheinlich die erste Gelegenheit dazu seit ihrer noch nicht lange zurückliegenden Eheschließung.

Osborn hinterließ eine Beschreibung von Stockton, die zeigt, daß die Stadt im Jahre 1851 bereits gut funktionierte. Die Straßen waren jedoch Sumpflöcher. Am 5. Januar schrieb er: „Im Augenblick wäre es unmöglich, an den Stellen, wo keine Bretter liegen, durch den drei oder vier Fuß tiefen Schlamm zu waten, ohne die Stiefel zu verlieren!" Ungefähr zwei Wochen später notierte er „eine Menge wichtiger Verbesserungen, unter anderem den Bau von Übergängen".

Diese Arbeit wurde von „Gefangenen aus dem Militärgefängnis von Mormon Slough verrichtet. Schwere Ketten waren an ihren Fußgelenken befestigt . . . Einige von ihnen waren gut gekleidet und wahrscheinlich wagemutige Spieler gewesen, bevor sie wegen ihrer Übeltaten in die „Kettentruppe" eingereiht wurden."

Am gleichen Tag, dem 20. Januar, schrieb Osborn folgendes über das sich ändernde Stadtbild:

„Ich stand auf dem Kai und beobachtete die leuchtenden Fahnen auf den Masten und die hin- und hereilenden Kutscher und hörte das Rufen des Zeitungsjungen: „Hier ist der New York Herald!" Das Läuten der Glocke des Auktionators vermischte sich mit dem Gehämmere des Handwerkers. Da vergaß ich fast, daß ich auf Boden stand, der drei Jahre zuvor noch das Lieblingsjagdrevier der Indianer gewesen war."

Timothy Osborn war beeindruckt von dem kulturellen Aufschwung Stocktons. Er beschrieb das El Placer-Theater, das von John und William Owens für 50.000 Dollar erbaut worden war. Es lag im Herzen des Geschäftsviertels an der Ecke von Levee und Center Street. Er bezeichnete es als „das bei weitem schönste Gebäude der Stadt". Im Erdgeschoß befand sich der bekannte El Placer-Saal, und im Obergeschoß entstand gerade „ein hübsches kleines Theater, das für Stockton eine Bereicherung und ein Schmuckstück sein wird". Dieses Theater war ausgestattet mit Polstersesseln, privaten Logen mit prächtigen Damastvorhängen, einer 30 Fuß tiefen Bühne und einem Konzertsaal für Musikfreunde. Ein Amateurkünstler, Josiah Perkins Cressy, malte das Bühnenbild. Am Eröffnungsabend, dem 11. Februar 1851, füllten 700 Leute das Haus. Zehn Tage später, am Abend des 20. Februar, besuchten Osborn und sein Freund Tabor eine Aufführung von Shakespeares „Hamlet". Von besonderem Interesse war Osborns Anmerkung, daß sie „im ersten Rang Mr. Purdy, den Bürgermeister, Maj. Hammond, C.M. Weber und Mr. Perley mit den beiden Fräulein Isbell" sahen.

Die Firma Scofield & Co. nahm ihre Geschäfte zwischen dem 7. und 12. Januar 1851 auf „auf der östlichen Seite der El Dorado Street zwischen Levee und Main. . .". Nirgendwo gab Osborn eine Erklärung darüber ab, welche Produkte verkauft wurden. Er berichtete jedoch, daß sie jährlich 3.000 Dollar für das Geschäft bezahlten, daß im oberen Teil Schlafräume und eine Küche untergebracht waren und daß sie selbst kochten. Am 18. Januar notierte er, daß sie eine hohe Rechnung für landwirtschaftliche Geräte erhalten hätten. Sie rechneten mit einer starken Nachfrage nach diesen Waren, da die Pflanzzeit bald beginnen würde. Aufgrund dieser Aussage können wir annehmen, daß die Firma Scofield & Co. ein breites Angebot an Waren hatte, denn Osborn erwähnt, daß auch Frauen zu den Käufern gehörten. Sein persönliches Tagebuch beschränkte sich auf Aussagen über gesellschaftliche Ereignisse und andere Themen, die ihn selbst besonders interessierten. Osborn berichtete, daß Stockton mehrere Kirchen besaß,

„eine kleine presbyterianische Kirche, eine Methodisten- und eine katholische Kirche". Am Sonntag, dem 12. Januar 1851, nahm er mit seinen Freunden Jackson und Staigg an einem Gottesdienst in der Methodistenkirche teil und „fühlte mich wieder einmal unter zivilisierten Menschen". Zum erstenmal seit vielen Monaten genoß er eine solche Gelegenheit. Die Kirche war hübsch geschmückt und von Kerzen in großen Zinnleuchtern erhellt. An dem Gottesdienst nahm auch John C. Edwards, der Gouverneur von Missouri von 1844 – 1848, teil. Osborn hatte ihn gelegentlich auf den Goldfeldern angetroffen. Nun hatte sich Edwards offenbar in Stockton niedergelassen, wo er 1880 starb.

Zu seiner Überraschung begegnete Osborn auch den Dallas-Schwestern in der Kirche, die während seiner Goldgräberzeit am Merced River gelebt hatten. Auch andere Begegnungen mit schönen Frauen wurden ordnungsgemäß notiert: „Heute", so schrieb er am 5. Januar 1851, „beobachtete ich mehrere Damen auf einem Spaziergang. Sie trugen hohe Stiefel und genierten sich nicht, ihre Röcke hochzuheben, um sie nicht mit Schlamm zu beschmutzen!"

Eine Woche später betraten zwei junge chilenische „señoritas" das Geschäft, während Osborn Dienst tat. Er war von ihrer Schönheit hingerissen. „Der erste Blick auf eine der beiden berührte mich wie ein Zauberstab! Wirklich und wahrhaftig, sie war das entzückendste Mädchen, das ich je gesehen hatte." Im Frühjahr 1851 begegneten ihm andere spanische oder mexikanische Schönheiten während seines Besuches in Castoria oder French Camp. Er fand den südlichen Teil der Stadt, des alten French Camp, fast ausschließlich von spanischsprechenden Leuten bewohnt. Sie hatten ihre eigenen Geschäfte und schienen das Leben „auf echt kastilische Weise" zu genießen. Er fuhr folgendermaßen fort:

„Ich sah einige hübsche junge Mädchen, die ich nicht unerwähnt lassen kann. In niedrigen Häusern aus Rohrkolben oder Luftziegeln entdeckte ich manch hübsches Augenpaar. Vergliche man diese Augen mit denen vieler unserer Möchtegern-Schönen zu Hause, so würden sie diese vollkommen in den Schatten stellen. Ihre Augen sind ja so schwarz!"

Vom 25. April bis 18. Mai 1851 weist Osborns Tagebuch keine Eintragungen auf, was für einen so fleißigen und ernsthaften Schreiber höchst ungewöhnlich war. Am 18. Mai gab er eine Erklärung für sein Schweigen:

„Unsere kleine Stadt liegt in Schutt und Asche! Fast jedes Geschäftshaus wurde ein Opfer der Feuersbrunst, die am 6. des Monats wütete. Auch unser Geschäft brannte aus. Wir fanden uns ohne einen Penny auf der Welt und müssen nun unser Geschäft, das sich so gut angelassen hatte, wieder von vorn beginnen. Ich habe fast alle meine Kleider eingebüßt, ebenso meine Bücher – es war ein Anblick, den ich hoffentlich nie mehr erleben muß . . ."

Als die Asche abgekühlt war, hing das Schild von Scofield & Co. wieder draußen in der Centre Street in der Nähe der Market Street. Freunde in San Francisco hatten ihnen über diese schlimme Zeit hinweggeholfen, sie „kamen uns zu Hilfe mit einer Großzügigkeit, die wir nicht erwartet hatten". Nach Osborns Meinung würden sie bald wieder in ihre alten Geschäftsräume einziehen können.

Obwohl Brände dieser Art die Stadt von Zeit zu Zeit heimsuchten und großen Schaden anrichteten, hatten sie auch etwas Gutes an sich: sie zerstörten die wackeligen Gebäude, aus denen der größte Teil der Stadt bestand. Die neuen Gebäude waren in der Regel aus Holz und Ziegelsteinen und gaben der Stadt ein etwas dauerhafteres Aussehen. Eines der Hauptprobleme der Stadt waren die „Squatter", Neuankömmlinge, die Grundstücke in der Stadt oder größere Landflächen um Sacramento und – in geringerem Maße – auch in Stockton besetzten. Viele von ihnen waren nach Kalifornien gekommen in der Vorstellung, schnell zu Reichtum zu gelangen. Wenn der Erfolg ausblieb, wurden sie neidisch auf die Erfolgreichen, die größere Ländereien in bevorzugten Gegenden besaßen. Ohne jemanden zu fragen, schon gar nicht den gesetzmäßigen Eigentümer, ließen sich diese Neusiedler im Jahre 1850 auf unbewohntem Land nieder, wie es ihnen gerade gefiel.

Die zwei größten Landbesitzer in Nord-Kalifornien waren John A. Sutter mit seinem Imperium von Neu Helvetia und Charles M. Weber mit seinem Campo de los Franceses, der 99 Quadratmeilen oder 48.747 Acres (ca. 20.000 ha) groß war. Beide hatten ein Anrecht auf ihre Ranchen streng nach mexikanischen Vorschriften erworben ebenso wie viele Kalifornier und eingebürgerte Fremde. Sie wollten das Land hauptsächlich für die Rinder- und Pferdezucht nutzen, wie es damals in der Provinz üblich war. Auf die Einwanderer von 1849 und 1850 wirkte dieses scheinbar unbesetzte Land wie eine Einladung. Sie setzten sich über das Gesetz hinweg und ließen sich auf den Grundstücken nieder, die ihnen zusagten. Sie behaupteten nämlich, seitdem Kalifornien zu den Vereinigten Staaten gehörte, sei das Land im Besitz der Öffentlichkeit. Die meisten dieser Leute kamen von der Siedlungsgrenze im Mittleren Westen und waren vom Gold nach Kalifornien gelockt worden. Sie wußten nichts über das mexikanische Kalifornien und seine Geschichte. Sie sahen auf die Mexikaner herab mit einer Verachtung, die typisch war für die Pioniere an der kürzlich eroberten texanischen Siedlungsgrenze. H.H. Bancroft faßte die Situation so zusammen: „Die Squatter setzten sich hauptsächlich aus Männern von Missouri zusammen, die keine Ahnung hatten von den Landübertragungen durch die Spanier und die das ganze Land als Eigentum der Vereinigten Staaten ansahen, auf das sie ein Anrecht hatten . . ." Die Squatter vertraten die Auffassung, daß alles Land unter amerikanischer Flagge allen Amerikanern zur Verfügung stehe.

Im Jahre 1850 schien Webers Freund und Nachbar, der ebenfalls aus Europa stammende John A. Sutter, eine glückliche Zukunft vor sich zu haben. Er hatte die Eingeborenen beschwichtigt, ihnen Arbeit gegeben und sich mit ihnen angefreundet. Durch die Entdeckung des Goldes auf seinem Lande schien er wieder einmal vom Glück begünstigt. Aber als die enttäuschten Goldgräber und in letzter Zeit neu hinzugekommene Einwanderer ihre Illusionen aufgaben und sich nach einem festen Wohnsitz umsahen, änderte sich die Lage. Ihr erstes Ziel wurde Sacramento, die nächstgelegene und ihnen am besten vertraute Stadt. Sie besetzten brachliegende Grundstücke in der Stadt oder Felder in der Umgebung. Dies führte zu dem bekannten Squatter-Aufstand vom 14. August 1850, in dem es mehrere Tote auf beiden Seiten gab.

In Stockton war die Squatter-Situation etwas anders. Der erste Fall einer Landbesetzung ereignete sich im Frühjahr 1850 am Kai von Stockton. Eine Gruppe schlug ihr Zelt auf einem Grundstück auf, das sie zu ihrem Eigentum erklärte. Die Leute wurden jedoch am nächsten Tag festgenommen und vor Gericht gestellt, den sogenannten „Court of Sessions". Es handelte sich um Webers Land. Weber beauftragte eine Reihe von Anwälten unter Leitung von W.D. Fair, seinen Fall zu übernehmen. Die Anwälte der Gegenpartei waren D.W. Perley, D.S. Terry, E.L. B. Brooks, H. Amyx sowie Slocum & Spofford, die zu den bekanntesten der Stocktoner Anwaltskammer gehörten. Webers Anwälte gewannen den Prozeß; und man glaubte, daß damit derartigen Übergriffen auf Land in der Innenstadt von Stockton ein für allemal ein Ende gesetzt worden sei. Diese Hoffnung erwies sich jedoch als verfrüht, denn im September 1854 schrieb Julius Dauber aus Benicia nach einem Besuch von Charles Weber: „Die Squatter haben Grundstücke und Farmen mit Zäunen umgeben." Tinkham behandelte dieses Thema nur knapp. Er bemerkte, „es würde die Geduld der Leser strapazieren, wollte man alle Prozesse aufzählen, die wegen der Ansprüche auf Land geführt wurden". Damit war für ihn das Thema erledigt. Er wies lediglich noch auf zwei „Kämpfe" hin, die im Anschluß an Landbesetzungen durch Squatter stattfanden. Der erste, der sogenannte „Battle of Waterloo", wurde am 9. November 1861 um das Waterloo-Grundstück acht Meilen nördlich von Stockton geführt. Es gab keine Verwundeten. Der gesetzmäßige Eigentümer gewann den Prozeß, mußte aber zu seiner Bestürzung feststellen, daß die Squatter nicht nachgaben und auf dem Gelände blieben. Sie waren in der Tat so zahlreich, daß sie Unterstützung von der Öffentlichkeit erfuhren. Ein anderer Streit dieser Art ereignete sich zwei Meilen östlich von Waterloo wegen der Comstock Ranch. Der gesetzmäßige Eigentümer wies seinen Eigentumsanspruch vor Gericht nach, und Sheriff Hook setzte seine Union Guard ein, um die Ranch zu besetzen, wenn es sein müßte, auch mit Gewalt. Die Squatter hatten sich jedoch aus dem Staube gemacht. Die Wachmannschaft marschierte in die Stadt zurück, und zwei Stunden später hatten die Squatter das Land wieder in Besitz genommen. Der Fall wurde schließlich gütlich geregelt.

Obwohl es Vorkommnisse dieser Art in Stockton gab, konnte Weber das Blutvergießen vermeiden, das auf seinen Freund Sutter zukam. Sacramento war das Hauptziel dieser aggressiven Einwanderer. Vielleicht war Weber auch nur geschickter und mitfühlender im Umgang mit den Eindringlingen. Sutter war dem Alkohol verfallen und verkaufte Land ohne Rücksicht darauf, ob er ein

Recht dazu hatte oder nicht. Dies machte die Lage in Sacramento noch komplizierter. Weber war frei von solchen persönlichen Problemen; und es zeigte sich, daß er den Squattern mit Mitgefühl und Hilfsbereitschaft begegnete, vor allem den Heimatlosen und Unglücklichen. Tinkham erzählte die Geschichte einer Witwe mit drei Kindern, die ohne Mittel in Stockton hängengeblieben war und ein leerstehendes Haus besetzt hatte. Auch wenn dies vielleicht kein Fall von Landnahme war, so erfuhr Weber von diesem Vorfall und besorgte der Frau ein Haus und Lebensmittel. 1850 hatte Weber die Absicht, die Straße von Stockton nach French Camp auszubessern. Dabei verwehrte ihm „der Squatter Lansing mit dem Gewehr in der Hand" den Zutritt zu seinem eigenen Land. Der Fall endete mit Lansings Vertreibung. Aber dann „übertrug Weber das Land Lansings Frau, die ihm in ein paar Zeilen die Schenkung bestätigte". Diese Beispiele zeigen die Großzügigkeit, die Weber zu eigen war.

Das schwierigste Problem, das auf die Landbesitzer in Kalifornien zukam, nachdem es ein Teil der Vereinigten Staaten geworden war, bestand darin, ihren Rechtsanspruch auf ihr Land nachzuweisen. Das betraf alle Eigentümer ohne Rücksicht auf ihre Herkunft und die Dauer ihres Anrechts – eingeborene Mexikaner ebenso wie eingebürgerte Zuwanderer. In Artikel X des Vertrags von Guadalupe Hidalgo vom 2. Februar 1848, der das Kriegsende bedeutete, hatte man versucht, das Problem durch Anerkennung aller gesetzmäßigen mexikanischen Landübertragungen zu lösen. Aber der Punkt wurde aus den Schlußverhandlungen gestrichen. Die Verantwortung wurde dem Kongreß der Vereinigten Staaten übertragen. Im Kongreß herrschte jedoch ein heftiger Streit zwischen den Nord- und den Südstaaten wegen der Sklaverei und der Frage, ob die neu hinzugewonnenen Territorien – Texas, New Mexico und Kalifornien – Sklavenstaaten oder freie Staaten sein sollten. Ein einziger Staat würde das Gleichgewicht im Kongreß durcheinanderbringen, und keine der beiden Seiten war zum Nachgeben bereit. Das Thema war so umstritten im ganzen Land, daß die Existenz der Nation in Gefahr geriet. Die Folge war schließlich der Ausbruch des Bürgerkrieges.

Drei Jahre dauerten die Auseinandersetzungen, bis 1851 ein Gesetz vom Kongreß erlassen wurde, das die Frage des Landbesitzes regelte. Nach dem Land Claims Act von 1851 mußten alle Berechtigten ihre Ansprüche vor der neu geschaffenen U.S. Land Claims Commission geltend machen und sich diese bestätigen lassen. Die Kommission sollte aus drei vom Präsidenten ernannten Mitgliedern bestehen und drei Jahre lang tätig sein. Anstatt all denen, deren Landansprüche unbestritten waren, eine sofortige Bestätigung zu geben, forderte der Kongreß von jedem einzelnen den Nachweis des rechtmäßigen Landbesitzes. Die Lage wurde dadurch ganz verworren.

Die Kommission hatte eine große Machtbefugnis; sie konnte Aussagen unter Eid anhören, Beweise anfordern sowie Zeugen vorladen und vernehmen. Viele dieser Zeugen hatten nur wenig oder gar keine Erfahrung mit den Methoden bei Gericht und waren auf solch eine strenge Befragung nicht vorbereitet. Außerdem hatte entweder der Landbesitzer oder die Kommission das Recht, das Urteil dem Bezirksgericht und schließlich dem Obersten Gericht der Vereinigten Staaten vorzulegen.

Wie andere auch mußte Weber dieses lange, beschwerliche und kostspielige Verfahren über sich ergehen lassen. Er beauftragte die bekannte Anwaltspraxis Halleck, Peachy & Billings in San Francisco, ihn zu vertreten und den Prozeß für ihn zu führen. Die Kosten waren hoch und brachten Weber in ernste finanzielle Verlegenheit trotz des Reichtums, den er auf den Goldfeldern und mit seinen Geschäften erworben hatte. Es stand sehr viel auf dem Spiel, denn wenn ein Landbesitzer seinen Anspruch auf das Land nicht nachweisen konnte, mußte er mit dem Verlust seines gesamten Vermögens rechnen. Das Ergebnis dieses Prozesses und seine Folgen für Charles Weber werden im XII. Kapitel zur Sprache kommen.

XI. KAPITEL

Eine Wiedervereinigung
1851 – 1853

In dieser hektischen Zeit erhielten Charles und Helen Weber eine überraschende Nachricht – einen Brief adressiert an Captain Weber von dem jungen Julius George, seinem Neffen aus Zweibrücken in Deutschland*. Er trug das Datum des 11. Oktober 1850 und kam aus New York. Wahrscheinlich erreichte er Weber irgendwann im Frühjahr 1851. Sein Neffe teilte ihm mit, daß er sich in den Vereinigten Staaten befinde und seinen Onkel in Kalifornien besuchen wolle. In freundlichem Ton schilderte er dann die Vorkommnisse in der Familie zu Hause und hoffte so, das Eis zu brechen und guten Kontakt zu seinem Onkel Karl (er nannte ihn immer bei seinem deutschen Namen) zu finden.

Julius George begann den Brief wie folgt: „Du wirst hoffentlich nicht übelnehmen, daß ich dich gleich so mit „Du" anrede... überhaupt glaube ich, daß „Du" weit herzlicher ist." George berichtete über ihre verwandtschaftlichen Beziehungen und erzählte ihm, was für einen schweren Stand er auf dem Gymnasium gehabt habe. Es war das gleiche Gymnasium, das Karls Brüder, Adolph und Philipp, besucht hatten. Die beiden waren ihm immer als Vorbilder hingestellt worden. Im Frühjahr des Jahres hatte George von Philipp erfahren, daß dieser zum Assessor am Gericht in Zweibrücken befördert worden war. Webers Vater war von Homburg nach Schwegenheim versetzt worden, er „kann beinahe noch so gut predigen wie vor 10 – 12 Jahren". Von ihm hatte George gehört, daß Karl Weber noch am Leben sei und eine große Farm in Kalifornien besitze.

Unaufhaltsam hatte sich in dem jungen George der Gedanke festgesetzt, daß, wenn Karl Weber sein Glück in Amerika machen konnte, er es auch schaffen müßte. Er verfolgte nur noch ein Ziel: „Fort – hinaus nach America, denn frisch gewagt, ist halb gewonnen." Auf sein ständiges Bitten hin gaben ihm seine Eltern schließlich trotz vieler Bedenken die Erlaubnis zu der Reise.

Julius Georges erster Aufenthaltsort war New York, wo er offensichtlich hoffte, Arbeit zu finden und sich die Reise nach Kalifornien zu verdienen. Aber in New York wimmelte es von Gaunern; darunter waren auch deutsche Landsleute, die es auf hoffnungsvolle, gutgläubige Einwanderer abgesehen hatten. Er schrieb Weber: „Nirgends habe ich eine größere Lumpenhaftigkeit und Schlechtigkeit ... gesehen als hier in New York." Die wenigen Dollar, die er von seinen Eltern bekommen hatte, waren schnell aufgebraucht. Er bemerkte bald, daß die „lumpigen deutschen Wirtshäuser" in geheimer Übereinkunft mit deutschen Agenturen standen, deren Kunden aus dem Ausland gekommen waren und kein

---

*) geb. 1833 in Blieskastel, Sohn von Carl D. Webers Cousine Julie George geb. Weber (Anmerkung der Übersetzerin).

Englisch sprachen. Die beiden Seiten steckten „unter einer Decke", so schrieb George, „um den armen Einwanderer in jeder erdenklichen Weise zu betrügen."

In New York z.B. suchte Julius George Arbeit, was auch immer es sein mochte. Man sagte ihm, in Philadelphia könne er eine Stelle als Kellner bekommen. Er war einverstanden, mußte allerdings fünf Dollar für die Fahrt und eine Gebühr von einem Dollar für den „schlechten Agenten" bezahlen. Um 5 Uhr nachmittags bestieg er einen Zug, doch als er ausstieg, „nahm mich so ein Eisenbahnaufseher am Rock und sagte, ich sollte jetzt für die Eisenbahn schaffen." George verstand nur sehr wenig Englisch, doch sie wendeten Gewalt an. „Das verstand ich doch recht gut, und ich sah deutlich die Schlechtigkeit des Agenten." Er befand sich in einer unmöglichen Lage und mußte sich „geduldig in mein Schicksal fügen". Er schrieb an Karl, daß er zwar gern arbeite, aber was zu viel ist, sei von Übel. Er wurde krank und mußte mehrere Wochen in einem „elenden Spital" zubringen.

Als George wieder gesund war, war er zu schwach, um seine Arbeit fortzuführen. In dieser Notlage hatte ein junger Deutscher Mitleid mit ihm und „lieh mir sechs Dollar mit dem Rat, ich solle heimlich nach New York gehen". Dort angekommen, fand er eine zeitlich begrenzte Anstellung als Kellner in einer deutschen Wirtschaft. Die Arbeit gefiel ihm, aber er verdiente nicht genug, um Englischunterricht zu nehmen. Sein Lohn betrug nur drei Dollar im Monat inklusive Kost und Logis. „Ach, wenn ich englisch könnte, würde ich überall einen guten Platz bekommen." Er versuchte offenbar, sich beliebt zu machen, indem er fortfuhr: „Du weißt dies wahrscheinlich selbst am besten. Du hast sicher viele Erfahrungen gesammelt und festgestellt, daß einem auch in Amerika keine gebratenen Tauben in den Mund fliegen." Voll Wehmut erinnerte George an Webers Abschied von der Familie in Deutschland vor vielen Jahren und berichtete von den zahlreichen Veränderungen, die sich seitdem zugetragen hatten. Er zitierte in diesem Zusammenhang Goethe: „Die Welt bleibt alt und ist doch immer neu." George fügte hinzu: „Wie ich fortreiste von der Pfalz, trugen mir Dein Vater, Deine Mutter – es geht ihr wieder besser, sie lebt jetzt in Speyer –, Deine Brüder, Deine Schwester in Frankenthal, Dein Schwager Richter Wilhelm Ryhiner, Julichen Engelmann – nun Frau Pfarrer Stepp –, Tante Engelmann, Theodor, meine Mutter, mein Vater, Geschwister und überhaupt alle Verwandten, bei denen Du noch in sehr gutem Andenken stehst, auf, dich herzlich zu grüßen und du solltest doch einmal wieder etwas von dir hören lassen . . ."

George fuhr fort: „Und wenn du eine Stelle als Arbeiter für mich auf deiner Farm hättest, so würde es mir sehr angenehm sein und mich schon dies beglücken nur in deiner Nähe zu seyn und fleißig zu arbeiten und dir Freude in jeder Beziehung zu machen." Dies, so versicherte er seinem Onkel, sei sein größter Wunsch. Er bat seinen Onkel: „Wenn du, lieber Karl, mir ein Plätzchen bei dir gönnen möchtest, so möchte ich dich bitten, und wenn du so gut seyn wolltest, sobald als möglich, mir doch das nöthige Reisegeld hierher zu schicken, ich werde dir es sogleich dann, wenn ich etwas verdiene, wieder mit dem größten Dank zurückerstatten." Die folgenden Zeilen bringen die Nachdenklichkeit und die Reife des jungen Mannes zum Ausdruck: „In der Pfalz rieth man mir sogleich zu dir zu gehen, aber ich dachte, ich will zuvor dich um Erlaubniß fragen, ob ich zu dir darf kommen, denn ich will mich dir nicht wie ein unnützes Glied der menschl. Gesellschaft an den Hals hängen, sondern will hart und fleißig arbeiten, was vorkommt, denn ich bin nun bald 18 Jahre alt und zum Glück jetzt nun gesund und wieder ganz kräftig."

Julius George erwähnte noch eine weitere Familienangelegenheit. „Dein Bruder Adolph ist auch nun ein schöner großer junger Mann und Lieutenant bei dem Ingenieur-Regiment in Ingolstadt." George drückte die Hoffnung aus, daß sein Onkel nicht gekränkt sein würde, weil er den Brief unfrankiert geschickt hatte, denn er besaß nicht genug Geld für das Porto. Er berichtete, er habe die Pfalz aus finanziellen Gründen verlassen. Sein Vater habe zwar eine gutgehende Praxis als Cantonsarzt in Rockenhausen bei Kaiserslautern und Kreuznach, aber sie seien eine kinderreiche Familie. Julius George war der Ansicht, sein Vater habe schon genug Geld für ihn aufgewendet. Am Schluß wiederholte er seinen Wunsch: „Ich bin jung und stark und will mich selbst in der Welt durchbringen." In einem Nachsatz fügte er hinzu: „Bitte antworte bald!"

Ob Charles Weber seinem Neffen tatsächlich das Geld für seine Reise nach Kalifornien geschickt hat, wissen wir nicht. George war ein findiger junger Mann. Vielleicht arbeitete er so lange, bis er etwas Geld beisammen hatte, um über Panama nach San Francisco zu fahren. Was wir wissen, ist, daß er schließlich in Kalifornien eintraf, von Charles auf seiner Ranch aufgenommen und einer seiner fähigsten und treusten Mitarbeiter wurde. Das genaue Datum seiner Ankunft in Stockton ist nicht bekannt; er war jedoch dort, als Adolph Weber im Juli 1853 eintraf.

17 Jahre waren verstrichen, seit Karl Weber und Theodor Engelmann 1836 ihre Heimat verlassen hatten, um vermutlich für ein Jahr nach Amerika zu reisen. Der junge Engelmann war zu Verwandten nach Belleville/Illinois gegangen, wo er einen Dorfladen aufgemacht hatte. Aber das Geschäft lief nicht gut, und so kehrte er nach einem Jahr wieder nach Hause zurück. Von Karl Weber war keine einzige Nachricht gekommen.

Zu Hause in Deutschland machte sich die Familie Weber große Sorgen wegen der ausbleibenden Nachrichten von ihrem Sohn. Schließlich glaubten sie, daß er tot sei, und mit dieser Überzeugung lebten sie die nächsten 15 Jahre. Vater Weber hatte darüber hinaus andere Probleme gehabt. Seine Frau war 1846 erkrankt und hatte mehrere Jahre in einer Irrenanstalt verbracht. Jetzt lebte sie in Speyer, wo sie von der wohltuenden Wirkung der Heilbäder Gebrauch machen konnte.

1850 jedoch kamen der Familie Berichte zu Ohren, nach denen es in Kalifornien einen Charles M. Weber geben sollte, der eine große Farm und beträchtlichen Reichtum erworben hatte. Natürlich machte sie diese Nachricht neugierig. Konnte es sich hier tatsächlich um ihren Sohn Karl David Weber handeln? Im August des Jahres schrieb Pfarrer Karl Gottfried Weber an Charles in Stockton in der Hoffnung auf eine Antwort, die die Identität des jungen Mannes klarstellen würde. Zwei Wochen später, am 31. August, schrieb er erneut, um einen gewissen Emanuel Baer aus Schwegenheim anzukündigen, der über New Orleans nach Kalifornien reisen und bei Charles Weber vorsprechen wollte. In diesem Schreiben bemerkte Pfarrer Weber, es sei in der ganzen Pfalz bekannt, „daß der in Kalifornien wohnende und dort ein sehr großes Vermögen sich erworbene Charles M. Weber mein Sohn . . ." sei. Er berichtete außerdem, daß diese Information aus amerikanischen Zeitungen stamme; danach sei die Geschichte in deutschen Zeitungen erschienen und allgemein bekannt.

Am 13. August des Jahres schrieb Webers Bruder Philipp einen langen und ausführlichen Brief an Charles. Er erzählte von einem Herrn F. Serda aus Zweibrücken, einem Apotheker, der mit seiner Familie mehrere Jahre in New Orleans gelebt hatte und der vor einem Monat nach Deutschland gekommen war. Philipp erkundigte sich bei ihm nach Karl, der die erste Zeit in Amerika ebenfalls in New Orleans verbracht hatte. Ihm wurde bestätigt, daß der Erfolg seines Bruders in Kalifornien allgemein bekannt sei, daß er ein Rancher sei und eine Stadt, Weberstown, „als bleibendes Denkmal deines Namens" gegründet habe. Natürlich teilte Philipp diese Botschaft der ganzen Familie mit. Er berichtete Karl auch, er habe Geschichten über ihn in der Augsburger Allgemeinen Zeitung gelesen, vor allem in der Ausgabe vom 23. Juli 1850, wo geschrieben stand, daß „Stockton am San Joaquin auf dem Grundstück eines Deutschen, Karl M. Weber, angelegt ist, der seit etwa drei Jahren eine Viehzüchterei daselbst besaß."

Bald kursierten in Zweibrücken noch weitere Nachrichten über Webers Erfolg. Ein Herr Kohn z.B., ein gebürtiger Pfälzer, kam Mitte Januar 1851 aus Kalifornien, um seine Eltern in Zweibrücken zu besuchen. Er erzählte, daß er in Amerika mit Weber geschäftlich zu tun gehabt habe. Offensichtlich war die Kunde von Webers Erfolg schon in April 1850 nach New Orleans gelangt. Dort hörte sein Freund und früherer Gefährte, G. Wentz, die Neuigkeiten von einem deutschen Reisenden, der aus Kalifornien zurückgekehrt war.

Der Cousin und alte Freund von Pfarrer Karl Weber, Theodor Erasmus Hilgard Senior, erfuhr durch Zufall von Webers Existenz. Im Frühjahr 1850 hatte er Belleville/Illinois verlassen, um seine Heimat zu besuchen und möglicherweise bei der Hochzeit einer seiner Töchter dabeizusein. Bei seiner Rückkehr nach Amerika im Herbst des Jahres traf Hilgard an Bord des Dampfers „Hermann" einen gewissen John Stevens. Er schrieb daraufhin an Charles Weber: „Stevens sagte mir, daß er selbst lange Zeit in San Francisco gelebt habe, daß er Sie (Charles) persönlich kenne und noch kurz vor seiner Abreise (im August 1849) gesprochen habe, und daß Sie nicht nur am Leben, sondern ein reicher Mann geworden seien." Hilgard fügte hinzu, er sende diesen Brief durch einen Bergingenieur namens Ramdohr, den er ebenfalls auf dem Schiff kennengelernt habe und der auf dem Weg nach San Francisco sei. Er würde sich um die Zustellung des Briefes an Weber kümmern. Hilgard drückte seine Hoffnung aus, daß ihm Charles nach Belleville schreiben würde, „um die guten Nachrichten, welche ich von Herrn John Stevens erhalten habe, zu bestätigen. Denn solange diese Bestätigung nicht erfolgt ist, darf ich jenen Mittheilungen doch nur halb und halb Glauben schenken." Hilgard fügte noch hinzu: „Auch hoffe ich, daß Sie Ihrem Vater und Ihren Geschwistern gegenüber Ihr langes Schweigen brechen und dieselben recht bald durch direkte Nachrichten erfreuen und beruhigen werden."

Aufgrund der Nachrichten aus so vielen zuverlässigen Quellen sahen sich Pfarrer Karl Weber und seine Familie berechtigt zu glauben, daß sich hinter dem genannten „C. M. Weber" tatsächlich ihr Sohn verbarg, der auf den Namen Karl David Weber getauft worden war. Aber sie warteten doch auf eine direkte Bestätigung von Weber selbst. Als die Jahre ohne die erhoffte Nachricht vergingen, entschloß sich der alte Weber nach Unterredungen mit seiner Familie, einen Angehörigen nach Kalifornien zu schicken, um die Wahrheit herauszufinden und alle Zweifel zu zerstreuen.

Am 26. April 1852 – nach vielen schlaflosen Nächten – schrieb Pfarrer Karl Weber an seinen jüngsten Sohn Adolph und teilte ihm mit, daß er es für nötig halte, einen seiner Söhne nach Kalifornien zu schicken.

„Nach reiflicher und sorgfältiger Berathung haben wir es als das einzige und sicherste Mittel über unseren verschollenen Carl Gewißheit zu erlangen und ihn unserer Familie wieder zu gewinnen, erkannt, daß einer von euch die Reise zu ihm machen muß. Da aber dein Bruder seiner amtlichen und dein Schwager seiner häußlichen Verhältnisse halber sich nicht auf längere Zeit vom Hause entfernen können, so ist es unser aller Wunsch und, insofern deine Dienstverhältnisse dir gestatten einen längeren Urlaub zu erlangen, mein ausdrücklicher Wille: daß du auf ein Jahr Urlaub nachsuchen und die Reise nach Californien wo möglich noch diesen Herbst antreten sollst." Adolph hatte sein Studium am Polytechnikum in München abgeschlossen und war dem Königlichen Ingenieurcorps beigetreten. Der beantragte Urlaub wurde ihm gewährt, so daß Adolph im folgenden Jahr die Reise nach Kalifornien unternehmen konnte mit der Zusicherung, daß er seinen Beruf jederzeit wiederaufnehmen könnte.

Adolph war damals 27 Jahre alt. Er wurde begleitet von einem seiner Freunde, einem gewissen Julius Dauber, der offenbar vom Kalifornien-Fieber befallen war. Zusammen brachen sie nach Amerika auf. Am 15. Mai 1853 fuhren sie mit dem Rheindampfer nach Mannheim. Dort übernachteten sie und gingen am nächsten Tag an Bord eines Schiffes mit Ziel Rotterdam. Dann fuhren sie mit einem Londoner Raddampfer nach Hull in England und von dort mit dem Zug nach Li-

Tuschzeichnung von Adolph Weber als Student in München um 1847

verpool. Dort wurden sie einem Mr. Braun vorgestellt, einem der Eigentümer des Schiffes, der die jungen Männer bei sich zu Hause auf vornehme Weise mit Speise und Wein bewirtete.

In Liverpool besorgten sie sich ein Ticket für die Überfahrt in der zweiten Klasse auf der „Arabia", die die Vereinigten Staaten ansteuerte. Die zehntägige Atlantiküberquerung verlief bei ruhiger See und ohne besondere Vorkommnisse. Am 31. Mai kamen sie in New York an, wo sie zwei Tage bei einem Mr. Johnson, 147 Fulton Street, blieben. Bei ihrer Landung war es furchtbar heiß, aber ansonsten fühlten sie sich wohl. Während ihres Aufenthaltes in New York besuchten die beiden jungen Männer Hoboken/New Jersey, sahen sich die Sehenswürdigkeiten an und machten Pläne für ihre Reise nach Kalifornien. Sie besorgten sich Tickets für den Dampfer „Union", schickten ihr schweres Gepäck mit einem Klipper um Kap Horn, um Reisekosten zu sparen, und brachen am 6. Juni von New York auf. Von Aspinwall aus, dem Hafen an der Atlantikküste, überquerten sie den Isthmus in Richtung Panama am Pazifik. Zuerst fuhren sie mit dem Zug nach Barbacoa, von dort ging es mit einem von Indianern betriebenen Flußschiff nach Cruces und schließlich mit Mauleseln nach Panama. Der Ritt dauerte 1½ Tage. Obwohl Adolph mit einer interessanten tropischen Welt in Berührung kam, war er dennoch nicht von ihr angetan, auch nicht von dem Ort Panama. Er erklärte, er würde dort nicht bleiben, „selbst wenn sie mich zum Präsidenten der Republik machten". Die häufigen Gewitter verursachten Wasserstrudel und brachten Milliarden von Moskitos und Schnecken mit sich.

Nach dreitägigem Aufenthalt in Panama begann ihre Überfahrt nach San Francisco an Bord des alten Postschiffs „California" und nicht auf der „Cortés", für die sie ihre Tickets gekauft hatten. Endlich waren sie auf dem Pazifik und näherten sich ihrem Ziel. Während des ersten Teils ihrer Überfahrt schliefen sie auf dünnen Matten in den Gängen oder auf offenem Deck, was sie bei der tropischen Hitze als angenehm empfanden. Das änderte sich jedoch, als sie die kühleren Gewässer weiter im Norden erreichten, wo das Wetter an der nebelreichen Küste recht frisch war. Neben ihren Kojen schlief der Schiffsbäcker, ein Landsmann namens Vogelsang, der seinen beiden Freunden oft ein Stück Kuchen oder etwas Weißbrot zusteckte. Ein anderer Deutscher, ein gewisser Zimmermann, der erste Schiffsingenieur, versorgte Adolph mit englischem Lesestoff.

Während sie entlang der Küste fuhren, legte das Schiff mehrere Male an, um neue Kohlevorräte aufzunehmen. Die Kohle kam aus England und war in verschiedenen Häfen am Pazifik gelagert. Der erste Stopp dieser Art war am 27. Juni in Acapulco, wo sie neben Brennmaterial auch Rinder, Geflügel und Obst in reichlichen Mengen an Bord nahmen. Am 4. Juli wurde der Kohlevorrat in San Diego wieder aufgefüllt, die Flagge wurde gehißt und die Kanone abgefeuert aus Anlaß des Nationalfeiertages. An diesem Tag erhielten die Reisenden besseres Essen, und es wurde reichlich getrunken.

Am Abend des 6. Juli erreichten sie den wunderschönen Hafen von Monterey, der von einem Vorgebirge begrenzt wird. Felsen säumten den Meeresrand. Alles war herrlich grün und sorgfältig bepflanzt. Sie sahen Seelöwen auf den Felsen im Meer und Tausende schwarzer Enten. Überall im Pazifik waren ihnen Fische in großen Mengen und gelegentlich stattliche Wale begegnet, die Wasserstrahlen wie Fontänen in die Luft bliesen.

In Monterey legte das Schiff nur kurz an, um die Post abzuliefern. Da die Entfernung nach San Francisco nur noch 80 – 90 Meilen betrug, setzte der Kapitän die Reise fort in der Hoffnung, sein Ziel bis Mitternacht zu erreichen. Aber der Nebel war so dicht, daß das Schiff erst gegen 6 Uhr morgens in das Golden Gate einfuhr. Adolph und Dauber sahen entlang der Küste Gebäude, die wie Wäschereien und Landhäuser aussahen. Bald kam Telegraph Hill in Sicht, und nachdem sie ein Vorgebirge umschifft hatten, zeigte sich die Stadt hinter einem Wald von Schiffsmasten. Sie landeten ganz gemächlich am Central- oder Longkai „Gott im Herzen dankend, es einmal so weit gebracht zu haben."

Als Adolph Weber und Julius Dauber in San Francisco an Land gegangen waren, konnten sie es kaum erwarten, ihr Endziel zu erreichen. Auf ihre Anfrage hin erfuhren sie, daß ein Dampfer, die „Sophia", um 4 Uhr nachmittags nach Stockton abfahren würde, und so entschlossen sie sich, die Reise sofort anzutreten. Vor ihrer Weiterfahrt schauten sie sich noch kurz diese schlichte Stadt San Francisco an und kletterten auf den Telegraph Hill, um sich einen Überblick zu verschaffen und die Aussicht zu genießen. Eine Stunde vor Abfahrt des Schiffes gingen sie an Bord. Es war Donnerstag, der 7. Juli 1853.

Adolph Weber und Julius Dauber beobachteten alles mit Aufmerksamkeit, doch sie waren offensichtlich nicht besonders beeindruckt von der noch jungen Stadt. Adolph schilderte seinen Eltern und seiner Familie die Fahrt der „Sophia" durch die Buchten von San Francisco und San Pablo an Benicia vorbei. Gegen 2 Uhr morgens gelangten sie zum San Joaquin mit seinen ausgedehnten Sümpfen und Kanälen. Nach weiteren zwei Stunden, am Morgen des 8. Juli, näherten sie sich Stockton, wo sie nach Adolphs Beobachtungen „gerade Carls Haus schief gegenüber" an Land gingen.

An Bord ihres Schiffes hatten sie einen netten Herrn namens Presser, einen Bierbrauer aus Großottweiler in Deutschland, getroffen. Er besaß eine Brauerei bei Murphys Minen im Goldgebiet. Er hatte sich die letzten Einrichtungsgegenstände geholt, die ihm noch zur vollständigen Ausstattung seiner Fabrik fehlten. Presser kannte Captain Weber gut und „erzählte viel von unserem Karl", schrieb Adolph. „Wie pochte mir das Herz, als er mir Karls Wohnung und Garten zeigte."

Gegen 4 Uhr morgens legte das Schiff gegenüber der Halbinsel an, auf der Charles Weber wohnte. Presser bot Adolph eine Tasse Kaffee an, dann gingen sie nebenan in die Brauerei seines Freundes, des „Roten" Wagner, eines angesehenen

Bürgers, und weckten ihn auf. Wagner schickte sein Boot nach dem Gepäck, das Dauber bewachte. Dann führte er die beiden jungen Männer zu seinem nahegelegenen Tanzsalon, wo sie sich ein bißchen frisch machten und auf den nächsten Tag warteten. Bei Tagesanbruch wollte Adolph am liebsten sofort den Kanal überqueren, aber Wagner bestand darauf, daß sie erst etwas zum Frühstück aßen. Als der Morgen schon etwas fortgeschritten war, ruderte Wagner sie auf die andere Seite zu Webers Haus, wo mehrere seiner Bediensteten durch deutsche Freunde bereits auf ihr Kommen vorbereitet waren.

Aufgeregt und erwartungsvoll schritten die beiden jungen Reisenden in Begleitung von Presser und Wagner durch den Garten. Dort sahen sie Julius George, der von ihrer Ankunft unterrichtet worden war, in einer Eingangstür stehen. Adolph schrieb, daß Julius, den er seit 7 Jahren nicht mehr gesehen hatte, „so groß und stark wie ich" war. „Uns scharf fixierend" – ohne sich von dem ablenken zu lassen, was über einige Deutsche berichtet wurde, die gerade von den Goldfeldern zurückgekehrt waren – „ging er auf mich zu und sagte: ‚Das ist ja der Adolph!'" Da es noch früh am Morgen war, gingen die Männer im Garten spazieren. Julius George gab ihnen einen vertraulichen Überblick über die Lage in der Stadt. Er erzählte ihnen, daß Karl „diesem Blutsauger Wagner" das Geld für seine Brauerei gegeben und sich während Wagners langer Krankheit um seine Pflege gekümmert hatte. Er hatte ihm auch zahlreiche größere Geschenke gemacht und „dafür alles aber keine Rente und Dank" empfangen.

Die Gäste wurden nun in Webers Besuchszimmer geführt, und bald näherten sich die Schritte des Hausherrn. Als er die Treppe herunterstieg, „wurden mir zum erstenmale seit langer Zeit die Augen wieder naß", schrieb Adolph. Julius George stellte die Besucher rasch vor. In brüderlicher Weise „umarmte mich Karl und war sehr erschüttert". Adolph machte ihn sogleich mit Julius Dauber als einem Verwandten bekannt, und „da konnte Karl nicht mehr und ging stumm weg". Auch Wagner ergriff die Gelegenheit und verabschiedete sich. Nach wenigen Minuten hatte sich Karl Weber wieder gefaßt; er kam mit seinem Sohn Charles zurück, der noch nicht ganz zwei Jahre alt war. Der Kleine lief schon recht gut, er hatte schönes schwarzes Haar „bis tief in die Stirne", stellte Adolph fest.

Bald darauf führte Karl seine Gäste an den Frühstückstisch und stellte ihnen seine Frau Helen und eine Mrs. Cook vor, die mit ihrem kleinen Sohn, der ungefähr so alt war wie sein eigener, bei den Webers wohnte. Mrs. Cook aus New Orleans gehörte zu denjenigen, denen Charles in seiner gutherzigen Art geholfen hatte. Sie war sehr liebenswürdig und „reichte mir freundlich die Hand und ich küßte sie", berichtete Adolph. Dann richtete sie ein paar Begrüßungsworte auf Englisch an sie, denn sie sprach kein Deutsch.

Nach dem Frühstück setzte man sich zusammen und plauderte. Fragen und Antworten bildeten eine lebhafte Konversation. Charles zeigte dann seinen Besuchern einige seiner Geschäftsgebäude – das sich gerade im Bau befindliche Backsteinhaus und das Büro von Weber und Hammond. Am Nachmittag machten sie mit Charles einen Besuch bei einer Frau Brumn von Richard und ihrer Tochter, die Weber aus New Orleans kannte. Als sie nach dem Tod ihres Mannes im Jahre 1841 mit ihrer kleinen Tochter Emma mittellos dastand, war sie nach Kalifornien gekommen und hatte Weber um Hilfe angefleht. (Adolph und Dauber betrachteten ein solches Ansinnen offensichtlich als regelrechte Zumutung.)

Die Gruppe besuchte auch den freundlichen Christian Rothenbusch und seine Familie. Er betrieb die Stockton-Bäckerei. „Sie freuten sich sehr und wir mußten, wie hier überall üblich, den Willkommtrunk mit ihnen leeren," schrieb Adolph. Am Abend fuhren er und Dauber in Begleitung von Julius George „zum Bade und wuschen den letzten Schiffsdreck ab", danach aßen sie zu Abend und unterhielten sich bis halb elf.

So ging dieser erlebnisreiche 8. Juli – es war ein Freitag – zu Ende. Die beiden müden Reisenden hatten ihren Auftrag erfüllt und schliefen sicher sehr gut in dieser Nacht. Sie hatten herausgefunden, daß sich hinter Charles Maria Weber aus Kalifornien tatsächlich Adolphs verschollener Bruder verbarg, daß er gesund war und eine nette Familie hatte. Sogar Daubers Zahnweh, das ihm auf der Reise nach Kalifornien zu schaffen gemacht hatte, wird nicht mehr erwähnt. Nun galt es, andere wichtige Dinge zu bedenken.

Adolph und Dauber verbrachten die folgenden fünf Wochen in Webers Haus in Stockton. Vier Tage nach seiner Ankunft schrieb Adolph den ersten Brief an seine Eltern. Er beklagte Karls übertriebene Investitionen und seine verschwenderische Großzügigkeit verschiedenen Leuten gegenüber, derer er sich angenommen hatte. Er schloß daraus, daß Karl kein kluger Geschäftsmann war, denn er hatte kein Verständnis für Karls impulsive Großzügigkeit. Adolph fuhr fort: „Was wir noch beginnen werden, ist noch nicht besprochen worden und wird vielleicht diese Woche, so Gott will, entschieden werden."

Eine der ersten Fragen, die Adolph seinem Bruder stellte, war die „nach einem Unterkommen resp. nach Beschäftigung bei Wem immer es auch seye..." Karl hörte sich diese Fragen bereitwillig an und versprach, sich sogleich darum zu kümmern. Es war jedoch nicht einfach, für beide Arbeit zu finden. Dauber war Apotheker*) und Adolph Ingenieur. In Kalifornien gab es den Beruf des Apothekers nicht, man konnte lediglich in einem Drugstore arbeiten. Ein Nachteil für Dauber war, daß er kein einziges Wort Englisch sprach. Adolph berichtete, daß Karl hoffte, etwas Passendes für Julius in San Francisco zu finden, aber zunächst war er auf der Suche nach einer Anstellung für Adolph. Vielleicht könnte Major Richard P. Hammond, Webers Partner und ebenfalls Ingenieur von Beruf,

*) Irrtum des Autors. Julius Dauber hatte den Beruf des Kaufmanns erlernt (s. Familiengeschichte des Pfarrers Albert Dauber).

Arbeit für ihn finden. Hammond war ein sehr erfahrener Mann und kannte viele Leute. Er war früher Zollbediensteter in San Francisco gewesen und genoß Webers vollstes Vertrauen. In der Tat konnte Weber wenig für seine Gäste tun. In Stockton befanden sich zu der Zeit sehr viele fähige und talentierte Männer; die meisten von ihnen waren Goldgräber auf der Suche nach Arbeit.

In diesem ersten Brief schrieb Adolph außerdem, er habe zu viel gehört, um es auf einmal aufnehmen und in geordneter, logischer Weise darüber nachdenken zu können. Er war froh über die Nachricht, daß Karl in hohem Ansehen stand bei dem Agenten der Rothschilds, die im 19. Jahrhundert als eine der größten Geldmächte der Welt galten. Karl war sehr darauf bedacht, den Rechtsanspruch auf seine Ranch – sie bildete die Grundlage seines Erfolges – bestätigt zu bekommen; aber die Verhandlungen wurden von der US Land Claims Commission hinausgezögert. Jedesmal, wenn das Thema zur Sprache kam, verstummte Charles.

Adolph berichtete vieles über seinen Bruder, was für die Familie in Deutschland von Interesse war, z.B. daß er im Jahre 1850 entschlossen war, alles zu verkaufen und nach Hause zurückzukehren, „was er oft schon erzählte und seine Frau bestätigte". Er hing jedoch sehr an seinem Haus und „dem von ihm geschaffenen Platz von 5 000 Einwohnern jetzt, wo vor 3 Jahren noch nichts als sein und seiner Rancheros Zelte standen und seine Rosse und Ochsen weideten, wo man vor 4 Jahren noch den Edelhirsch vor dem Zelt schießen konnte". Seine Braut, der er mit Leidenschaft den Hof machte und die offensichtlich nur ungern ihren großen, eng verflochtenen Familienkreis verlassen wollte, bestärkte ihn auch darin, in Kalifornien zu bleiben. Zu der Zeit hätte er zwischen 300 000 und 400 000 Dollar in bar für seinen Besitz in Stockton bekommen. Adolph meinte als Realist: „Doch man weiß nicht, wozu das alles gut ist."

In dem Brief, den Adolph so kurz nach seiner Ankunft bei Charles und dessen Familie geschrieben hatte, sprach er auch offen über die persönlichen Belange seines Bruders einschließlich seines Religionswechsels. Offenbar hoffte er immer noch, daß sein Bruder nur auf dem Papier ein Katholik sei. „So glaube ich doch, daß es eine Lüge ist, ihm nachzusagen, er seye selbst convertirt, weil er hie und da in die kath. Kirche geht seine Frau abzuholen, oder weil er lange Jahre auf seinem 2ten Besitzthum bei der Stadt Jose seit 1842 keine anderen christl. Kirchen fand als katholische im ganzen Land!" Im Jahr darauf, als Julius Dauber schon etwas mehr über Kalifornien und seine Bewohner wußte, schien dieser anders über Webers Katholizismus zu denken. Dauber hielt sich zu der Zeit, als Mrs. Cooks Sohn 1854 starb, in Stockton auf. Er schrieb an Adolph Weber: „Dein Bruder war bei sämtlichen Begräbnisfeierlichkeiten dabei, in der Kirche und am Grabe. Wie mir Julius George erzählte, geht er auch jeden Sonntag in die katholische Kirche. Das bestärkt mich in meiner Ansicht, daß er sich von seinem ursprünglichen Glauben tatsächlich abgewandt hat ...".

Das eine Ziel seiner Reise, nämlich seinen älteren Bruder aufzuspüren, hatte Adolph erreicht. Schwieriger war es für ihn herauszufinden, warum sich Charles nie mit seiner Familie und seinen alten Freunden in Europa in Verbindung gesetzt hatte. Es ist verständlich, daß Adolph dieses heikle Thema zu erhellen suchte. In den ersten Gesprächen, die Adolph und Dauber mit Charles und anderen Mitgliedern seiner Familie an diesem denkwürdigen 8. Juli führten, beschäftigte ihn diese Frage natürlich ganz besonders. Charles war ihnen freundlich und offenherzig begegnet. Er hatte seine Gäste mit allem Anstand empfangen, und sie hatten über seine Pläne, seine Häuser und einige seiner Freunde gesprochen. Aber es schien da eine Grenze zu geben, die Charles, wie Adolph seinen Eltern schrieb, nicht zu überschreiten wagte. Adolph bemerkte bald, daß die Fragen der Familie wahrscheinlich nie beantwortet werden würden.

Adolph berichtete seinem Vater in einiger Ausführlichkeit von Charles' Liebe zu seinen Eltern und seiner Familie. „Eben trägt er mir noch auf dich und alle Verwandten herzlich zu grüßen." Er fügte hinzu, Charles habe seine Absicht, bald in die Heimat zu reisen und alle zu besuchen, nicht aufgegeben. „Seine Frau selbst wünscht dieß und erzählte mir wie oft sie ihn schon zum Schreiben ermahnt habe, aber ohne Erfolg." Charles und seine Frau sprachen oft voller Zuneigung über die Familie Weber in Deutschland. Sie gaben sogar ihrem zweiten Kind, einer Tochter, die am 12. Juni 1853 geboren worden war, den Namen Julia zu Ehren von Charles' und Adolphs einziger Schwester. Es war offensichtlich, daß beide – besonders aber Charles' Frau – ihre Liebe zu und ihre Achtung vor den Familienmitgliedern in der Ferne zum Ausdruck bringen und engere Bande mit ihnen knüpfen wollten.

Adolph fügte einen Abschnitt über Julius George bei, der die Eltern des jungen Mannes und die übrige Familie sicher sehr erfreut hat. George war offenbar ein schlechter Briefschreiber. Adolph berichtete, daß es ihm gut gehe und er in Charles' Büro arbeite. Seine Stellung könne man am besten als die eines Geschäftsführers oder eines Buchhalters und Sekretärs bezeichnen. Julius Georges Kommentar war, daß „er damals in Philadelphia darüber gelacht hätte, wenn er noch einmal Geld bekommen hätte". Das war damals wirklich ein Tiefpunkt für den fähigen und ehrgeizigen Julius George gewesen, der sich als überaus findiger und intelligenter Mann erwies.

Fünf Wochen vergingen, bis Adolph die Frage anzuschneiden wagte, warum sich Charles von der Welt, in die er geboren worden war, so isoliert hatte. Er schrieb seinen Eltern: „Nun beginne ich meine größte Aufgabe euch, ihr Lieben, gegenüber einmal das mystische Dunkel etwas aufzuhellen das bisher euch wie mir über den ältesten Sohn und Bruder verbreitet war." Er gab zu, daß er sich schwertat, diese Probleme anzugehen. „Ihr dachtet wohl wie ich, es würde keiner langen Zeit bedürfen, alles das zu übersehen und zu verstehen, was da in 12 Jahren durch ein menschliches Herz wie das unseres Karl gegangen ... Aber, meine Lieben, in den 5 Wochen ist es mir nicht möglich gewesen und es wird auch nimmer auf dieser Erde dieses räthselhafte Wesen Karls ganz durchschaut werden können, denn die wenigen sich erschließenden Knospen lassen auf eine unergründliche Tiefe seines Innern schließen . . ." Adolph war auch der Meinung, daß es niemandem gelingen würde, durch gelegentliche Gespräche den Charakter seines Bruders zu erhellen. Er fügte hinzu: „Seine möglichen Geschichtsschreiber hat er sich noch alle vom Leibe geschafft."

Adolphs zweiter Brief an seine Familie in Deutschland. (Der gesamte Brief umfaßt 18 Seiten!) Links oben eine Lageskizze von Carls Haus in Stockton.

Aus den seltenen Gesprächen und aus den Fragen, die Karl nur zögernd beantwortete, erfuhr Adolph von seinen letzten Abenteuern in New Orleans (seine ersten Jahre dort blieben dagegen unerwähnt), von seinem geschäftlichen Mißerfolg, seinem Entschluß, mit der Bidwell-Bartleson-Gruppe in den Westen zu ziehen, und dem Erfolg der Gruppe, die es als erste schaffte, den Kontinent zu durchqueren. Charles erzählte ihm von seiner Ankunft und dem Aufenthalt in Neu Helvetia, dem Umzug nach San Jose und seiner Begegnung mit den Murphys. Adolph berichtet auch über einige von Charles' Erlebnissen auf seiner Ranch – es sind Geschichten, die sicherlich die Phantasie der jüngeren Leute in Adolphs Verwandtschaft und unter seinen Freunden in Europa angeregt haben. Von Zeit zu Zeit mußte Charles gegen wilde Bären kämpfen, einmal erschoß er fünf der sechs Bären, die er entdeckt hatte. Oft hatte er sich gegen die „viehstehlenden Indianer" zur Wehr zu setzen. Bei Angriffen gegen solche diebischen Banden pflegte Charles auf dem alten French Camp-Gelände im Schatten der Eichen, die die weite Ebene dicht bedeckten, sein Zelt aufzuschlagen. Die Gegend gefiel ihm so gut, daß er, nachdem er ein Anrecht auf das Land erworben hatte, dort ein Gehege baute und eine Siedlung gründete.

Das war Adolphs kurze Darstellung, wie sehr Charles an dem Gebiet hing, das bald den Namen „Stockton" tragen sollte. Der Bericht basierte auf Charles' persönlichen Erinnerungen.

Der verheißungsvolle Beginn ihres Besuches in Stockton ermutigte Adolph und Dauber zweifellos, in Kalifornien zu bleiben und sich dort auf Dauer einzurichten. Nur wenige hatten eine derartige Gelegenheit, Kalifornien zu besuchen, sich das Land anzuschauen und sich auf Arbeitssuche zu begeben. In Adolphs frühen Briefen findet sich kein Hinweis, daß einer der beiden den Gedanken hatte, nach Deutschland zurückzukehren.

Es ist verständlich, daß die Erlebnisse in Stockton Adolph zu der Überzeugung brachten, daß Charles seine geschäftlichen Unternehmungen falsch angepackt hatte. Er war zu großzügig gewesen und hatte sich einen großen Teil seines Vermögens „abzapfen" lassen. In einigen Jahren, so schrieb Adolph seinen Eltern, würden die Leute vielleicht über Charles sagen, was sie jetzt über den guten alten Captain Sutter sagten – „sie nahmen ihm sogar das Hemd vom Leibe". Der Gedanke, daß das gleiche Schicksal seinem Bruder zustoßen könnte, schien Adolph sehr zu beunruhigen. Er fuhr fort, daß Charles, wenn er nur gewollt hätte, heute durch den Abbau der Goldminen ein Rothschild sein könnte.

In dieser Stimmung füllte Adolph mehr als eine Briefseite. Er tadelte seinen Bruder, weil dieser – wenn auch durch Zufall – sein Geschäft und sein Lagerhaus am südlichen Ufer des Stockton Slough (des Stocktoner Sumpfgeländes) errichtet hatte und nicht auf der Halbinsel, die damals das Stadtzentrum darstellte, wo Weber noch viel Land besaß. Wie wir wissen, hatte Charles den größten Teil dieses Landes am Stockton Channel billig verkauft oder verschenkt, um

Siedler anzulocken. Das war zu einer Zeit gewesen, als die Leute sich nur zögernd in dem Gebiet niederließen aus Angst vor den Indianern. Außerdem übte Adolph Kritik an Charles, weil dieser, sobald die gerissenen Amerikaner nur seinem Ehrgeiz schmeichelten – jeder kenne seine Schwäche –, alles tue, was sie wollten. Leider scheine Charles kein Gefühl zu haben. So kalt und verschlossen wie er seinen Eltern, Brüdern und seiner Schwester gegenüber sei, so barsch und sarkastisch verhalte er sich oft zu seiner Frau, während er andere sehr großzügig behandele.

Im Laufe ihres Aufenthaltes in Stockton wurde die Enttäuschung bei Adolph und Julius Dauber immer größer. Sie erkannten schließlich, daß Charles sehr wenig für sie tun konnte, und so verließen sie Stockton am Samstag, dem 13. August, um in San Francisco die Neue Welt allein zu erproben. Sie bewunderten Charles und seine Leistungen und waren besonders angetan von der freundschaftlichen Beziehung, die sie zu seiner Frau Helen angeknüpft hatten. Um diese Verbindung zu erhalten, vereinbarten sie, brieflich in Kontakt zu bleiben. Adolph würde sich also ganz intensiv dem Studium des Englischen widmen müssen. Er würde Helen von Zeit zu Zeit in einer für ihn schwierigen Sprache schreiben, um sie von seinen Fortschritten zu überzeugen. Die Freundschaft zwischen Adolph und Helen sollte ein Leben lang dauern.

Adolph blieb auch Julius George herzlich verbunden. Dessen gelegentliche Briefe hielten ihn über die Entwicklungen in Stockton auf dem laufenden. Julius Georges Haltung seinem Onkel gegenüber war die eines nützlichen Mitarbeiters, denn er erkannte Webers etwas merkwürdige Charakterzüge. Wenn Adolph durch Charles' bissige Bemerkungen verletzt schien, so war es der junge Julius George, der mit seinem reifen Urteilsvermögen die aufgewühlten Gefühle wieder beruhigte. Obwohl auch er zugab, daß es für Charles' Verhalten kaum eine Entschuldigung gab, so bat er Adolph dennoch, diese Wutanfälle zu übersehen und nicht ernst zu nehmen. Letztendlich, so erklärte George, sei Charles seinem Bruder von Herzen zugetan und würde, wenn es notwendig wäre, sein Leben für ihn hergeben.

Sowohl Julius George als auch Adolph Weber sahen deutlich die Überspanntheit des Mannes, dem sie so viel verdankten. Sie erkannten viele der Probleme, mit denen Charles zu kämpfen hatte, vor allem seine scheinbar endlose Sorge um den Rechtsanspruch auf seine Ranch. Sehr hoch waren auch die Steuern auf das Land, von dem man nicht wußte, ob es ihm schließlich zugesprochen werden würde oder nicht. Zu dem betreffenden Zeitpunkt mußte Charles gerade 6 000 Dollar an Steuern aufbringen, die in der folgenden Woche fällig waren, was auch in jenen Tagen keine geringe Summe war. Diese beiden Probleme belasteten Charles sehr und erklärten Julius Georges Ansicht nach seine ziemlich mürrische und aufbrausende Verfassung. „Sein ganzes Wesen", so schrieb Julius George, „ist ein ‚Mixtum Compositum', worin Leidenschaft eine Hauptrolle spielt."

Kurz nach seiner Ankunft in San Francisco arbeitete Adolph drei Wochen bei einem amerikanischen Architekten und verdiente eine ganze Menge. Er wandte sich ernsthaft dem Studium des Englischen zu, denn es war ihm klar, daß er die Landessprache beherrschen mußte, wenn er in Kalifornien seinen Lebensunterhalt verdienen wollte. Dauber, der ebenfalls kein Englisch sprach, fand Anfang September 1853 Arbeit in Max Burkhardts Bäckerei in Benicia. Er blieb ungefähr 6 Monate dort. Zunächst kam Adolph die Stadt elend und düster vor, aber dieses Gefühl verschwand, als er mit den verschiedensten Leuten Kontakte knüpfte und sein Englisch besser wurde.

Im Herbst 1853 sollte Adolph eine Tätigkeit übernehmen, die seinem Beruf entsprach. Er hatte einen Wink bekommen von Charles und seinem Partner, Major Hammond, die in Erfahrung gebracht hatten, daß eine Expedition eine topographische Vermessung in der Sierra Nevada durchführen würde. Die Unternehmung sollte unter der Schirmherrschaft der Pazifik-Atlantik Eisenbahn-Kommission von San Francisco stehen, die eine Kundschaftergruppe in die Sierra Nevada und weiter nach Osten, vielleicht bis zum Virgin River, schicken wollte. Das Gebiet galt damals als unerforscht. Es waren zwei Gruppen vorgesehen. Die erste war bereits unterwegs; Adolph sollte der zweiten als zweiter Ingenieur angehören. Ende September, nachdem alles vorbereitet war und Adolph die Instruktionen für die Gruppe erhalten hatte, reiste er eilends nach Stockton, um mit Charles über das Projekt zu sprechen. Das Jahr ging schon zur Neige, in den Bergen lag Schnee, so daß die Unternehmung nie stattfand. Adolph beschwerte sich, er habe durch all die Vorbereitungen viel Zeit verloren; andererseits mußte er zugeben, daß er dadurch sein Englisch verbessert hatte. Und er war außerdem mit den wichtigsten Männern in San Francisco in Kontakt gekommen.

San Francisco im Jahre 1854

Kurzentschlossen brach Adolph zu einem Besuch der Gegend um San Jose auf, wo Charles ebenfalls eine große Ranch besaß. Er wollte Helens Vater und andere Mitglieder ihrer Familie begrüßen und sich in dem Gebiet umschauen. Adolph beschrieb seinem Vater und seiner Mutter das Land, wo so viele der Murphys eine Heimat gefunden und riesige Ranchen gegründet hatten. Die Gemeinde San Jose war das einzige nennenswerte Zentrum. Im Jahre 1853 war der größte Teil des Landes in dem Tal eingezäunt und bebaut, eine Ausnahme bildeten mehrere große Rinderfarmen, die meist südlich von der Stadt lagen. Adolph schrieb, „Man sieht nur hie und da ein Haus unter den ziemlich gelichteten Eichen."

Zuerst besuchte Adolph Helens Bruder John Murphy, der in San Jose wohnte. Er wies ihren Einführungsbrief vor und wurde sehr freundlich aufgenommen. Die Männer verbrachten den 15. und 16. Oktober 1853 (Samstag und Sonntag) zum größten Teil mit Fischen und der Jagd auf graue Eichhörnchen.

Sonntag nachmittag kam Martin Murphy Senior; er war auf dem Rückweg von einem Besuch bei seiner Tochter Mary, Mrs. James Miller, die in der Nähe der Mission San Raphael wohnte. Von San Jose aus begleitete Adolph den alten Murphy zu einer anderen Tochter der Murphys, zu Margaret, Mrs. Thomas Kell, die drei Meilen südlich der Stadt wohnte. Dort übernachteten sie und erreichten am Morgen die Daniel Murphy-Ranch, wo Martin Murphy Senior zu Hause war. Am nächsten Morgen weihte Daniel Adolph in das Farmerleben ein – und zwar in das Leben auf einer Rinderfarm, wie wir sehen werden.

Adolph wurde von Daniels Familie und seinem Vater freundlich aufgenommen. „Herr Murphy", so schrieb er an seine Eltern, „war sehr erfreut mich zu sehen und plauderte unterwegs in seinem irischen Dialekt viel über seine Schicksale, fragte viel nach euch und sehnte sich sehr dich, meinen lieben Vater, einmal sehen zu können. Er ist etwa 67 Jahre alt, ziemlich grau und hager, aber sehr rüstig und stark und noch immer unermüdlich mit seiner Sägemühle in den Rothtannen-Wäldern und mit seiner Kinder Haushaltungen beschäftigt."

Adolph beschrieb, wie der alte Murphy – wie andere Leute in Kalifornien auch – den ganzen Tag im Sattel eines kleinen kalifornischen Pferdes verbrachte. Er stand morgens als erster auf, kümmerte sich um alles und ging seinen Pflichten nach.

Während der alte Murphy Mrs. Patrick Fitzgerald, seine verwitwete Tochter, besuchte, blieb Adolph noch einige Zeit bei der Familie von Dan Murphy. Er lernte das Leben eines Viehzüchters kennen, was für ihn eine außergewöhnliche Erfahrung war. Er schilderte das tägliche Leben folgendermaßen: „Von Formalitäten und Mode ist da keine Rede, staubig, voll Flecken (im Winter voll Kot) geht man zu Bett, wischt Morgens etwas altes trübes Wasser übers Gesicht und geht zum Corrall (Stall = umzäunter Platz), in den eben der Vacquero eine Bande gezähmter californ. Pferde eintreibt." Er berichtete, daß die Vacqueros ein Lasso benutzten, um die an dem Tag zum Reiten benötigten Pferde zu fangen. Wenn sie nicht gebraucht wurden, ließ man diese kleinen Pferde frei auf den Weiden umherlaufen. Dann setzte die Tagesarbeit ein. „Was man vorhat wird nicht gesagt oder besprochen und der Gast nur zum Mitreiten eingeladen. Ihr könnt euch denken, wie mein Centrum gravitatis auf dem harten eigenthümlichen mexik. Sattel und die übrigen Muskeln in der ungewohnten Position und vor allem am Abend fühlten." Aber offenbar fand Adolph Gefallen an dem außergewöhnlichen Unternehmen.

Die Tagesarbeit, so erfuhr Adolph, bestand darin, ungefähr 600 wilde Rinder zu sammeln, „welche am Morgen etwa 15 mexik., indianische und chilenische Vacqueros, im Dienste der Besitzer, von Berg und Thal in wilder Jagd zusammengetrieben hatten". Adolph bat seine Eltern, sich die Szene vorzustellen, wie Ochsen, Kühe und Kälber brüllend auszubrechen versuchten, um zu ihren gewohnten Weidegründen zurückzulaufen. Gelang es einem Tier tatsächlich auszubrechen, so genoß es seine Freiheit nicht lange, denn die Vacqueros jagten ihm nach, bis „der fast zauberische Lasso um die Hörner oder den Hals fliegt". Das Tier wurde zu der Herde zurückgebracht; sein heftiger Widerstand nützte ihm nichts. Gleichzeitig wurden die männlichen Jungtiere kastriert, eine in der Rinderzucht übliche Methode. Wenn ein Vacquero mit einem besonders störrischen Tier nicht zurechtkam, band ein zweiter die Hinterbeine des Tieres mit dem Lasso zusammen, befestigte das Seil an dem Sattelknopf und „über Stoppeln und Steine wird ohne Schonung der Deserteur zur Herde zurückgeschleift", wo man das Seil wieder löste. Alles in allem waren an diesem Tag 26 Reiter, zwei Rinderkäufer aus San Francisco und 7 Landbesitzer aus der Gegend anzutreffen. Die Rinder wurden natürlich mit den Brandzeichen der verschiedenen Eigentümer versehen. Die Händler waren gekommen, um für ihre Fleischereien einzukaufen. Langsam suchten die Vacqueros die kräftigsten Tiere aus der Herde aus. Auf diese Weise gingen in zwei Tagen ungefähr 200 Tiere durch ihre Hände. Die Käufer bezahlten 55 Dollar pro Stück Vieh.

Die Arbeit war offenbar sehr anstrengend; die Sonne brannte vom Himmel, obwohl es schon der 18. Oktober war. Zu Mittag tranken sie Brandy und Whiskey. Erst spät am Abend nach acht oder neun Stunden im Sattel gab es etwas Kräftiges zu essen – Tee, Beefsteak und frisches Weißbrot, das ohne Hefe gebacken war. Es war dasselbe, was es schon zum Frühstück gegeben hatte. Abgesehen von den Getränken, waren alle ihre Mahlzeiten gleich.

Am Donnerstag, dem 20. Oktober, begleitete Adolph den alten Murphy durch die westlichen Hügel zu seiner dampfgetriebenen Sägemühle in den Rottannenwäldern. Anschließend besuchten sie die Witwe von Murphys Sohn Bernard (oder Bernhard), der zusammen mit ungefähr 150 bekannten Männern aus den benachbarten Gemeinden bei einer Explosion auf der Bucht von San Francisco an Bord des sinkenden Schiffes „Jenny Lind" ums Leben gekommen war. Das war am 11. April 1853 kurz nach dem Auslaufen des Dampfers von Alviso geschehen. Am folgenden Tag kletterte Adolph auf einen Berg hinter Dans Haus. Er war ganz stolz, daß er sich nun besser in dem mexikanischen Sattel halten konnte. Er ritt das eine von Charles' zwei zahmen Pferden, um die sich Dan Murphy ebenso wie um seine eigenen kümmerte. „Mein kleiner Braun flog oft nur so durch den wilden Hafer und setzte über die kleinen Bäche wie ein Reh", frohlockte Adolph. Am nächsten Tag unternahm er ganz allein einen Ritt von 16 Meilen, während Dan Murphy und einer seiner Kollegen auf einer Auktion waren, auf der sie 960 Rinder zu 27 Dollar das Stück erstanden. Das Jahr zuvor hatte Dan 1000 Rinder im mexikanischen Kalifornien für 10 Dollar pro Tier gekauft, sie auf seiner Ranch gemästet und später mit gutem Gewinn für 50 Dollar verkauft.

Adolph kehrte auf Dan Murphys Ranch mit einem von dessen Schwägern zurück, der die benötigten Vacqueros aufgetrieben hatte. Am Sonntag, dem 23. Oktober, trieben sie frühmorgens eine Rinderherde zu Dans Gehege. Da es wieder sehr heiß war, machten sie unterwegs an einem Fluß Rast. Adolph schrieb: „Ehe ich mich recht ins Gras gestreckt hatte, hatte auch einer der Vacqueros einige dürre Senfstengel beisammen, der andere schleifte im Galopp am Lasso einen dürren Eichenast herbei und ein dritter brachte von einem Trupp wandernder Mexikaner, die wir einige Meilen vorher beim Schlachten einer Kuh (sicherlich gestohlen und zu ihrem Heil nicht von Dan Murphy's Mark) getroffen, ein großes Rippenstück und hatte, weiß Gott wo, Salz und etwas Cayenne-Pfeffer, sogar einige Zwiebeln aufgetrieben . . . In 15 Min. labte uns das improvisierte Mittagessen bestehend aus delikatem Beefsteak, rohen Zwiebeln und einigen Schlücken Cognac." In den nächsten drei Tagen waren die Vacqueros und die Aufseher damit beschäftigt, den Rindern ein Zeichen einzubrennen und ihre Ohren zu markieren, bevor sie sie frei auf die Weide ließen. „Natürlich", so fuhr Adolph fort, „muß dazu jedes Stück, wie oben beschrieben, gefangen, ans Feuer gebracht, geworfen und mit den 2 Lassos straff gehalten werden, während dann das Marken erfolgt und sie dann wie oben schon geschildert wieder los gemacht werden und sich die letzte Schlinge selbst lösen. Dies geschieht im eingezäunten Raum, worin sie leichter zu fangen sind und der Lassero die gemarkten von den nicht gemarkten trotz der entstehenden Knäule leichter unterscheiden kann."

Die meisten der Vacqueros waren Mexikaner, und ihre Rufe erfolgten auf spanisch, denn kaum einer von ihnen sprach eine andere Sprache. Adolph faßte die laute, staubige Szene folgendermaßen zusammen: „Wie da das Rufen . . . und die spanischen Commandos und Flüche mit dem Getümmel des rennenden und aus einem Winkel in den anderen gehetzten, brüllenden Viehes durcheinanderhallt." Die Hitze war unangenehm, „aber jeder Moment bot eine andere Szene und gewöhnte und lehrte mich ex fundamento das Hirtenleben."

Bevor er das Gebiet von San Jose wieder verließ, ritt Adolph am 27. Oktober zu Charles' alter Ranch hinaus, nach San Felipe y Las Animas, „welches ein liebliches Thal und ein herrlicher Weideplatz von ca. 18 Quadratmeilen ist", der noch von Bären heimgesucht wurde. Die Ranch lag etwas nordöstlich von Dan Murphys Haus. Hier hatte Charles seine erste Herde gehabt und vor seinem Umzug nach Stockton auch gelegentlich gewohnt. Seine ehemalige Hütte ebenso wie die eines Squatters, der vertrieben worden war, standen noch auf dem Gelände. Am nächsten Tag, dem 28. Oktober, einem Freitag, begleitete Adolph Dan Murphy zu dem Wohnsitz seiner Schwiegermutter, der Rancho de la Laguna, die Captain William Fisher gehörte. Sie ritten „nördlich und dann westlich in die Berge hinter den Quecksilberminen" von New Almaden und wieder zurück.

Im Anschluß an diese Reise nach San Jose und in das Santa Clara-Tal teilte Adolph seinen Eltern mit: „Ich ziehe es vor in diesem Land vorderhand zu verweilen." Erstens glaubte er, daß er den Auftrag seiner Eltern im Hinblick auf Charles noch nicht vollständig ausgeführt hatte. Zweitens – und das war sicher sehr wichtig – meinte er, in einem Land zu leben, wo er nach einem Jahr Arbeit mehr Geld sparen könne als als Lieutenant im Bayrischen Ingenieurcorps. Die Gehälter in Deutschland reichten nicht an die Möglichkeiten heran, die er sich in Kalifornien ausmalte. Außerdem war Adolph der Ansicht, daß er so lange bleiben sollte, bis Charles' Fall vor der US Land Claims Commission demnächst entschieden würde. Sollte Charles Erfolg haben und seinen Titel bestätigt bekommen, so würde seine Ranch enorm im Wert steigen; aber bevor die Entscheidung gefällt war, steckte er in der Klemme. „Wie sein Geist, der ohnedieß etwas bizarr ist, dabei fühlt, mögt ihr leicht entnehmen und daraus Geduld und abermals Geduld schöpfen und eher Mitleid mit ihm fühlen und für ihn bitten zu dem der Alles lenkt . . ." Man kann verstehen, welcher Belastung Charles ausgesetzt war; dies war sicherlich eine kritische Phase während seines Lebens in Kalifornien.

Adolphs Besuch bei den Mitgliedern der Familie Murphy hatte ihm Möglichkeiten vor Augen geführt, in diesem neuen Land eine Existenz zu gründen. Er schätzte die Leute wegen ihrer liebenswerten Art und staunte über die Tatsache, daß diese vollkommen mittellosen Einwanderer in weniger als 10 Jahren Besitzer großer Ranchen und prächtiger Rinderherden geworden waren.

Am Sonntag, dem 30. Oktober, kehrte Adolph nach San Francisco zurück und freute sich über die Briefe aus der Heimat. Nun da er eine Entscheidung über seine Zukunft getroffen hatte, setzte er ein Schreiben auf, in dem er sein Ausscheiden aus dem Dienst des Ingenieurcorps bekanntgab. Er schickte es an seinen Bruder Philipp, der es weiterleiten sollte. In dem Brief bat er darum, das Gehalt, das ihm für seinen Militärdienst zustand (169 Gulden, 1 Krone), nach Abzug aller anfallenden Kosten seiner einzigen Schwester Julie zu übergeben. Julie, der es gesundheitlich nicht gut ging, wurde von der Familie sehr geschätzt. In ihren Briefen an Adolph brachte sie oft ihre Zuneigung zu ihm und ihre Dankbarkeit für seine Großzügigkeit zum Ausdruck.

Nach unterschiedlichen Erfahrungen hatte Adolph nun die Absicht, in das Geschäftsleben von San Francisco einzutreten. Eine Gelegenheit bot sich unmittelbar nach seiner Rückkehr, als Adolph Sutro, den er seit einiger Zeit ebenso wie seine Brüder hier und in Stockton kannte, ihm eine geschäftliche Verbindung vorschlug, die ausgezeichnete Zukunftsperspektiven aufzuweisen schien. Die beiden jungen Männer hatten gemeinsame Interessen, weil sie aus Deutschland stammten und ungefähr gleichaltrig waren. Um das Angebot annehmen zu können, brauchte Adolph Weber 2 000 Dollar. Als es ihm gelungen war, 1 000 Dollar aufzutreiben, wandte er sich an seinen Bruder wegen des restlichen Geldes. Aber Charles hatte gerade eine sehr hohe Steuerforderung beglichen und hatte auch beträchtliche Ausgaben für verschiedene große Bauvorhaben, deshalb konnte er ihm nicht helfen. Adolph Weber mußte also den Vorschlag seines Freundes ablehnen.

Inzwischen war es Anfang November 1853, und Charles hielt sich in San Francisco auf, um der Verhandlung vor der U.S. Land Claims Commission beizuwohnen. Das gab den Brüdern die Gelegenheit, sich zu sehen und miteinander zu sprechen. Charles wurde klar, daß Adolph Arbeit brauchte, und so bot er ihm eine Stelle an als Verwalter seiner Ranch bei San Jose, San Felipe y Las Animas, wo er seine Pferdeherde hielt und Pferde züchtete. Diese Beschäftigung sollte nicht von Dauer sein. Obwohl Adolph über diesen Vorschlag nicht hocherfreut war, konnte er ihn doch schlecht ablehnen, denn es war für Adolphs Zukunftsaussichten ebenso wichtig wie für seinen Bruder, daß Charles' Pläne aufgingen. Außerdem würde Adolph Erfahrung im Führen einer Ranch bekommen, einer Tätigkeit, die er als das Hauptnervensystem in der wirtschaftlichen Entwicklung des Staates betrachtete. Er teilte also seinen Eltern den Entschluß mit, das Angebot anzunehmen, denn er glaubte, es sei in ihrem Interesse ebenso wie in seinem eigenen, so lange wie möglich mit Charles zusammenzuarbeiten.

Allmählich freute sich Adolph auf die Veränderung, denn er würde endlich ein gemütliches Heim haben, einen Ort, wo er seine persönliche Habe unterbringen könnte. Voll Zuversicht machte sich Adolph also daran, etwas über Land und Leute zu lernen, und wartete die Entwicklungen ab, die die mexikanischen Landzuweisungen an seinen Bruder betrafen.

XII. KAPITEL

Ein eindeutiger Rechtsanspruch
1853 – 1855

Nach der Rückkehr der Brüder Weber nach Stockton wurde festgelegt, daß Charles Adolph nach San Jose begleiten würde, um ihn in seine Aufgaben als Verwalter der San Felipe y Las Animas-Ranch einzuweisen. Charles hatte jedoch so viele Verpflichtungen zu der Zeit, daß Adolph allein am 17. November 1853 zu Dan Murphys Ranch aufbrach in der Hoffnung, seinen Bruder dort später zu treffen. Adolph war noch nicht mit Charles' etwas unübersichtlichem Zeitplan vertraut und deshalb verwundert, daß Charles nicht auftauchte. Er kehrte also nach Stockton zurück und stellte fest, daß Charles gerade mit dem Umbau seines Hauses beschäftigt war. Sein Haus erhielt einen Anbau; außerdem wurde eine große Laube in seinem Garten errichtet, die schnellstens fertiggestellt werden mußte. Adolph zählte zwei Maurer, zwei Schreiner, drei oder vier sonstige Handwerker sowie zwei Pferdekarren.

Was zu der allgemeinen Verwirrung noch beitrug, war der Umstand, daß Helen Weber ein neues Dienstmädchen hatte, das kürzlich aus Deutschland gekommen war und kein Englisch sprach. Die Sprachbarriere machte die Haushaltsführung für Helen noch schwieriger. Im folgenden Jahr (1854) hatten die Webers überhaupt keine Magd, da die Mädchen nach Adolphs Worten „alle nach kurzer Arbeitszeit sich verheirathen oder ihrem Liebhaber nachlaufen". In dieser Lage übernahm Mrs. Weber alle Pflichten selbst und kochte für ihre fünfköpfige Familie und für vier Arbeiter. Ein Jahr später stellten sie eine Gouvernante ein, die Julius George als „einen junge, leidlich schöne Dame von 20 Jahren" beschrieb, „die äußerst süßlich spricht und eine gute amerikanische Erziehung genossen hat". Charles hatte eine besonders hohe Meinung von ihr. Leider, so fand Julius George, war sie nicht mit Musik vertraut. In Deutschland wäre dies notwendig gewesen, und Adolph und er hielten diese Fähigkeit auch für äußerst wichtig.

Allmählich erhielt Adolph Einblick in Charles' finanzielle Angelegenheiten. Als er sah, wie groß seine Ländereien und sein Vermögen waren und wie schlecht sie seiner Meinung nach verwaltet wurden, war er entsetzt. Durch Makler in San Francisco hatten Adolph und Julius George von den sich ändernden finanziellen Verhältnissen und dem wirtschaftlichen Chaos, das sich damals über den Staat ausbreitete, erfahren. Sie warnten Charles vor sorglosem Geldausgeben und traten für ein Programm gewissenhaften Wirtschaftens ein. Charles sollte sich bewußt werden, daß die Tage von 1849 – 50, als der Boden seiner Kasse mit Gold im Werte von 60 000 bis 80 000 Dollar ausgelegt war, vorüber waren und daß für den Staat eine neue Ära angebrochen war. Die Finanzagentur von Ulmer, Feigenbaum & Co., mit der Adolph und George in Verbindung standen, gab ihr Büro in San Francisco Ende 1854 auf und zog nach New York. Auch andere Geldinstitute wurden auf die Knie gezwungen als Reaktion auf den Zusammenbruch der Wirtschaftsstruktur des Landes.

In der Mitte der fünfziger Jahre wurden die Warnungen wegen des wirtschaftlichen Niederganges immer lauter. Die Goldfunde, die so viel neues Geld in die öffentliche Kasse hatten fließen lassen, gingen zu Ende, und viele Goldgräber wanderten nun ziellos ohne Anstellung und ohne Einkommen umher. Der Zusammenbruch des Stammhauses von Page, Bacon & Co. in St. Louis im Jahre 1855 führte zu einem verhängnisvollen Rennen auf die Bank. Kurz darauf ging Adams & Co., eine weitere bekannte Firma in der Finanzwelt von San Francisco, in Konkurs. Bancroft formulierte es so: „Ein finanzielles Unwetter fegte über das Land und hinterließ eine Spur von Unheil, Ruin und Verwirrung." Er fügte hinzu, daß bis zum Jahre 1856 über 140 Firmen untergegangen waren.

Diese Situation, die noch durch zahllose Prozesse wegen der Landübertragungen und die unvermeidlichen Verzögerungen bei Gericht verschlimmert wurde, dauerte ungefähr ein Jahrzehnt an und versetzte San Francisco und den gesamten Staat in Unruhe. Anstatt sich zu verbessern, verschlechterten sich die Verhältnisse. Trotz seiner Mittel und seiner Stärke bekam Weber die Lage zu spüren, denn er fand es immer schwieriger, seine eigenen Unternehmungen zu finanzieren.

Diese kurze Darstellung zeigt die Schwierigkeiten, die Weber und andere hatten bei dem Versuch, in diesen Jahren Geld aufzutreiben. Die Zinsen waren außerordentlich hoch und änderten sich ständig, manchmal lagen sie bei 4 oder 5% monatlich, um bald darauf wieder auf 2 oder 3% zu fallen. Adolph erklärte seinen Eltern die Lage in einfachen Worten. „Die Zeiten in diesem Lande", so schrieb er, „sind hart und schwer geworden" für den Goldgräber, den Landbesitzer, den Farmer und den Squatter. „Californien ist gegenwärtig in das Niveau der anderen östl. Staaten herabgesunken."

Die Aktivitäten auf Webers Grund und Boden wurden in der Tat von dem allgemeinen wirtschaftlichen Verfall beeinflußt. Charles und seine Leute hatten gute Zeiten gekannt, aber nun waren auch sie in Bedrängnis. Um die Ausgaben zu verringern, versuchte Charles' Ratgeber, Julius George, die Situation fest in den Griff zu bekommen. Die wirksamste Art, die Kosten zu senken, war seiner Ansicht nach die Entlassung einiger alter Mitarbeiter, da sie für Webers gegenwärtige finanzielle Misere verantwortlich und ihre Gehälter zu hoch seien.

Der erste Angestellte, der entlassen werden sollte, war Edward M. Howison. Er war mehrere Jahre lang Webers wichtigster Angestellter und sein Rechtsbeistand gewesen und erhielt ein Gehalt von 6000 bis 7000 Dollar. Es fiel George leichter, die Entlassung von Mitarbeitern anzuraten, da ihn keine langjährige Freundschaft mit ihnen verband.

Die Nachricht von dem bevorstehenden „Abschieben" machte die Runde und rief heftige Erregung hervor. Eines Tages erschien z.B. Howison betrunken in Julius Georges Büro, beschimpfte ihn und schleuderte einen Messingkandelaber in seine Richtung. Der Kampf wurde so hitzig, daß Charles aus seinem nahegelegenen Büro dazwischeneilte und ihm ein Ende bereitete, während sich die Hälfte der Stocktoner Einwohner vor Karls Büro im Zentrum der Stadt versammelte, um den Vorfall zu beobachten. Mit Hilfe des städtischen Polizeipräsidenten wurde der Unruhestifter gefaßt und zu „Brown's Saloon" abgeführt. Am nächsten Tag brach Howison zu seiner Ranch auf, und Charles hatte einen Mitarbeiter weniger. Er teilte Howisons alte Wohnung Julius George zu.

Diese Sanierungsaktion im Jahre 1854, der im Grunde alle alten Angestellten von Weber zum Opfer fielen, war wirklich keine erfreuliche Angelegenheit. Julius George übertrieb zweifelsohne, als er sagte: „Die Ereignisse werden von Tag zu Tag kritischer; die Spanische Inquisition behandelte ihre Opfer nur halb so grausam."

Dagegen arbeitete Major Hammond zusammen mit Weber an einer Aufteilung ihrer jeweiligen Besitzungen in der Stadt. Als Webers Partner besaß Hammond etwa 40% des Stocktoner Bodens, und die beiden Männer regelten die Einzelheiten ihrer Vereinbarungen in gutem geschäftlichem Einvernehmen. Gleichzeitig machte man Hammond natürlich klar, daß man seine Dienste nicht mehr benötige.

Charles' innerer Kreis von leitenden Angestellten setzte sich nun hauptsächlich aus Familienmitgliedern zusammen. Diese Männer waren fähig und ergeben. Sowohl Julius George als auch Adolph Weber erkannten, daß ihre eigene Zukunft von Charles' Erfolg abhing, sein Anrecht auf die weite Ebene, in der Stockton lag, bestätigt zu bekommen. Von seiner Anerkennung als Landbesitzer würden auch sie profitieren. Adolph gab Charles das Versprechen, so lange in San Jose zu bleiben, bis die US Land Claims Commission ihre Entscheidung gefällt hätte.

Auf seinem einsamen Posten auf der Las Animas-Ranch führte Adolph das Leben eines Pioniers. Zunächst hatte er nur eine Hütte. Seine einzigen Gefährten waren ein alter Indianer und ein Freund namens Louis Schoeller. Dieser stammte auch aus Homburg in Deutschland und züchtete Schweine für den Besitzer in Stockton. Ungefähr ein Jahr später übersiedelte Adolph in eine bessere Behausung zwei Meilen näher an das „Lagunahaus" im Westen heran. Das wetterfeste Haus mit seinem Schindeldach lag an einem malerischen Flußarm des Coyote Creek. Der Fluß war von zahlreichen Bäumen gesäumt – Adolph war sehr angetan von der Schönheit und den Annehmlichkeiten des Ortes.

Adolphs Verwandte in Deutschland konnten sich keine Vorstellung vom Leben an der amerikanischen Siedlungsgrenze machen. Trotz seiner Erklärungen meinten sie, er lebe in einer Art Wildnis, die von wilden Tieren heimgesucht werde, und machten ihm heftige Vorwürfe, weil er den Posten auf Las Animas angenommen hatte. In ihren Augen war Adolph nichts als ein Stalljunge. Sein Schwager, der Richter Wilhelm Ryhiner, bat Adolph inständig, er möge doch seine Fähigkeiten als Ingenieur nutzen, anstatt als Pferdetreiber zu arbeiten. Er fand, es wäre besser für Adolph, in seine alte Heimat zurückzukehren als sich mit „Bären, Löwen und Wölfen" in Kalifornien herumzuschlagen. Sie hielten Arbeit von so niedriger Art eines Akademikers für unwürdig. Adolph erwiderte, er fühle sich nicht unglücklich, sondern genieße die Einsamkeit, den Frieden und die Schönheit seines gegenwärtigen Lebens. Er gab jedoch zu, daß er die Möglichkeit vermisse, Gottesdienste mit Predigten in deutscher Sprache zu besuchen, ein Kompliment an seinen Vater.

Trotz der Vorwürfe seiner Familie wegen seines langen Aufenthaltes in Amerika hatte Adolph viele schöne Erlebnisse, die er zum Teil seinen Eltern und der übrigen Familie zu Hause schilderte. Mit großer Begeisterung erzählte er, wie er und ein Gefährte in Begleitung ihres Jagdhundes einen Hirsch erlegt hatten, ihn tranchierten und einen vorzüglichen Wildbraten verspeisten. Könnten sie so etwas je in Deutschland tun? Seine Nachbarn waren die verschiedenen Familien Murphy – doch jede hatte genügend Bewegungsfreiheit. Wenn Adolph von Charles Rat brauchte wegen irgendwelcher Angelegenheiten auf Las Animas, sattelte er sein flinkes braunes Pferd und ritt den langen Weg nach Stockton, um Instruktionen einzuholen und einen netten Besuch zu machen. Solche Ausflüge bedeuteten für ihn einen munteren Ritt, gute Gesellschaft und Kameradschaft und neueste Informationen über aktuelle Vorkommnisse.

Adolph war kein guter Reiter, aber er lernte rasch die Verantwortlichkeiten eines Ranchverwalters kennen – das Hüten und Füttern der Tiere, die Aufzucht einer guten Rasse und die Abrichtung von Wagen-, Renn- und Sattelpferden. Adolph erkannte, daß sein Bruder Qualität verlangte. Jeder war stolz, ein schönes, gut dressiertes Pony oder elegante Pferde zu besitzen. Und Charles Weber, Stocktons führender Bürger, wollte nur das Beste. Es wird berichtet, daß während Adolphs Aufenthalt in San Jose einem Angestellten zwei wertvolle Rennpferde abhanden kamen. Diese Nachricht versetzte den Meister in höchste Erregung. Der Sturm legte sich erst, als er erfuhr, daß die verlorengegangenen Pferde wieder eingefangen worden waren.

Das von Charles Weber und seinen Nachkommen bis in die heutige Zeit benutzte Brandzeichen

Obwohl Charles nur selten Fragen stellte, wußte er doch genau, was sich zutrug, und machte auch keinen Hehl daraus, daß er mit Adolphs Arbeit nicht immer einverstanden war. In der Tat, als Julius George in bester Absicht einmal andeutete, Adolph sei ein guter Mitarbeiter, zuckte Charles mit den Achseln, machte eine Bemerkung über „seine unabhängigen Ideen" und beendete schnell das Gespräch. Adolph seinerseits hielt auf Las Animas, wie versprochen, die Stellung, kam mit jedermann gut aus und hatte gelegentlich eine erfreuliche Nachricht zu übermitteln. Nach Ablauf seines ersten Jahres auf der Ranch kam er zu dem Schluß, man könne als Pferde- und Rinderzüchter viel Geld verdienen. Er schrieb seinen Eltern: „Ihr mögt euch ein kleines Urtheil machen, wenn ich sage, daß ich neulich für 4 von Karls wilden Pferden weit über 1 000 Gulden erlöste und noch sind über 300 ähnliche und zur Nachzucht bestimmte vorhanden." Er fügte hinzu, daß, wenn Karls Rechtsanspruch bestätigt ist, seine Ranch eine Menge wert sein werde. „Wenn Karls Titel bestätigt ist . . ." Das war das immer wiederkehrende Thema, das sie alle in Atem hielt. Bis dahin würde Adolph auf der Ranch Pferde züchten und abrichten. Bis zu diesem Zeitpunkt war es unmöglich, mit Charles zu leben, denn er mußte laufend Reisen nach San Francisco unternehmen, um Darlehen zu bekommen, besonders im Jahre 1854. Unter Beachtung der Gesetze der Provinz hatte er eine Stadt in der Wildnis am San Joaquin erbaut, wobei er seine eigenen Kräfte und Mittel reichlich eingesetzt hatte. Es muß ihm und anderen wie eine Beleidigung vorgekommen sein — auf jeden Fall sehr enttäuschend —, als der Kongreß der Vereinigten Staaten 1851 ein Gesetz verabschiedete, das von jedem Inhaber einer mexikanischen Ranch den Nachweis des rechtmäßigen Anspruchs auf seinen Besitz vor dem Bundesgericht verlangte, um jeden Zweifel auszuschließen. Dies brachte endlose Verzögerungen und enorme Gerichtskosten für die Grundbesitzer mit sich; viele von ihnen mußten beträchtliche finanzielle Einbußen hinnehmen oder machten Bankrott. Berufungen bei einem höheren Gericht waren besonders belastend für die kleineren Landbesitzer und diejenigen mit geringen finanziellen Rücklagen, die manchmal ihren gesamten Besitz verloren.

Trotz ihrer ungewissen Zukunft unternahm Helen Weber mit viel Freude im Sommer einige Besuche bei ihren Verwandten in der Nähe von San Jose. Charles dagegen konnte keine fröhlichen Sommertage bei den Murphys verbringen, die keine Schwierigkeiten hatten, die Bestätigung der US Land Claims Commission für ihre Besitzungen im Santa Clara-Tal zu bekommen. Charles' Gesuch auf Anerkennung seines Anspruchs auf seine Ländereien am San Joaquin schien hoffnungslos im Bürokratismus versunken zu sein; sein Fall erschien immer ziemlich am Schluß der von der Commission zu behandelnden Fälle. Adolph deutete an, daß Charles besonders empfindlich war, weil die fleißigen Murphys wohlhabend wurden, während er, der lange als der reiche Mann in der Familie gegolten hatte, nun um die Bestätigung seines Grundeigentums durch die Commission, die Grundlage seines Reichtums, kämpfen mußte.

In diesen schwierigen Zeiten war Julius George derjenige, der Charles' wechselnde Stimmungen am besten kannte und wußte, wie man mit ihnen fertig wird. Er diente seinem Onkel als eine Art Erster Sekretär und fing alle möglichen Fragen und Probleme ab, die den Meister möglicherweise verärgert hätten. Er beschäftigte sich mit den zahllosen Fragen, die Adolphs Pflichten aus der Las Animas-Ranch mit sich brachten, besonders dann, wenn Adolph Probleme hatte, die er nicht lösen konnte oder für die er die Verantwortung ablehnte. Bis zum Jahr 1854 hatte Julius George ein sehr genaues Bild gewonnen von Charles' Charakter, seinen unbestimmten Versprechungen und seinem Widerwillen, mit den Menschen in seiner Umgebung zu sprechen oder in Kontakt zu treten.

Julius schrieb:

„Der Himmel allein weiß wie seine Pläne in Bezug auf die Zukunft sind. Soviel ich ihn beurtheilen kann, und letzteres ist auf Erfahrung gestützt, befindet sich sein Geist auf der Folter, da er den Augenblick diesen Befehl giebt, diesen die nächste Minute wieder zurückruft, um einen der die gerade entgegengesetzte Tendenz besitzt, zu gebären, er ist sehr nervös, seufzt viel und tief und überhaupt das ganze geistige System befindet sich in einem krankhaften Zustande, den nur die Confirmation seines Titels wieder vollständig heilen kann!?

Armer Mann, seine gegenwärtige Lage ist nichts weniger als beneidenswerth, und vielleicht das schlimmste ist noch, daß er sich Vorwürfe macht, während sein Glück an dem Zenith stand, einigen zuviel Vertrauen geschenkt und ihnen die Zügel zu lange gelassen zu haben."

Auch Adolph machte ähnliche scharfsinnige Beobachtungen über das merkwürdige Verhalten seines älteren Bruders. Auf Las Animas, wo er reichlich Zeit zum Betrachten und Nachdenken hatte, formulierte er die folgenden persönlichen Bemerkungen:

„Welch unerklärlicher Charakter Karl ist, welch räthselhafter Mensch und Gatte, davon kann man sich keinen Begriff machen . . . Alles überragt und schließt dann wieder ab seine fürstliche Generosität!? . . . Da wirthschaftet nun Carl in den Morgen-, Mittag- und Abendstunden herum. Alles selbst leitend und anordnend und glückselig wenn er recht viele Leute zu commandiren hat oder einem schmarotzenden Besucher, resp. Pflanzen- und Blumenjäger seine Sachen zeigen kann. Da ist er so gesprächig und so ausführlich in seinen Beschreibungen, so munter in seinem Scherz, als er still, kurz gemessen und ernst, ja mürrisch im Hause den Seinen gegenüber ist . . . Wenn ihn Jemand pfiffig aber mit amerik. kalter Ruhe um Arbeit anspricht, so kann er sie nicht verweigern, um ein Geldgeschenk, so wirft er nur so weg." Adolph beschrieb seinen Bruder als verschlossen und melancholisch; er sprach so gut wie nie, das war Helens Aufgabe. Sein Gesicht, so fuhr Adolph fort, verriet oft, daß er tief bewegt war, doch er schien unfähig, seine Gefühle auszudrücken. Wenn er wirklich einmal, was selten vorkam, von seinen Sorgen berichtete, schien er sich zu entspannen. Die Verhöre wegen Webers Anspruch auf sein Land, die abgehalten wurden, seit Charles am 22. Mai 1852 seinen Antrag eingereicht hatte, führten im Sommer 1854 zu der Annahme, daß die US Land Claims Commission seinen Fall nun bald behandeln würde. In diesem Jahr benötigte Charles viel Geld – geliehenes Geld – und reiste zu diesem Zweck des öfteren nach San Francisco. Geld war in der Tat schwierig zu bekommen, und die Zinsen waren extrem hoch. Charles hoffte auf eine baldige Entscheidung, aber ein Aufschub folgte dem anderen.

Der Hauptgrund der Commission, seinen Fall hinauszuzögern, war offenbar die Tatsache, daß es einen ähnlichen, noch wichtigeren Fall zu behandeln gab – den von Colonel John C. Frémont, der bald Präsidentschaftskandidat der Vereinigten Staaten werden sollte. Sein Anspruch auf das Las Mariposas-Gelände, das weiter im Landesinnern lag und einen Teil des Goldgebietes einschloß, war scheinbar noch fragwürdiger als Webers. Als Frémonts Antrag von der Commission abgelehnt wurde, verwiesen seine Anwälte unter Leitung von William Carey Jones aus San Francisco den Fall an das Bezirksgericht für Nordkalifornien während der Sitzungsperiode im Dezember 1854 – und verloren ein zweites Mal! Frémonts Anwälte waren mit diesem Rechtsspruch nicht einverstanden und riefen den Obersten Gerichtshof der Vereinigten Staaten an, der den Fall Ende Februar 1855 behandelte. Einen Monat später, am 10. März, hob das Gericht die vorherigen Urteilssprüche auf und bestätigte Frémonts Rechtsanspruch auf seinen ausgedehnten Landbesitz in Kalifornien. Dieser Gerichtsbescheid gab all den Pionieren neue Hoffnung, deren Anspruch auf Land, das ihnen von den Mexikanern übertragen worden war und das sie bisher als rechtmäßige Besitzer verwaltet hatten, von der U.S. Land Claims Commission in Frage gestellt wurde.

Webers Helfer faßten neuen Mut. Sie waren überzeugt, daß seine Landübertragung in jeder Beziehung streng nach mexikanischem Gesetz erfolgt war und auch bestätigt werden würde – und sie behielten recht. Am 17. April 1855 verkündete die Commission, daß Webers Gelände in Stockton, das El Campo de los Franceses, sein gesetzmäßiges Eigentum sei.

Weitere gute Nachrichten folgten. Julius George, der inzwischen eine beachtliche Karriere als Rechtsanwalt in San Francisco aufbaute, war nach Washington, D.C., gereist, um die gesetzliche Abwicklung von Webers Fall zu überwachen, und seine Bemühungen wurden bestens belohnt. Genau am Tag seiner Rückkehr nach Stockton, am 7. Mai 1855, erhielt er ein Telegramm mit der Nachricht, daß die Commission am gleichen Morgen Webers Anspruch auf San Felipe y Las Animas bestätigt hatte. „Was nun? Hurrah!!" rief Julius George triumphierend aus.

Das Jahr 1855 brachte ein weiteres freudiges Ereignis für die Webers. Im Sommer hatte Helen Weber, die ein Kind erwartete, einen ausgedehnten Besuch bei ihren Verwandten in San Jose und im Santa Clara-Tal gemacht, um der Hitze und den Moskitos in Stockton zu entfliehen. Am 15. August fuhr Charles zu ihr und den Kindern nach San Jose, wo er zwei Wochen blieb. Dann kehrten sie alle in ihr Haus nach Stockton zurück. Am 27. September brachte Mrs. Weber ihr drittes Kind, einen gesunden Jungen, zur Welt. Die Mutter wollte ihn Adolph, Philipp oder Wilhelm nennen, aber Weber bestand darauf, daß das Kind den Namen von Amerikas berühmtem Verfechter der Demokratie, Präsident Thomas Jefferson, tragen sollte. Er war nämlich stolz darauf, einer Nation anzugehören, wo ein Mann fast alles tun konnte, was er wollte. Und so erhielt ihr Sohn den Namen Thomas Jefferson Weber; in der Familie wurde er Tom genannt.

Was Webers Anspruch auf sein Land betraf, so bestand immer noch die Möglichkeit, daß die Entscheidung der Commission rückgängig gemacht werden konnte. Tatsächlich dauerte der Nervenkrieg noch mehrere Jahre, denn seine Gegner legten beim U.S. Bezirksgericht und schließlich beim Obersten Gericht der Vereinigten Staaten Berufung gegen die Entscheidung der Commission ein. Gebühren und Gerichtskosten stiegen in die Höhe, aber Weber kämpfte weiter. Der große Krieg war jedoch vorbei. Seine Hauptschwierigkeiten mit dem Gesetz waren Fälle von Squattern, die sich an verschiedenen Stellen seines Landes niedergelassen hatten. Endlich im Jahre 1861 wurden die gesamten 48.747 Acres des großen Campo de los Franceses zu seinem unbestrittenen Eigentum erklärt, und er bekam eine Urkunde für sein Land.

XIII. KAPITEL

Nachwort
1855 – 1881

Nachdem 1855 Charles Webers Anspruch auf sein Land bestätigt worden war, konnten Adolph Weber und Julius George ihre eigenen beruflichen Pläne in Angriff nehmen. Nach zwei Jahren Landleben und der aufregenden Erfahrung, eine Ranch zu führen, hatte Adolph das Gefühl, er habe seine Verpflichtungen seinem Bruder gegenüber erfüllt. Im September 1855 teilte er Charles mit, daß er die Absicht habe, San Felipe y Las Animas zu verlassen. Charles bat ihn durch Julius George, er möge die Leitung der Ranch seinem Freund und Nachbarn, Louis Schoeller, übertragen, bis er selbst mit einem Käufer für die Pferde am kommenden Samstag nach Las Animas kommen würde. Adolph hatte sich inzwischen entschlossen, in Amerika zu bleiben und sich in San Francisco niederzulassen, denn er war überzeugt, daß er dort mehr Geld verdienen könne als in Deutschland.

Julius George war ebenso begeistert von Kalifornien und ließ sich in seinem phantasievollen Stil in einem ausführlichen Brief an Adolph über dieses Thema aus. „Das Leben hier ist wie eine Jagd auf Gold, so daß ich nur selten Zeit finde, die geschäftlichen Sorgen und die Hektik, die der Handel mit sich bringt, zu vergessen, ... um mich der Natur in Verehrung hinzugeben...". Er hatte vor kurzem einen Abendspaziergang durch Stockton gemacht und war von seiner Schönheit tief beeindruckt.

„Wie hätte ich einer so zauberhaften Nacht widerstehen können?... Dieser herrliche Vollmond, der bei Einbruch der Dunkelheit aufging und in den Himmel emporstieg wie ein riesiger weißer Feuerwagen ... Er erhellte Erde, Himmel und das Firmament in fast übernatürlicher Weise und tauchte die ganze Stadt in einen strahlenden Glanz, der sehr viel eindrucksvoller war als der hellste Sonnenschein. Lange bin ich den Levee entlangspaziert vor dem Garten und habe seiner Majestät, dem Mond, zugeschaut, bis er die volle Höhe erreicht hatte..."

Gegen 11 Uhr ging er heimwärts und seufzte: „Oh, Nacht! Du wurdest nicht für den Schlaf gemacht." Dann rief er aus: „Ich kann Dir versichern, Adolph, daß dies Land für uns bestimmt ist. Unsere zukünftige Heimat – oder zumindest meine – wird an der Küste des Pazifik sein."

Durch Freunde an der US Münzanstalt in San Francisco versuchte Adolph – jedoch ohne Erfolg –, eine Anstellung dort zu bekommen. Da schaltete sich Charles mit seinem weitreichenden Einfluß ein und empfahl seinen Bruder einem gewissen Jacob R. Schneider (Snyder), dem Leiter der Finanzabteilung an der Münzanstalt, den er gut kannte. Sofort wurde Adolph als stellvertretender staatlicher Metallprüfer in der Prüfstelle beschäftigt. Er nahm diese Stellung Ende November 1855 an.

Zwei Monate später schrieb Adolph an seinen Bruder Philipp in Deutschland, vielleicht als Antwort auf die Warnungen seiner Angehörigen: „Hüte Dich vor Quecksilberdämpfen!" Adolph beklagte sich bei Philipp, er fühle sich äußerst erschöpft, und führte dies auf Salpetersäuredämpfe zurück. Um Bewegung an der frischen Luft zu haben, legte er sich ein Pferd zu, auf dem er jeden Abend nach der Arbeit ausritt.

Die Sicherheit von Adolphs Position, die als eine herausragende politische Stellung angesehen wurde, war natürlich für ihn und seine Freunde von großer Bedeutung. Die Angestellten der Münzanstalt in San Francisco schlossen sich als demokratische „Parteimänner" oder „Kriegsgefährten", wie sie sich nannten, zusammen und unterstützten die Wahl von James Buchanan zum Präsidenten. Als der letztere siegte, brauchten Adolph und seine Freunde für die nächsten vier Jahre nicht um ihre Arbeit zu fürchten. Ihr Kollege Jacob R. Snyder wurde Leiter der Prüfstelle. Sie waren ganz sicher, daß Charles, falls es notwendig wäre, wieder seinen Einfluß in ihrem Interesse geltend machen würde.

Adolph war nun 31 Jahre alt und hatte ein gesichertes Einkommen. Da er sich offenbar einsam fühlte, beschloß er zu heiraten. Wie würde die Braut aussehen? Würde es ein hübsches „schwarzäugiges Landeskind, eine glühende Señorita" sein, wie Adolph – vielleicht etwas scherzhaft – in einem Brief an seine Eltern aus San Jose angedeutet hatte? Helen Weber hatte ihn geneckt wegen einiger ihrer Angehörigen unter den Murphys im Santa Clara-Tal als mögliche Kandidatinnen. Da war z.B. ihre hübsche und tapfere Schwägerin, Catherine Murphy, eine wohlhabende junge Witwe mit ihrem kleinen Sohn. Ihr gehörte die Rancho de la Polka mit einer großen Rinderherde. Die Murphys jedoch waren Katholiken, und Adolph als Protestant wollte nicht das Mißfallen seiner Eltern und Verwandten wegen der Religion erregen.

Adolph wußte ganz genau, daß seine Familie es lieber sähe, wenn er nach Hause käme und ein deutsches Mädchen heiratete. Sie bemerkten offensichtlich nicht, wie sehr Kalifornien zu seiner Heimat geworden war, wie froh er war über die zahlreichen beruflichen Möglichkeiten, das ausgezeichnete Klima und die Tatsache, daß er zu der zahlenmäßig bedeutenden Gruppe der Deutschen in San Francisco gehörte.

Adolph hatte sich auch schon für eine Lebensgefährtin entschieden, wie wir aus dem Bericht über seine Verlobung sehen. Am Abend des 10. Dezember 1856 waren er und seine Freundin, Regina Drenckhahn, zum Abendessen bei ihrem Schwager, Rudolph Jordan, eingeladen. Als Adolph die junge Dame anschließend nach Hause brachte, hielt er um ihre Hand an, und zwei Tage später verlobten sie sich. Die Hochzeit wurde auf den 10. Januar 1857 festgesetzt, so daß sie Gelegenheit hatten, ein Heim zu finden und ihr Leben für absehbare Zeit zu regeln. Obwohl Adolphs Familie offensichtlich enttäuscht darüber war, daß sich ihr Sohn für Amerika entschieden hatte, so muß sie dennoch voll Freude zur Kenntnis genommen haben, daß Regina denselben Glauben und dieselbe Nationalität hatte.

Unmittelbar nach seiner Verlobung reiste Adolph nach Stockton und teilte Julius George die Neuigkeit mit. Zwei Tage später traf er mit Charles und Helen Weber in San Francisco zusammen und besprach alles mit ihnen. Jedermann schien erfreut, auch wenn Charles, so erfuhr Adolph von Julius George, der Meinung war, sein Bruder hätte eine Frau von größerem Reichtum und von höherem gesellschaftlichem Rang heiraten können. Dies scheint Adolph nicht getroffen zu haben, denn er schrieb seinen Eltern, er habe einige heiratsfähige Mädchen abgelehnt „wegen der unsinnigen Sucht nach Aufwand und Verschwendung". Seine Wahl war auf eine liebevolle junge Frau gefallen, „deren reifere Jugend und sittsames, bescheidenes Wesen sich mit sanftem Herzen verband".

Nun da Adolph verheiratet war, mußte er den Lebensunterhalt für zwei bestreiten. Er mietete eine Wohnung und war – sehr wahrscheinlich nach Abstimmung mit Regina – einige Tage damit beschäftigt, sie einzurichten. Diese Erfahrung ließ sie viel über Kalifornien dazulernen, über seine Rückständigkeit und Abhängigkeit von anderen Teilen der Welt. Viele Waren mußten eingeführt werden. „Das große Zimmer ist mit Brüssel Carpet (Teppichen), die anderen mit chinesischen Matten belegt, der Spiegel kam von Frankreich, die Stühle von Boston, Sofa, Tische, Betten pp von New York, Bettzeug von San Francisco, Linnen von Banbridge in Irland . . ., die Öfen von Baltimore und Philadelphia und der unvermeidliche Rocking Chair (Lehnsessel zum Wiegen) weiß Gott woher."

Was auch immer seine persönliche Meinung über Adolphs Heirat sein mochte, Charles akzeptierte Regina als neues Familienmitglied. Eines Tages Ende Mai 1858 kamen Charles und Helen Weber nach San Francisco und machten einen überraschenden Besuch bei Adolph und seiner Frau. An dem Tag war Adolph aus beruflichen Gründen nicht zu Hause, und als auch Charles bald darauf zu einigen geschäftlichen Besprechungen aufbrach, blieben die beiden Frauen allein zurück und unterhielten sich auf Englisch, was offenbar Regina einige Schwierigkeiten bereitete. Charles und Helen verbrachten als Gäste von Adolph und seiner Frau mehrere Tage in San Francisco. Später packten dann Adolph und Regina ihre Sachen, um auf Einladung von Charles und Helen eine Woche in Stockton zu verleben. Beiden Ehepaaren machten diese Besuche offensichtlich Freude.

Adolph wurde ständig von seiner Familie bedrängt, er möge sich vor der Gefahr der Quecksilberdämpfe für seine Gesundheit hüten, denen er tagtäglich in der Münzanstalt ausgesetzt war. Von Zeit zu Zeit klagte er, er fühle sich krank, und sprach mit Charles und Helen darüber. Er zögerte jedoch, seine lukrative Stellung aufzugeben. Sie brachte ihm jährlich über 6.000 Dollar ein, außerdem erhielt er etwa 100 Dollar pro Monat aus angelegtem Kapital. Die Gesamtsumme lag über dem Betrag, den er in Deutschland hätte verdienen können. Als er seinen finanziellen Erfolg in Kalifornien zu erklären versuchte, meinte Adolph, daß der Herr all sein Mühen reichlich gesegnet habe. Dieser Satz hat seine frommen Eltern sicherlich sehr erfreut. Schließlich kündigte er seine Stelle an der Münzanstalt zum 31. Mai 1859, um sich eine andere Beschäftigung zu suchen.

Die frische Luft auf dem Lande muß auf Adolph eine große Anziehungskraft gehabt haben nach den unangenehmen Erfahrungen in der Münzanstalt; doch was sollte er tun? Seine Schwägerin, Mrs. Rudolph Jordan, hatte von der Möglichkeit einer Beteiligung gehört, die ihm günstig schien. Er könnte der Partner eines Kaufmannes werden in einem Geschäft in Geyserville am Russian-Fluß ungefähr 50 Meilen nördlich der Bucht von San Francisco. Am 30. Januar 1860 kaufte er also eine 50% Beteiligung an dem Geschäft, offensichtlich ohne es vorher gesehen zu haben. Der Verkäufer hieß Henry Windersheim und stammte wie Adolph aus der bayrischen Pfalz. Im Oktober 1860 ließ Adolph Regina und seinen Sohn in San Francisco zurück und ging nach Geyserville, um sich seinen dortigen Pflichten zu widmen. Wenn alles nach seinen Erwartungen verliefe, würde er sein Eigentum in San Francisco verkaufen, seine kleine Familie zu sich holen und ein Haus „an einem Bach im Walde" bauen.

Der Umzug an diesen Ort muß Adolph die ideale Lösung für seine gesundheitlichen Probleme erschienen sein. Doch bald tauchte eine andere ernste Schwierigkeit auf, als offensichtlich wurde, daß sein Partner vergeßlich, nachlässig und kein guter Geschäftsmann war. Die ersten Einnahmen schienen zufriedenstellend, aber Windersheim machte kleine Betrügereien und führte die Bücher sehr unordentlich. Da Adolph in solchen Dingen äußerst genau war, beunruhigte ihn das sehr, und er versuchte, den Geschäftsanteil seines Partners aufzukaufen. Aber Windersheim war nicht bereit zu verkaufen.

Inzwischen hatte Charles Weber durch gemeinsame Freunde in San Francisco oder San Jose von Adolphs Schwierigkeiten erfahren, und man kann sich die Besorgnis vorstellen, mit der Charles die Situation verfolgte. Er hatte ähnliches 1842 in San Jose als Partner von William Gulnac erlebt. Das Wohl seines Bruders lag ihm am Herzen, so daß er Mitte Oktober 1861 unangemeldet in Geyserville auftauchte mit dem großzügigen Angebot, Adolph beim Kauf von Windersheims Geschäftsanteil zu helfen. Doch dieser weigerte sich hartnäckig zu verkaufen, sogar gegen bares Geld. Als letzten Ausweg schlossen sie ein Geschäft ab, in dem Adolph seine Partnerschaftsanteile wieder an Windersheim verkaufte, wobei die Schulden durch Verkäufe bezahlt werden sollten. Diese Abmachung erwies sich als schlecht. Die mageren Ernteerträge in dem Jahr sowie

Windersheims mangelnde Geschäftstüchtigkeit brachten Adolph in ernste Geldschwierigkeiten. Er war nun ein freier Mann, aber ohne Anstellung und mit nur geringem Einkommen.

Charles Weber kümmerte sich unterdessen um seinen Bruder. Er wußte, daß Adolphs finanzielle Mittel begrenzt waren, und bat ihn, er möge seine Besitzungen in Stockton betreuen, während er und Helen im Winter 1861/62 eine Europareise unternähmen. Trotz seines langen Schweigens seiner Familie gegenüber hatte sich Charles schließlich doch dazu entschlossen, die Reise zu machen, und freute sich, so berichtete Adolph, auf ein Wiedersehen mit Europa. Es war der überaus tüchtige und beredsame Julius George, der vor allem die kulturellen Reichtümer und Sehenswürdigkeiten der Alten Welt hervorhob und so Charles zu dieser Reise überredete.

So schnell er konnte, brachte Adolph seine Angelegenheiten in San Francisco und Geyserville in Ordnung. Mit Weib und Kind, etwas persönlicher Habe und zwei Milchkühen verließ er sein ländliches Heim, und die Familie machte sich zu Fuß nach Stockton auf. Ihr Weg führte sie vom Russian-Fluß durch das Napa-Tal und über den Sacramento zu ihrem Ziel. An dem Tag, als Adolph seine Arbeit aufnahm, erlitt Charles einen seiner gelegentlichen nervösen Anfälle, aber am folgenden Tag war er der perfekte Gastgeber. Er spannte sein bestes Pferd vor die Kutsche und zeigte Adolph sein kleines Reich und machte ihn mit den verschiedenen Seiten seines Aufgabenbereichs vertraut. Adolph sollte viele Sonderrechte genießen, seines Bruders Sattel benutzen, den Hengst reiten und in der Kutsche fahren. Die Familie sah voller Hoffnung in die Zukunft.

Im Oktober setzte ganz überraschend der Winterregen ein, ungefähr sechs Wochen früher als sonst. Es regnete so stark, daß das ganze Land bald überflutet war. Drei Wochen lang im Januar lag Stockton tief im Wasser, die halbe Stadt war von dem reißenden San Joaquin überspült. Weiter im Norden überschwemmte der American River die Stadt Sacramento, in der noch mehr Schaden entstand. Charles' Besitz, im Herzen der Stocktoner Innenstadt gelegen, wurde stark beschädigt. Der Webersche Garten lag zwei bis fünf Fuß unter Wasser, und laut Adolphs Angaben stand das Wasser mehrere Tage lang 18 – 20 Inches in Charles' und Helens Haus. Da der ältere Teil des herrschaftlichen Anwesens von den schlammigen Fluten umspült wurde, bestand die Gefahr, daß das Luftziegelmauerwerk einstürzte. Die Männer, die Adolph zu Hilfe kamen – Charles war zu der Zeit nicht in Stockton –, stützten die Mauern mit Pfeilern ab, so daß der gesamte Bau ziemlich fest und stabil blieb. Adolph und die anderen stapften in hohen Gummistiefeln umher, während sie sich bemühten, die nötigsten Rettungsmaßnahmen durchzuführen. Die Pferde und der übrige Viehbestand in den Scheunen und Pferchen waren in Sicherheit gebracht worden ebenso wie die Topfpflanzen im Garten. Als Charles nach Hause kam – offenbar im Januar –, nahm er die Angelegenheit in die Hand, und Adolph und seine Frau gingen zurück nach San Francisco. Der Wintersturm hatte Charles' und Helens Reisepläne derart gründlich durchkreuzt, daß sie auf ihre Europareise verzichteten. Wie sich herausstellen sollte, fanden sie nie mehr Gelegenheit zu einem solchen Besuch.

Auch Adolph änderte seine Pläne und stieg in das Maklergeschäft in San Francisco ein, „vor allem in die Verwaltung von Eigentum für Ortsansässige und Leute und Freunde von außerhalb". Diese Tätigkeit brachte ihn mit dem Bankfach in Berührung, in dem er besonderes Ansehen erlangte. 1868 wurde er einer der Gründer und Aktionäre der Deutschen Sparkasse. Ein Jahr später, 1869, gründeten er und Julius George zusammen mit einigen Freunden die Humboldt- Spar- und Darlehensgesellschaft, der Adolph viele Jahre als Präsident vorstand. Schließlich erwarb die Gesellschaft ein Grundstück in der Geary Street in der Nähe der Kearny Street und errichtete ein eigenes Gebäude. Julius George arbeitete für die Bank als Rechtsanwalt bis zu seinem Tod im Jahre 1880. Sein Partner, Alexander H. Loughborough, wurde zu seinem Nachfolger gewählt. Beide waren sehr bekannte Rechtsanwälte.

Adolph Weber war bis zu seinem Lebensende Mitglied im Deutschen Wohltätigkeitsverein, außerdem gehörte er dem Deutschen Verein und anderen deutschen Gruppierungen an. Er wurde wiederholt aufgefordert, sich um ein öffentliches Amt zu bewerben, doch er zog es vor, sich aus der Politik herauszuhalten und ein ruhiges Leben ohne Aufsehen zu führen. Er wohnte in der Sutter Street 1422, als San Francisco am 6. April 1906 von dem schweren Erdbeben und dem Brand betroffen wurde. Der Schock und die Aufregung, die diese Ereignisse mit sich brachten, waren zu viel für sein Herz. Drei Wochen später, am 27. April, starb er, einen Monat vor Vollendung seines 81. Lebensjahres.

Adolph Weber und Julius George lieferten die wichtigsten Quellen für die Geschichte der Familie Weber. Ihre Briefe, vor allem die von Adolph an seine Eltern und übrigen Verwandten in Deutschland, enthalten ausgezeichnete Berichte über Charles und Helen Webers Ergehen, die Schlüsselfiguren, die der Anlaß für ihren eigenen Aufbruch nach Kalifornien gewesen waren. In ungefähr fünfwöchigem Abstand schickte Adolph ausführliche Briefe von 10 – 12 Seiten in seiner Muttersprache an seine Eltern und seinen Bruder Philipp in Deutschland. Zugegebenermaßen erhielten sie ab und zu etwas Klatsch. Doch Adolph gab auch sehr informative Schilderungen von den Vorkommnissen auf Charles' Ranch, von Familienangelegenheiten und geschäftlichen Unternehmungen. Er stützte sich in erster Linie auf Julius George, Webers gescheiten Geschäftsführer, der mit Adolph in enger Verbindung blieb und ihn mit Einzelheiten vertraut machte, zu denen er sonst keinen Zugang gehabt hätte.

Da Julius George besser als jeder andere mit Charles umgehen konnte, wurde er sein Vertreter und Sprecher. Als 1855 mit der Bestätigung von Charles' Anspruch auf seine Ranch in Stockton Georges Aufgabe beendet war, trat er aus

Adolph Weber, 1880

Regina Weber
geb. Drenckhahn

Webers Diensten aus, um sich selbständig zu machen. Um ihm den Übergang zu erleichtern, stellte ihn Charles dem Gouverneur und anderen Beamten vor, so daß er eingebürgert werden und seine Zulassung als Notar bekommen konnte. In einem Brief an Adolph brachte Julius George seine Dankbarkeit zum Ausdruck: „Die Ernennung habe ich deinem Bruder zu verdanken, der express nach Sacramento reiste und sie in persona von dem Gov. erbat." Julius George erhielt umgehend die notwendigen Papiere, und Ende November 1855 konnte er sein neues Amt antreten. Zu diesem Zweck richtete er in seiner alten Wohnung in Webers Haus in Stockton ein Büro ein. Dadurch war es ihm möglich, für Charles weiterhin als Geschäftsführer tätig zu sein, denn Charles konnte auf ihn nicht verzichten. Gleichzeitig hatte er sein eigenes Notariatsbüro. Für Charles besorgte er den Verkauf von Grundstücken und kümmerte sich um Vermietungen und Verpachtungen und andere geschäftliche Dinge.

Julius George war der einzige aus der Familie Weber in Kalifornien, der eine Reise zum Besuch von Verwandten und Freunden in Deutschland nicht nur plante, sondern auch durchführte. Er brach Ende November 1857 oder kurze Zeit später von Kalifornien auf und kam Ende Januar 1858 in seiner Heimat an. Zuerst besuchte er seine Eltern zu Hause in Obermoschel und fuhr dann weiter zu Charles' und Adolphs Vater nach Steinwenden.*) Am 30. Januar war er bei den Ryhiners, am folgenden Tag fuhr er nach Würzburg. Auf seiner „Wallfahrt" zu seinen Lieben zu Hause führte Julius George viele Geschenke mit sich, vor allem von Adolph. Er hatte u.a. einen Beutel mit kalifornischem Gold dabei als Weihnachtsgeschenk für die Kinder und einen Geldbetrag für dessen Mutter, Henriette Weber, die wieder in einer Heilanstalt war. Von besonderem Interesse für die Familie war eine Landkarte, um die sie gebeten hatte; sie zeigte die Lage von San Francisco, Stockton und San Jose. So konnten sie sich eine bessere Vorstellung machen von der Gegend, die ihnen vom Namen her so vertraut war.

Die Freunde und Verwandten in Deutschland feierten Julius George. Sie sahen, daß der junge Mann, der sein Zuhause im Alter von noch nicht ganz 18 Jahren verlassen hatte, ungeheuer reif geworden war. Vor ihnen stand ein ausgezeichneter und erfahrener Geschäftsmann, energisch und entschlossen. Jede Familie, die er aufsuchte, hätte ihn am liebsten eine Woche bei sich behalten, um seine Gesellschaft auszukosten. Zu ihrer Überraschung und Enttäuschung war seine Reise jedoch sehr kurz. Im Januar erreichte ihn die dringende Bitte von Charles, er möge doch so bald wie möglich zurückkommen, um ihn bei seinen geschäftlichen Angelegenheiten zu unterstützen. Kein anderer sonst verstand Webers komplizierte Geschäfte in gleicher Weise. Julius George ging auf die Bitte ein, und bevor es seine Verwandten und Freunde zu Hause so richtig begreifen konnten, trat er die Rückreise nach Kalifornien an.

---

*) Irrtum des Autors. Der Vater lebte ab 1843 in Schwegenheim. Vgl. Georg Biundo, Die evangelischen Geistlichen der Pfalz seit der Reformation, Neustadt a.d. Aisch, 1968, S. 493.

Zurück in Stockton, hatte Julius George einige Schwierigkeiten, seine alte Stellung in Charles Webers Geschäft auf der „Zauberranch", wie sie von seinen Verwandten in Deutschland genannt wurde, wiederzuerlangen. Sie war von einem Mann namens Yoell besetzt. Yoell wurde jedoch entlassen; und im Herbst 1858 vereinbarten Julius George und Charles, daß der junge Mann erneut die Leitung des Geschäftskontors übernehmen würde. George verpflichtete sich, diese Aufgabe für die Dauer von zwei Jahren zu erfüllen. Gleichzeitig durfte er ein paar eigene Geschäfte als Makler und Notar betreiben. Er schrieb an Adolph: „So bin ich wieder für einige Zeit festgenagelt."

Neben all diesen verantwortungsvollen Tätigkeiten begann Julius George mit dem Studium der Rechte in den Kanzleien von Hall und Hall in San Francisco. Durch diese Ausbildung wurde er Rechtsanwalt und wählte im Jahre 1861 Alexander H. Loughborough, einen früheren Studienkollegen, zum Partner. Viele Jahre lang unterhielten die beiden ein gemeinsames Büro Ecke Montgomery und Sacramento Straße in San Francisco.

Julius George starb im Alter von nur 47 Jahren am 8. Dezember 1880. Die Anwaltskammer in San Francisco lobte ihn als einen „hervorragenden Rechtsanwalt und aufrechten Bürger", und in den Zeitungen erschienen lange Artikel über seinen untadeligen Charakter und seine Verdienste.

Und wie erging es Charles Weber? Als die U.S. Land Claims Commission 1855 seinen Anspruch auf die Ranch am San Joaquin bestätigt hatte, schrieb Julius George: „Die unmittelbare Folge . . . ist, daß dein Bruder nun von Morgens bis Nachts thätig ist in der Verwaltung seines Geschäfts, so daß ich Grund zu glauben habe, daß er in einigen Monaten ganz schuldenfrei sein wird." Seine geschäftlichen Aktivitäten wurden nun fast zur Routine – er verkaufte Grundstücke, zog Mieten ein, nahm an Landwirtschaftstagungen in seinem Bezirk sowie in anderen Teilen Kaliforniens teil und überwachte seine ausgedehnten Ländereien in San Jose und Stockton.

Eins von Webers besonderen Projekten war der Bau eines Sommerhauses in Castoria, sieben Meilen südöstlich von Stockton. Da der Ort höher gelegen und der Boden trockener war, war die Gegend wahrscheinlich nicht so sehr von Moskitos und von der drückenden Sommerhitze betroffen. Am 2. Mai 1855 hatte er das Land, das Haus mitsamt der Einrichtung und Gartengeräte für 450 Dollar von Pierre Pommier gekauft. Offenbar entsprach aber die Wirklichkeit nicht seinen Erwartungen, und so verpachtete er das Gelände einige Jahre als Weideland. In den siebziger Jahren verkaufte er es wieder in kleinen Parzellen.

In der Mitte der fünfziger Jahre hatten die Webers begonnen, ihre Sommerferien in der Nähe von San Jose nicht weit von Helens Verwandten, den Murphys, zu verbringen. Charles war oft unterwegs auf landwirtschaftlichen Veranstaltungen und Geschäftsreisen, so daß sich seine Frau allein um die Kinder und den Haushalt kümmern mußte.

Im Sommer 1856 richtete Charles ein Sommerhaus in den Santa Cruz-Bergen ein. Er hatte das Land von einem Squatter gekauft, der sich auf Dan Murphys Ranch niedergelassen hatte bei der Mündung des Fox River, der jetzt Coyote heißt und die Südgrenze von Murphys Land in der Nähe von San Jose bildete. Auf dem Grundstück befand sich ein Haus, das Weber reparieren und zur Freude der Familie behaglich einrichten ließ. Am 30. Mai 1856 gingen Helen und die Kinder dorthin. Charles riß sich am 2. Juli von seinen Geschäften los und blieb bis Ende August bei ihnen. So verliefen künftig alle ihre Ferien.

Charles Weber hatte viel Interesse an der Landwirtschaft, was wahrscheinlich aus seiner Jugend in Deutschland herrührte. In Kalifornien wurde aus ihm ein äußerst erfolgreicher Landwirt und Finanzier. Als 1853 die Landeslandwirtschaftsgesellschaft (State Agricultural Society) gegründet wurde, spielte er dabei eine führende Rolle. Sie gab Gelder für landwirtschaftliche Ausstellungen und förderte Verbesserungen im Acker- und Gartenbau, in der Viehzucht und verwandten Branchen . . . Im folgenden Jahr schrieb Julius George an Adolph, daß Charles drei Tage auf die Industrieausstellung nach Sacramento fahren möchte, und deshalb war er nicht zu Hause, als am 27. September 1855 sein drittes Kind geboren wurde.

Im Jahre 1856 ging Charles Weber nach San Jose, um an der Jahresversammlung der State Agricultural Society teilzunehmen, während seine Familie Ferien machte und die Murphys im Santa Clara-Tal besuchte. Weber wurde für die 1857-er Amtsperiode zum Präsidenten gewählt, und Stockton wurde zur gastgebenden Stadt ernannt. Seit 1853 gab die State Agricultural Society eine Wochenzeitschrift heraus, „The California Farmer". Der Gründer und Herausgeber war der bekannte Oberst James L.L. Warren. Er war ein Kaufmann aus Massachusetts, der 1849 nach Kalifornien gekommen war und sich für den Verbrauch frischer Lebensmittel und Früchte einsetzte, um den Skorbut zu bekämpfen, der damals auf den Goldfeldern sehr verbreitet war. Unter seiner Führung wurde 1852 die erste „Große Landwirtschaftsmesse" in Sacramento abgehalten, die Vorläuferin des jährlichen „State Fair", der 1854 ins Leben gerufen wurde. Charles' Interesse an moderner, wissenschaftlicher Landwirtschaft wird belegt durch zahlreiche Bücher dieser Sparte, die noch heute in dem alten Weberschen Haus an der West Lane Avenue in Stockton zu finden sind.

Weber verfolgte aufmerksam die neuen Entwicklungen auf dem Gebiet der Landwirtschaft, und einmal versuchte er, ein großes Stück Land zu bewässern, auf dem er Weizen angebaut hatte. Nur wenige Farmer verfügten allerdings über die Mittel, in solch umfassendem theoretischem Rahmen zu experimentieren.

Charles legte auch Wert darauf, daß sein Haus Stocktons eleganteste und herausragendste Sehenswürdigkeit sein sollte. Er war rastlos – er mußte ständig aktiv sein und hatte eine Vorliebe fürs Bauen. Sein Vermögen ermöglichte es ihm, diesem Bedürfnis nachzugeben und ein wahrhaft großzügiges Haus zu unterhalten. Julius Dauber teilte Adolph, seinem Cousin und Vertrauten, 1857 mit: „Dein Bruder ist im vollen Bauen begriffen, das ganze Wohnhaus wird einmal wieder umgeändert."

Charles und Helen Weber waren zweifelsohne das prominenteste Paar in der Stadt und gesellschaftlich sehr gefragt. Charles riß sich offensichtlich nicht besonders um diese Einladungen oder nahm sie nicht mit Begeisterung an, aber es gefiel ihm, daß seine Frau eine führende Rolle in der feinen Gesellschaft spielte. Er ermunterte sie dazu, üppige Feste zu geben, wie sich das für „die First Lady von Stockton" gehörte. Offenbar drehte sich jedoch Helens Leben um den engen Familienkreis. Sie blieb lieber zu Hause und legte keinen Wert darauf, ihren Namen in den Überschriften der Gesellschaftsnachrichten der Zeitungen erscheinen zu sehen.

Musik und Literatur spielten im Hause der Webers eine große Rolle. 1855 bat Julius George Adolph, der sich damals in San Francisco aufhielt, er möge einen guten Klavierstimmer ausfindig machen und ihn nach Stockton schicken. Drei Kunden, vielleicht sogar fünf, wären ihm sicher, „falls er gut sei". Julius George fügte hinzu, er habe eine Klaviersaite, die er für einen Bekannten gekauft habe, in Mr. Atwills Geschäft zurückgelassen, und bat Adolph, diese bei seiner Rückkehr mitzubringen. Da sie jedoch keinen auswärtigen Klavierexperten finden konnten, vertrauten sie das Klavierstimmen einem alten deutschen Musiker aus Stockton an, der die Aufgabe besser als erwartet erledigte.

Acht Jahre später führte Julius George, der sich zu der Zeit in San Francisco aufhielt, einen ausführlichen Briefwechsel mit Adolph auf der Ranch über den Erwerb eines neuen Klaviers. Es sollte von guter Qualität sein und einen vollen Klang haben. Der Preis spielte keine Rolle; Julius George hatte die Erlaubnis, 500 Dollar auszugeben für das beste Klavier, das er bekommen könnte. Auch heute noch zeichnet sich das frühere Haus der Webers in Stockton durch den Besitz eines englischen Klaviers, einiger Möbelstücke und Einrichtungsgegenstände sowie einer Bibliothek aus, die aus der frühen Zeit Stocktons stammen. Ein Teil dieser Dinge gehörte wahrscheinlich zu der Ladung der „Emil", die Weber mitsamt der Fracht 1850 gekauft hatte.

Charles' Lieblingsbeschäftigung in seiner Freizeit war zweifellos die Gartenarbeit, der er sich stundenlang widmete. In der ersten Zeit bat er Adolph manchmal auf ihren gemeinsamen Ausritten, irgendeinen Strauch oder Busch auszugraben, der ihm gefiel, und ihn nach Stockton für den eigenen Garten schicken zu lassen. Er pflanze Blumen, Sträucher und Bäume aus vielen verschiedenen Gegenden an.

Im Alter bereitete es ihm großes Vergnügen, in der Kuppel seines herrschaftlichen Hauses zu sitzen und die zahlreichen Schiffe und Kähne zu beobachten, die auf dem Kanal entlangfuhren. Der Ausblick bei Sonnenuntergang muß überwältigend gewesen sein. Um ihn herum lag die große Stadt, die er gegründet

Gerichtsgebäude im Stocktoner Geschäftsviertel (um 1915)

Webers Porträt auf einem Industriegebäude in Stockton

hatte – ein lebendes Denkmal für einen Pionier voller Energie, Weitblick, Findigkeit und Großzügigkeit sowie für ihre Bewohner.

Die Webers genossen ihren Lebensabend in ihrer geliebten Stadt Stockton. Als Charles 1881 von einer Reise nach Virginia City zurückkam, erkrankte er an einer Lungenentzündung, die durch ein Leberleiden verschlimmert wurde. Die ganze Stadt trauerte, als Charles Weber unerwartet am 4. Mai desselben Jahres im Alter von 67 starb.

„Der Sarg wurde um 12 Uhr zur St. Mary's Church gebracht, 18 Aloysius-Kadetten begleiteten ihn, während die Glocken des Gerichtsgebäudes und der St. Mary's Church feierlich läuteten. Von zwölf bis zwei Uhr nachmittags strömten Tausende von Bürgern durch den Mittelgang der Kirche an dem aufgebahrten Captain vorbei, um ihm die letzte Ehre zu erweisen . . . Der Erzbischof Alemany aus San Francisco hielt die Totenmesse, unterstützt von den Priestern William B. O'Connor, Riorden, Walsh und Ward."

Helen Murphy Weber überlebte ihren Mann um einige Jahre. Sie lebte in dem herrschaftlichen Haus bis drei Jahre vor ihrem Tod am 11. April 1895.

Charles Weber hatte es zu beträchtlichem Wohlstand gebracht, und er ging Zeit seines Lebens äußerst großzügig mit seinem Geld um. In den Gründerjahren Stocktons überließ er der Stadt große Grundstücke für den Bau öffentlicher Gebäude, Schulen, Krankenhäuser, für Parks und Friedhöfe. Er gab den Kirchen der Stadt Bauland und oft auch größere Geldspenden. Außerdem ließ er einzelnen Freunden unvorstellbar hohe Geldsummen zukommen, wie sein Bruder Adolph bei seiner Ankunft in Stockton im Jahre 1853 feststellen mußte. Er erfuhr z.B., daß Charles dem „roten Wagner", dem „ehemaligen Kommunisten", ein ganzes Gebäude für eine Brauerei geschenkt und auch die „guten" Rothenbuschs in ihrer Bäckerei in Stockton unterstützt hatte. Einigen Freunden in New Orleans hatte er das Reisegeld nach Kalifornien geschickt und ihnen nach ihrer Ankunft in Stockton großzügig unter die Arme gegriffen. Das sind nur einige Beispiele; das ganze Ausmaß von Webers Freigebigkeit wird nie bekannt werden. Seine großherzigen Spenden an die Stadt Stockton sind ein Grund für seinen Platz in der Geschichte Kaliforniens. Seine Urenkelin, Helen Cahill, drückt es folgendermaßen aus:

„Die Stadt Stockton erhielt Gelände für dreizehn Parks, jeder in der Größe eines Blocks im Quadrat, „die als öffentliche Promenaden im Interesse der Gesundheit der Bürger unterhalten, gepflegt und ausgeschmückt werden sollen . . ." Vier weitere kamen später hinzu. Dann baute Weber eine Mauer gegen Überschwemmungen in der Stanislaus Street, zog einen Entwässerungskanal entlang der gesamten East Street (Wilson Way) und der North Street (Harding Way) und versuchte so, die schrecklichen Überflutungen zu verhindern, von denen die Stadt in manchen Wintern heimgesucht wurde . . . Er schenkte der Stadt das Grundstück für das Bezirksgericht und die Hälfte des Geländes für die Staatliche

Anstalt für Geisteskranke und für den öffentlichen Festplatz. Anläßlich seines Todes schrieben die Zeitungen, daß bis auf eine Schule alle übrigen auf Land errichtet seien, das er der Stadt persönlich überlassen habe . . ."

Charles Weber ist als Gründer einer großen Stadt unauslöschlich in die Geschichte der Anfänge Kaliforniens eingegangen. 1976 würdigte die Stadt Stockton seine Verdienste, indem sie zu seinem Andenken ein Denkmal aus Granit errichtete und in der Nähe der Stelle aufstellte, wo Weber im Herbst 1847 sein erstes Haus und sein Geschäft erbaut hatte.

Weber-Gedenkstein in der Nähe des heutigen Holiday Inn-Hotels, errichtet 1973

THE WEBER HOME - 1850

THE RESIDENCE OF CAPTAIN CHARLES M. WEBER, WHO FOUNDED STOCKTON IN 1849, WAS LOCATED 450 FEET WEST OF THIS MONUMENT. THE TOWER WAS OFTEN USED BY WEBER TO WATCH RIVERBOATS NAVIGATING THE SAN JOAQUIN RIVER AND STOCKTON CHANNEL. IN 1917 THE HOUSE WAS DESTROYED BY FIRE.

THE HOME SITE WAS PART OF EL RANCHO DEL CAMPO DE LOS FRANCESES. WEBER'S 48.747 ACRE MEXICAN LAND GRANT. THIS INCLUDED MOST OF THE PRESENT SITE OF STOCKTON AND EXTENDED SOUTH AND EAST ENCOMPASSING THE HEART OF SAN JOAQUIN COUNTY.

STOCKTON HISTORICAL LANDMARK NO.13
DESIGNATED BY THE STOCKTON CITY COUNCIL 1973
SITE AND MONUMENT BASE ARE THE DONATIONS OF
THE HOLIDAY INNS OF AMERICA AND
FIBREBOARD CORPORATION - PICKERING OPERATIONS.

DAS WEBERSCHE ANWESEN – 1850

Das Haus von Captain Charles M. Weber, der 1849 Stockton gründete, lag 450 Fuß (ca. 137 m) westlich von diesem Gedenkstein. Der Turm wurde von Weber oft benutzt zur Beobachtung der Flußschiffe auf dem San Joaquin und dem Stockton-Kanal. 1917 wurde das Haus durch Feuer zerstört.

Das Grundstück gehörte zu dem 48.747 Acres (ca. 20.000 ha) großen Campo de los Franceses-Gelände, das Weber in mexikanischer Zeit erworben hatte. Dieses Gelände umfaßte den größten Teil des heutigen Stockton und erstreckte sich nach Süden und Osten in das Herz des San Joaquin-Bezirks.

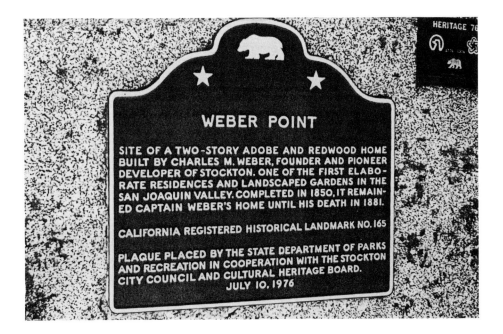

HERITAGE 76

WEBER POINT

SITE OF A TWO-STORY ADOBE AND REDWOOD HOME
BUILT BY CHARLES M. WEBER, FOUNDER AND PIONEER
DEVELOPER OF STOCKTON. ONE OF THE FIRST ELABO-
RATE RESIDENCES AND LANDSCAPED GARDENS IN THE
SAN JOAQUIN VALLEY. COMPLETED IN 1850, IT REMAIN-
ED CAPTAIN WEBER'S HOME UNTIL HIS DEATH IN 1881.

CALIFORNIA REGISTERED HISTORICAL LANDMARK NO. 165

PLAQUE PLACED BY THE STATE DEPARTMENT OF PARKS
AND RECREATION IN COOPERATION WITH THE STOCKTON
CITY COUNCIL AND CULTURAL HERITAGE BOARD.
JULY 10, 1976

WEBER POINT

Ehemaliger Standort eines zweistöckigen Hauses aus Luftziegeln und Mammutbaumholz, errichtet von Charles M. Weber, dem Gründer und Erbauer von
Stockton. Eines der ersten stattlichen Häuser mit prächtig gestalteten Gärten
im San Joaquin-Tal. 1850 vollendet. Captain Weber lebte darin bis zu seinem
Tod im Jahre 1881.

Von links nach rechts: Helen Weber-Kennedy (1889 – 1983), Bürgermeister Arnold Rue, Stockton, und Ilka S. Hartmann, die Verfasserin des Buches „The Youth of Charles M. Weber, Founder of Stockton", vor dem Grabmal Charles M. Webers im Jahre 1981.

Charles Maria Weber III. 1893 – 1987

Dr. Gertrude Weber
mit ihren Söhnen
Charles Maria IV.
und John Frederick

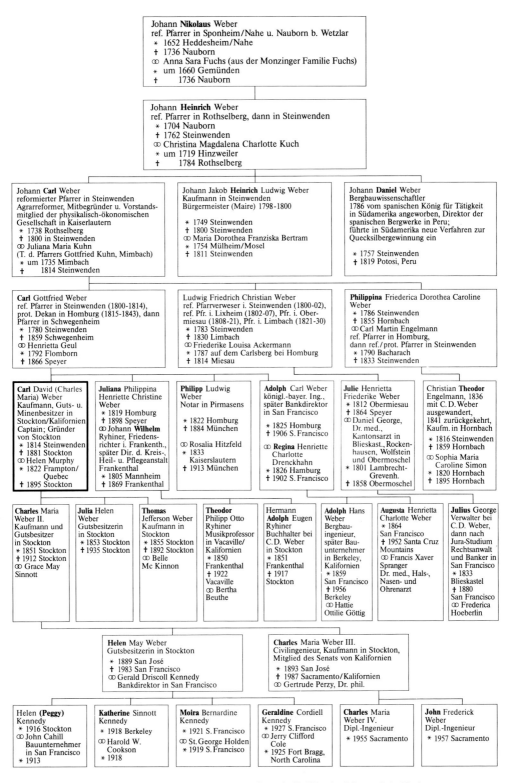

Johann Nikolaus Weber
ref. Pfarrer in Sponheim/Nahe u. Nauborn b. Wetzlar
∗ 1652 Heddesheim/Nahe
† 1736 Nauborn
∞ Anna Sara Fuchs (aus der Monzinger Familie Fuchs)
∗ um 1660 Gemünden
† 1736 Nauborn

Johann Heinrich Weber
ref. Pfarrer in Rothselberg, dann in Steinwenden
∗ 1704 Nauborn
† 1762 Steinwenden
∞ Christina Magdalena Charlotte Kuch
∗ um 1719 Hinzweiler
† 1784 Rothselberg

Johann Carl Weber
reformierter Pfarrer in Steinwenden
Agrarreformer, Mitbegründer u. Vorstands-
mitglied der physikalisch-ökonomischen
Gesellschaft in Kaiserlautern
∗ 1738 Rothselberg
† 1800 in Steinwenden
∞ Juliana Maria Kuhn
(T. d. Pfarrers Gottfried Kuhn, Mimbach)
∗ um 1735 Mimbach
† 1814 Steinwenden

Johann Jakob Heinrich Ludwig Weber
Kaufmann in Steinwenden
Bürgermeister (Maire) 1798-1800
∗ 1749 Steinwenden
† 1800 Steinwenden
∞ Maria Dorothea Franziska Bertram
∗ 1754 Mülheim/Mosel
† 1811 Steinwenden

Johann Daniel Weber
Bergbauwissenschaftler
1786 vom spanischen König für Tätigkeit
in Südamerika angeworben, Direktor der
spanischen Bergwerke in Peru;
führte in Südamerika neue Verfahren zur
Quecksilbergewinnung ein
∗ 1757 Steinwenden
† 1819 Potosi, Peru

Carl Gottfried Weber
ref. Pfarrer in Steinwenden (1800-1814),
prot. Dekan in Homburg (1815-1843), dann
Pfarrer in Schwegenheim
∗ 1780 Steinwenden
† 1859 Schwegenheim
∞ Henrietta Geul
∗ 1792 Flomborn
† 1866 Speyer

Ludwig Friedrich Christian Weber
ref. Pfarrverweser i. Steinwenden (1800-02),
ref. Pfr. i. Lixheim (1802-07), Pfr. i. Obermiesau (1808-21), Pfr. i. Limbach (1821-30)
∗ 1783 Steinwenden
† 1830 Limbach
∞ Friederike Louisa Ackermann
∗ 1787 auf dem Carlsberg bei Homburg
† 1814 Miesau

Philippina Friederica Dorothea Caroline
Weber
∗ 1786 Steinwenden
† 1855 Hornbach
∞ Carl Martin Engelmann
ref. Pfarrer in Homburg,
dann ref./prot. Pfarrer in Steinwenden
∗ 1790 Bacharach
† 1833 Steinwenden

Carl David (Charles
Maria) Weber
Kaufmann, Guts- u.
Minenbesitzer in
Stockton/Kalifornien
Captain; Gründer
von Stockton
∗ 1814 Steinwenden
† 1881 Stockton
∞ Helen Murphy
∗ 1822 Frampton/
Quebec
† 1895 Stockton

Juliana Philippina
Henriette Christine
Weber
∗ 1819 Homburg
† 1898 Speyer
∞ Johann **Wilhelm**
Ryhiner, Friedens-
richter i. Frankenth.,
später Dir. d. Kreis-,
Heil- u. Pflegeanstalt
Frankenthal
∗ 1805 Mannheim
† 1869 Frankenthal

Philipp Ludwig
Weber
Notar in Pirmasens
∗ 1822 Homburg
† 1884 München
∞ Rosalia Hitzfeld
∗ 1833
Kaiserslautern
† 1913 München

Adolph Carl Weber
königl.-bayer. Ing.,
später Bankdirektor
in San Francisco
∗ 1825 Homburg
† 1906 S. Francisco
∞ **Regina** Henriette
Charlotte
Drenckhahn
∗ 1826 Hamburg
† 1902 S. Francisco

Julie Henrietta
Friederike Weber
∗ 1812 Obermiesau
† 1864 Speyer
∞ Daniel George,
Dr. med.,
Kantonsarzt in
Blieskast., Rocken-
hausen, Wolfstein
und Obermoschel
∗ 1801 Lambrecht-
Grevenh.
† 1858 Obermoschel

Christian **Theodor**
Engelmann, 1836
mit C. D. Weber
ausgewandert,
1841 zurückgekehrt,
Kaufm. in Hornbach
∗ 1816 Steinwenden
† 1859 Hornbach
∞ Sophia Maria
Caroline Simon
∗ 1820 Hornbach
† 1895 Hornbach

Charles Maria
Weber II.
Kaufmann und
Gutsbesitzer
in Stockton
∗ 1851 Stockton
† 1912 Stockton
∞ Grace May
Sinnott

Julia Helen
Weber
Gutsbesitzerin
in Stockton
∗ 1853 Stockton
† 1935 Stockton

Thomas
Jefferson Weber
Kaufmann in
Stockton
∗ 1855 Stockton
† 1892 Stockton
∞ Belle
Mc Kinnon

Theodor
Philipp Otto
Ryhiner
Musikprofessor
in Vacaville/
Kalifornien
∗ 1850
Frankenthal
† 1922
Vacaville
∞ Bertha
Beuthe

Hermann
Adolph Eugen
Ryhiner
Buchhalter bei
C. D. Weber
in Stockton
∗ 1851
Frankenthal
† 1917
Stockton

Adolph Hans
Weber
Bergbau-
ingenieur,
später Bau-
unternehmer
in Berkeley,
Kalifornien
∗ 1859
San Francisco
† 1956
Berkeley
∞ Hattie
Ottilie Göttig

Augusta Henrietta
Charlotte Weber
∗ 1864
San Francisco
† 1952 Santa Cruz
Mountains
∞ Francis Xaver
Spranger
Dr. med., Hals-,
Nasen- und
Ohrenarzt

Julius George
Verwalter bei
C. D. Weber,
dann nach
Jura-Studium
Rechtsanwalt
und Banker in
San Francisco
∗ 1853
Blieskastel
† 1880
San Francisco
∞ Frederica
Hoeberlin

Helen May Weber
Gutsbesitzerin in Stockton
∗ 1889 San José
† 1983 San Francisco
∞ Gerald Driscoll Kennedy
Bankdirektor in San Francisco

Charles Maria Weber III.
Civilingenieur, Kaufmann in Stockton,
Mitglied des Senats von Kalifornien
∗ 1893 San José
† 1987 Sacramento/Kalifornien
∞ Gertrude Perzy, Dr. phil.

Helen **(Peggy)**
Kennedy
∗ 1916 Stockton
∞ John Cahill
Bauunternehmer
in San Francisco
∗ 1913

Katherine Sinnott
Kennedy
∗ 1918 Berkeley
∞ Harold W.
Cookson
∗ 1918

Moira Bernardine
Kennedy
∗ 1921 S. Francisco
∞ St. George Holden
† 1919 S. Francisco

Geraldine Cordiell
Kennedy
∗ 1927 S. Francisco
∞ Jerry Clifford
Cole
∗ 1925 Fort Bragg,
North Carolina

Charles Maria
Weber IV.
Dipl.-Ingenieur
∗ 1955 Sacramento

John Frederick
Weber
Dipl.-Ingenieur
∗ 1957 Sacramento

Auszug aus der Genealogie der Pfarrers- und Kaufmannsfamilie Weber, bearbeitet von Roland Paul.

Literaturverzeichnis

Amador, José María. Memorias sobre la Historia de California. 1877. MS. The Bancroft Library.

Aungst, J. T. Jr. "Captain Charles Maria Weber." Master's thesis, University of the Pacific, Stockton, California, 1934.

Bancroft, Hubert Howe. *Chronicles of the Builders of the Commonwealth.* 7 vols. San Francisco: The History Company, 1891–92.

Bancroft, Hubert Howe. *History of California.* 7 vols. San Francisco: A. L. Bancroft & Company, 1884–1890.

Bancroft, Hubert Howe. *History of Mexico.* 6 vols. San Francisco: A. L. Bancroft, 1883–1888.

Belden, Josiah. *Josiah Belden, 1841 California Overland Pioneer: His Memoir and Early Letters.* Edited and with an introduction by Doyce B. Nunis, Jr. Georgetown, California: Talisman Press, 1962.

Bidwell, John. *Echoes of the Past about California.* Edited by Milo Milton Quaife. Chicago: R. R. Donnelley & Sons Co., 1928.

Bidwell, John. *The First Emigrant Train to California.* With a foreword by Oscar Lewis. Reprinted from *The Century Magazine,* November, 1890. Menlo Park, California: Penlitho Press [1966]. There are several other editions of this popular narrative.

Bidwell, John. *A Journey to California, 1841. The Journey of John Bidwell.* Introduction by Francis P. Farquhar. Berkeley: Friends of the Bancroft Library, 1964.

Bidwell, John. *Life in California Before the Gold Discovery.* Foreword by Oscar Lewis. Palo Alto: L. Osborne, 1966.

Biggs, Donald C. *Conquer and Colonize: Stevenson's Regiment and California.* San Rafael, Calif.: Presidio Press, c. 1977.

Book Club of California. *Coast and Valley Towns of Early California.* No. 8, Stockton. San Francisco, 1938.

Brown, Alan K. *Sawpits in the Spanish Red Woods, 1787–1849.* San Mateo, Calif.: San Mateo County Historical Association, 1966.

Brown, John Henry. *Early Days of San Francisco.* Oakland, Calif.: Biobooks, 1949.

Buffum, Edward Gould. *Six Months in the Gold Mines: from a Journal of Three Years' Residence in Upper and Lower California, 1847-8-9.* Edited with an introduction by John W. Caughey. Los Angeles: Ward Ritchie Press, 1959.

Burrus, Ernest J., S. J., ed. *Diario del capitán comandante Fernando de Rivera y Moncada, con un apéndice documental.* 2 vols. Madrid: J. Porrua Turanzas, 1967.

California. Supreme Court. *Reports of Cases argued and determined in the Supreme Court of the State of California.* Vol X (Sutter's Grant). San Francisco: Bancroft-Whitney Co., 1858.

Camp, Charles L., ed. *Narrative of Nicholas "Cheyenne" Dawson (Overland to California in '41 & '49, and Texas in '51).* Introduction by Charles L. Camp. San Francisco: The Grabhorn Press, 1933.

Carson, James H. *Early Recollections of the Mines and a Description of the Great Tulare Valley.* Published to accompany the steamer edition of the *San Joaquin Republican.* Stockton, Calif., 1852. There are other editions of this famous work.

Caughey, John Walton. *California.* 3rd ed. Englewood Cliffs, N. J.: Prentice-Hall, 1970.

Caughey, John Walton. *Gold is the Cornerstone.* Berkeley and Los Angeles: University of California Press, 1948.

Chapman, Charles Edward, ed. *Expedition on the Sacramento and San Joaquín Rivers in 1817: Diary of Fray Narcisco Durán.* Berkeley: University of California, 1911. Publications of the Academy of Pacific Coast History, Vol. 2, No. 5.

Chiles, Joseph B. *A Visit to California in 1841: As Recorded for Hubert Howe Bancroft, in an Interview with. . . .* Foreword by George R. Stewart. Berkeley: Friends of the Bancroft Library, 1970.

Clarke, Dwight L., ed. *The Original Journals of Henry Smith Turner: With Stephen Watts Kearny to New Mexico and California, 1846–1847.* Edited and with introduction by Dwight L. Clarke. Norman: University of Oklahoma Press, 1966.

Clarke, Dwight L. *Stephen Watts Kearny, Soldier of the West.* Norman: University of Oklahoma Press, 1961.

Clyman, James. *James Clyman, Frontiersman: the Adventures of a Trapper and Covered-wagon Emigrant as told in his Own Reminiscences and Diaries.* Edited by Charles L. Camp. Portland, Oregon: Champoeg Press, 1960.

Colton, Walter. *Three Years in California: Together with Excerpts from the Author's Deck and Port. . . .* Introduction and Notes by Marguerite Eyer Wilbur. Stanford: Stanford University Press, 1949.

Cook, Sherburne F. *The Conflict between the California Indian and White Civilization.* Berkeley and Los Angeles: University of California Press, 1943.

Coronel, Antonio Franco. "Cosas de California," Obra en que el autor trata particularmente de lo que acontecio en la parte del Sur durante los años de 1846 y 1847. Dictated to D. Tomas Savage, 1877. MS. The Bancroft Library.

Coy, Owen C. *The Genesis of California Counties.* Berkeley: California Historical Survey Commission, 1923.

Cronise, Titus Fey. *The Natural Wealth of California: Comprising Early History* . . . San Francisco: H. H. Bancroft & Co., 1868.

Dakin, Susanna Bryant. *The Lives of William Hartnell.* Stanford: Stanford University Press, 1949.

Dawson, Nicholas. *California in '41. Texas in '51.* Austin: Pemberton Press, ca. 1969.

DeNier, Flora Loretta. "Robert Livermore and the Development of Livermore Valley to 1860." Master's thesis, University of California, Berkeley, 1927.

Dillon, Richard. *Fool's Gold: The Decline and Fall of Captain John Sutter of California.* New York: Coward-McCann, 1967.

Dixon, Frank Haigh. *A Traffic History of the Mississippi River System.* National Waterways Commission, No. 11. Washington: U. S. Government Printing Office, 1909.

Early Day Romances: Sutter's Fort, 1847–1848. The Nugget Editions Club of C. K. McClatchy Senior High School. Sacramento: The Nugget Press, 1943.

Egan, Ferol. *Frémont: Explorer for a Restless Nation.* Garden City, New York: Doubleday & Co., Inc., 1977.

Emparan, Madie Brown. *The Vallejos of California.* San Francisco: Gleeson Library Associates, University of San Francisco, 1968.

Fedorova, Svetlana G. *The Russian Population in Alaska and California, Late 18th Century–1867.* Translated and edited by Richard A. Pierce and Alton S. Donnelly. Kingston, Ont.: Limestone Press, ca. 1973.

Figueroa, José. *The Manifesto to the Mexican Republic [by] Don José Figueroa, Commandant-General and Political Chief of Upper California.* Oakland: Biobooks, 1952.

Foote, Horace S. *Pen Pictures from the Garden of the World, or, Santa Clara County, California.* Chicago: Lewis Publishing Co., 1888.

Fort Sutter Papers. A Transcript of the Fort Sutter Papers Together with the Historical Commentaries Accompanying Them Brought Together in One Volume for Purposes of Reference. Edw. E. Eberstadt, 1922.

Frémont, John Charles. *Geographical Memoir upon Upper California, in Illustration of his Map of Oregon and California.* Reprinted from the 1848 edition, with introductions by Allan Nevins and Dale L. Morgan. San Francisco: Book Club of California, 1964.

Frémont, John Charles. *Narrative of the Exploring Expedition to the Rocky Mountains, in the Year 1842, and to Oregon and North California, in the Years 1843-44.* New York: D. Appleton & Co., 1846.

Frémont, John Charles. *Narratives of Exploration and Adventure.* Edited by Allan Nevins. New York: Longman, Green, 1956.

Gates, Paul W. "Adjudication of the Spanish-Mexican Land Claims in California." *The Huntington Library Quarterly,* May 1958: 213-36.

Gay, Theressa. *James W. Marshall, The Discoverer of California Gold: A Biography.* Georgetown, Calif.: Talisman Press, 1967.

Giffen, Helen S. *Trail-blazing Pioneer: Colonel Joseph Ballinger Chiles.* San Francisco: John Howell Books, 1969.

Gilbert, Frank T. *History of San Joaquin County, California.* Oakland: Thompson and West, 1879.

Goodwin, Cardinal Leonidas. *The Establishment of State Government in California, 1846-1850.* New York: Macmillan Co., 1914.

Gould, Emerson W. *Fifty Years on the Mississippi; or, Gould's History of River Navigation.* St. Louis: Nixon-Jones Printing Co., 1889.

Grimshaw, William Robinson. *Grimshaw's Narrative; Being the Story of Life and Events in California during Flush Times, particularly the Years 1848-1850.* Edited with preface and notes by J. R. K. Kantor. Sacramento: Sacramento Book Collectors Club, 1964.

Gudde, Erwin G. *California Place Names: The Origins and Etymology of Current Geographical Names.* 3rd ed. Berkeley and Los Angeles: University of California Press, 1969.

Gudde, Erwin G. *Sutter's Own Story: The Life of General John Augustus Sutter and the History of New Helvetia in the Sacramento Valley.* New York: G. P. Putnam's Sons, 1936.

Guinn, James Miller. *History of the State of California and Biographical Record of the San Joaquin Valley, California.* Los Angeles: Historic Record Company, 1909.

Guinn, James M. and George H. Tinkham. *History of the State of California and Biographical Record of the San Joaquin Valley.* Containing Biographies of Well-

Known Citizens of the Past and Present. State History by J. M. Guinn. . . . History of San Joaquin County by George H. Tinkham. 2 vols. Los Angeles: Historic Record Co., 1909.

Hafen, LeRoy R., ed. *The Mountain Men and the Fur Trade of the Far West.* 10 vols. Glendale, Calif.: A. H. Clark Co., 1965-72.

Hall, Carroll D. *Heraldry of New Helvetia.* San Francisco: Book Club of California, 1945.

Hall, Frederic. *History of San Jose and Surroundings.* San Francisco: A. L. Bancroft & Co., 1871.

Hammond, George P. *German Interest in California before 1850.* Master's thesis, University of California, Berkeley, 1921. Printed by R & E Research Associates, San Francisco, 1971.

Hammond, George P., ed. *The Larkin Papers: Personal, Business, and Official Correspondence of Thomas Oliver Larkin, Merchant and United States Consul in California.* 10 vols. Berkeley: University of California Press, 1951-1964.

Hammond, George P. and Dale L. Morgan. *Captain Charles M. Weber: Pioneer of the San Joaquin and Founder of Stockton, California.* Berkeley: Friends of the Bancroft Library, 1966.

Harlow, Neal. *The Maps of San Francisco Bay.* San Francisco: Book Club of California, 1950.

Hartmann, Ilka Stoffregen. *The Youth of Charles M. Weber, Founder of Stockton.* Foreword by George P. Hammond. Stockton: University of the Pacific, ca. 1979.

Hastings, Lansford W. *The Emigrants' Guide to Oregon and California.* Reprint of the 1845 ed., with an introduction by Mary Nance Smith. New York: DaCapo Press, 1969.

Hawley, David N. Statement. MS. The Bancroft Library. 10pp.

Heizer, Robert F., ed. *The Costanoan Indians: An assemblage of papers on the language and culture of the Costanoan Indians.* . . . Cupertino, Calif.: California History Center, ca. 1974.

Heizer, Robert F., and M. A. Whipple, eds. *The California Indians; A Source Book.* 2nd ed. Berkeley and Los Angeles: University of California Press, 1971.

Hertz, Freidrich Otto. *The German Public Mind in the Nineteenth Century: A Social History of German Political Sentiments, Aspirations and Ideas.* Edited by Frank Eyck. Totowa, New Jersey: Rowman and Littlefield, 1975.

Hittell, John Shertzer. *The Discovery of Gold in California* [by] John S. Hittell, James W. Marshall, [and] Edwin G. Waite. Palo Alto: Lewis Osborne, 1968.

Hoffman, Ogden. *Reports of Land Cases Determined in the United States District Court for the Northern District of California.* . . . San Francisco: Numa Hubert, 1862.

Hoover, Mildred B., H. E. Rensch, and Ethel G. Rensch. *Historic Spots in California.* 3rd ed. Stanford, Calif.: Stanford University Press, 1966.

Hopper, Charles. Narrative of Charles Hopper, a California Pioneer of 1841. Dictated for H. H. Bancroft by R. T. Montgomery. Napa, 1871. MS. The Bancroft Library.

Hubbard, Harry D. *Building the Heart of an Empire.* Boston: Meador Publishing Co., 1938.

Hughes, John T. *California: Its History, Population, Climate, Soil, Products, and Harbors . . . with An Account of the Revolution in California, and Conquest by the United States.* Cincinnati: J. A. and U. P. James, 1849.

Hyde, William, and Howard L. Conard. *Encyclopedia of the History of St. Louis.* 4 vols. New York, Louisville, St. Louis: The Southern History Company, 1899.

Jackson, Donald Dale. *Gold Dust.* New York: Knopf, 1980.

Jackson, Donald Dean, and Mary Lee Spence, eds. *The Expeditions of John Charles Frémont.* Urbana: University of Illinois Press, 1970.

Jackson, Joseph Henry. *Anybody's Gold: The Story of California's Mining Towns.* San Francisco: Chronicle Books, 1970.

James, William F., and George H. McMurry. *History of San Jose, California.* San Jose: Smith Printing Co., 1933.

John, James. Diary, 1841. Original in Rosenbach Museum and Library, Philadelphia, Pa. Copy transcribed for the Bancroft Library by Dale L. Morgan.

Jones, William Carey. *Land Titles in California . . . Together with a Translation of the Principal Laws on that Subject.* . . . Washington: Gideon & Co., 1850.

Kelly, William. *A Stroll Through the Diggings of California.* London: Simms and M'Intyre, 1852.

Kroeber, Alfred Louis. *Handbook of the Indians of California.* Smithsonian Institution, Bureau of American Ethnology, Bulletin 78. Washington: U. S. Government Printing Office, 1925.

Leonard, Charles Berdan. "The Federal Indian Policy in the San Joaquin Valley." Ph.D. dissertation, University of California, Berkeley, 1927.

Lewis, Oscar. *Sutter's Fort: Gateway to the Gold Fields.* New Jersey: Prentice-Hall, 1966.

Lienhard, Heinrich. *From St. Louis to Sutter's Fort, 1846.* Translated and edited by Erwin G. and Elisabeth K. Gudde. Norman: University of Oklahoma Press, 1961.

Lyman, Chester S. *Around the Horn to the Sandwich Islands and California, 1845-1850.* Edited by Frederick J. Teggart. New Haven: Yale University Press, 1924.

Lyman, George D. *John Marsh, Pioneer: The Life Story of a Trail-Blazer on Six Frontiers.* New York: C. Scribner's Sons, 1930.

McCarthy, Francis F. *The History of Mission San Jose, California, 1797-1835.* Fresno, Calif.: Academy Library Guild, 1958.

M'Collum, William S. *California As I Saw It: Pencillings by the Way of its Gold and Gold Diggers! and Incidents of Travel by Land and Water.* Edited by Dale L. Morgan. Los Gatos, Calif.: Talisman Press, 1960.

McCrackan, John. Letter to his mother and sisters. San Francisco, November 9, 1851. MS. The Bancroft Library.

McKevitt, Gerald. *The University of Santa Clara; A History, 1851-1977.* Stanford, Calif.: Stanford University Press, 1979.

McLeod, Alexander Roderick. "Journal of Southern Expedition," in Maurice S. Sullivan, *The Travels of Jedediah Smith.* Santa Ana, Calif.: Fine Arts Press, 1934.

Maloney, Alice Bay. *Fur Brigade to the Bonaventura; John Work's California Expedition, 1832-1833.* San Francisco: California Historical Society, 1945.

Martin, V. Covert. *Stockton Album, Through the Years.* Stockton, 1959.

Martínez, Pablo L. *Guía Familiar de Baja California, 1700-1900: Vital Statistics of Lower California.* México: Editorial Baja California, 1965.

Mason, Richard Barnes. "Interesting Dispatch from California," in John T. Hughes, *California . . .* Cincinnati: J. A. and U. P. James, 1850.

Mattes, Merrill J. *The Great Platte River Road: The Covered Wagon Mainline via Fort Kearny to Fort Laramie.* Lincoln, Nebraska, 1969.

Minick, Roger, and Dave Bohn. *Delta West: The Land and People of the Sacramento-San Joaquin Delta.* Berkeley: Scrimshaw Press, 1969.

Moerenhout, Jacques Antoine. *The Inside Story of the Gold Rush.* Translated and edited by Abraham P. Nasatir. San Francisco: California Historical Society, 1935.

Morefield, Richard. *The Mexican Adaptation in American California, 1846–1975.* (Master's thesis, University of California, Berkeley, 1955). Printed by R & E Research Associates, San Francisco, 1971.

Munro-Fraser, J. P. *History of Santa Clara County, California.* San Francisco: Alley, Bowen & Co., 1881.

Murray, W. H. *The Builders of a Great City: San Francisco's Representative Men, the City, its History and Commerce.* San Francisco: San Francisco Journal of Commerce Publishing Co., 1891.

Navarro y Ocampo, Ramón Gil. *Diario* que contiene el itinerario hecho por mi y mi Familia . . . en Chile desde el 24 de Marzo que llegue a San Felipe Aconcagua (September 6, 1845, to October 16, 1852). MS. The Bancroft Library.

Newton, Janet. *Las Positas: The Story of Robert and Josefa Livermore.* Livermore, Calif.: Ralph and Janet Newton, 1969.

Nunis, Doyce B., Jr., ed. *The Hudson's Bay Company's First Fur Brigade to Sacramento Valley: Alexander McLeod's 1829 Hunt.* Fair Oaks, Calif.: Sacramento Book Collectors Club, 1968.

Nunis, Doyce B., Jr., "Michel Laframboise," in LeRoy R. Hafen, *The Mountain Men,* Vol. V (1968), 145–70.

Odgen, Adele. *The California Sea Otter Trade, 1784–1848.* Berkeley and Los Angeles: University of California Press, 1941.

Olmsted, Roger R., ed. *Hutchings' Illustrated California Magazine: Scenes of Wonder & Curiosity from Hutchings California Magazine, 1856–61.* Berkeley: Howell-North, 1962.

Osborn, Timothy C. Journal, June 14, 1850–January 1, 1855. MS. The Bancroft Library.

Palóu, Francisco. *Historical Memoirs of New California.* Translated and edited by Herbert E. Bolton. 4 vols. Berkeley: University of California Press, 1926.

Palóu, Francisco. *Life of Fray Junípero Serra.* Translated and annotated by Maynard J. Geiger. Washington: Academy of American Franciscan History, 1955.

Paul, Rodman W. *The California Gold Discovery: Sources, Documents, Accounts and Memoirs Relating to the Discovery of Gold at Sutter's Mill.* Georgetown, Calif.: Talisman Press, 1966.

Perkins, William. *Three Years in California: William Perkins' Journal of Life at Sonora, 1849–1852.* Introduction and annotations by Dale L. Morgan and James R. Scobie. Berkeley: University of California Press, 1964.

Pinson, Frederick. *The German Public Mind in the Nineteenth Century.* Totowa, New Jersey: Rowman and Littlefield, 1975.

Reading, Alice M. Collection of material relating to her father, Pierson B. Reading. MSS. The Bancroft Library.

Robinson, Zirkle D. *The Robinson-Rosenberger Journey to the Gold Fields of California, 1849–1850.* Edited and with an introduction by Francis Coleman Rosenberger. Iowa City: Prairie Press, 1966.

Royce, Charles C. *John Bidwell: Pioneer, Statesman, Philanthropist; A Biographical Sketch.* Chico, Calif., 1906.

Royce, Josiah. "The Squatter Riot of '50 in Sacramento," *The Overland Monthly,* series 2, vol. 6 (1885): 225–46.

Royce, Josiah. *California, from the Conquest in 1846 to the Second Vigilance Committee in San Francisco.* With introduction by Robert Glass Cleland. New York: A. A. Knopf, 1948.

Russell, Carl P. *Firearms, Traps, & Tools of the Mountain Men.* New York: Knopf, 1967.

Ryan, William Redmond. *Personal Adventures in Upper and Lower California, in 1848–9.* 2 vols. London: W. Shoberl, 1850.

San Joaquin Genealogical Society, Stockton, California. *Gold Rush Days: Vital Statistics Copied from Early Newspapers of Stockton, California, 1850–1855.* Stockton, 1958.

Sandels, G. M. Waseurtz af. *A Sojourn in California by the King's Orphan . . . 1842–1843.* Edited and with an introduction by Helen Putnam Van Sicklen. San Francisco: Book Club of California, 1945.

Schallenberger, Moses. *The Opening of the California Trail: The Story of the Stevens Party from the Reminiscences of Moses Schallenberger. . . .* Edited by George R. Stewart. Berkeley and Los Angeles: University of California Press, 1953.

Schenck, William E. *Historic Aboriginal Groups of the California Delta Area.* Berkeley: University of California Press, 1926.

Slate, Frederick. "Biographical Memoir of Eugene Woldemar Hilgard, 1833–1916." Washington, D. C., 1919. In the correspondence and papers, 1862–1937, of Frederick Slate.

Smet, Jean Pierre de. *Letters and Sketches, with a Narrative of a Year's Residence among the Indian Tribes of the Rocky Mountains.* Philadelphia: M. Fithian, 1843.

Spearman, Arthur Dunning. *The Five Franciscan Churches of Mission Santa Clara, 1777–1825.* Palo Alto, Calif.: The National Press, 1963.

Stanger, Frank M. *Sawmills in the Redwoods: Logging on the San Francisco Peninsula, 1849–1967.* San Mateo: San Mateo County Historical Association, 1967.

Stegner, Wallace E. *The Gathering of Zion: The Story of the Mormon Trail.* New York: McGraw-Hill, 1964.

Stephenson, Nathaniel W. *Texas and the Mexican War.* New Haven: Yale University Press, 1921.

Stevens, Walter B. *St. Louis, the Fourth City, 1864–1911.* 2 vols. St. Louis: S. J. Clarke Publishing Co., 1911.

Stewart, George R. *The California Trail: An Epic with Many Heroes.* New York: McGraw-Hill, 1962.

Stockton City Directory for the Year 1856. Together with a Historical Sketch of Stockton by J. P. Bogardus. San Francisco: Harris, Joseph & Co., 1856.

Sullivan, Gabrielle. *Martin Murphy, Jr., California Pioneer.* Stockton, Calif.: Pacific Center for Western Historical Studies, University of the Pacific, 1974.

Sullivan, Maurice S. *Jedediah Smith, Trader and Trail Breaker.* New York: Press of the Pioneers, 1936.

Sullivan, Maurice S. *The Travels of Jedediah Smith: a Documentary including the Journal of the Great American Pathfinder.* Santa Ana, Calif.: Fine Arts Press, 1934.

Sutter, John A. *The Diary of Johann August Sutter,* with an introduction by Douglas S. Watson. San Francisco: Grabhorn Press, 1932.

Sutter, John A. Personal Reminiscences. Recorded by H. H. Bancroft. MS. The Bancroft Library.

Swan, John A. *A Trip to the Gold Mines of California in 1848.* Edited, with introduction and notes by John A. Hussey. San Francisco: Book Club of California, 1960.

Swartzlow, Ruby Johnson. "Peter Lassen, Northern California's Trail-Blazer," *California Historical Society Quarterly,* XVIII (1939): 291–314.

Taylor, Bayard. *At Home and Abroad: A Sketch-Book of Life, Scenery, and Men.* New York: G. P. Putnam's Sons, 1894.

Taylor, Bayard. *El Dorado or, Adventures in the Path of Empire. . . .* 2 vols. New York: Putnam, 1850.

Taylor, Clotilde Grunsky, ed. *Stockton Boyhood, Being the Reminiscences of Carl Ewald Grunsky . . . 1855–1877.* Berkeley: Friends of the Bancroft Library, 1959.

Thompson & Co., publishers. *Historical and Descriptive Review of the Industries of San Jose, 1886.* San Jose, Calif., 1886.

Tinkham, George H. *California, Men and Events; Time 1769–1890.* Stockton, 1915.

Tinkham, George H. *History of San Joaquin County, California, with Biographical Sketches. . . .* Los Angeles, 1923.

Tinkham, George H. *A History of Stockton from its Organization Up to the Present Time.* San Francisco, 1880.

Tyler, Daniel. *A Concise History of the Mormon Battalion in the Mexican War, 1846–1847.* First published in 1881. Reprinted at Glorieta, New Mexico: Rio Grande Press, 1964 and 1969.

U. S. Land Commission. "Land Grant Case No. 298, Northern District, Campo de los Franceses Grant, Charles M. Weber, Claimant."

U. S. Land Commission. "Land Grant Case No. 340, Northern District, Campo de los Franceses Grant, Justo [Larios] et al., Claimant."

U. S. Land Commission. "Land Grant Case No. 413, Northern District, Rio Estanislao Grant, Francisco Rico et al., Claimant."

U. S. Land Commission. "Land Grant Case No. 332, Southern District, Cañada de San Felipe y Las Animas Grant, Charles M. Weber, Claimant."

Vallejo, M. G. "Documentos para la Historia de California," Cal. MSS, vols. B 1–36.

Van Nostrand, Jeanne, and Edith M. Coulter. *California Pictorial; A History in Contemporary Pictures, 1786 to 1859, With Descriptive Notes on Pictures and Artists.* Berkeley: University of California Press, 1948.

Violette, Eugene M. *A History of Missouri.* Boston: D. C. Heath & Co., 1918.

"When San Jose was Young." Album of articles and clippings from the *San Jose News,* January 5, 1917, to April 22, 1918. The Bancroft Library.

Wilbur, Marguerite Eyer. *A Pioneer at Sutter's Fort, 1846–1850; The Adventures of Heinrich Lienhard.* No. 3 of the Calafía Series. Translated, edited, and annotated. Los Angeles: The Calafía Society, 1941.

Winther, Oscar Osburn. "The Story of San Jose, 1777–1869, California's First Pueblo." *California Historical Society Quarterly,* XIV (1935): 3–27, 147–74.

Woods, Daniel B. *Sixteen Months at the Gold Diggings.* New York: Harper & Brothers, 1851.

Zollinger, James Peter. *Sutter; the Man and His Empire.* New York: Oxford University Press, 1939.